善知識 26인 說法集

마음으로 읽는

고승법어

(II)

弘法院

善知識 26인 說法集

마음으로 읽는

고승법어
(II)

弘法院

맹구우목의 인연을 기뻐하며

　구름 걸린 설악산 봉우리와 골짜기마다 불어오는 맑은 바람소리는 아무리 훌륭한 시인묵객이라도 다 그려낼 수 없습니다. 밤새도록 울어대는 동해의 깊은 해조음은 아무리 훌륭한 작곡가라도 다 표현할 수 없습니다. 설악산이나 동해의 참모습은 인간의 유한한 의사소통 수단인 문장이나 그림으로는 그 참다운 모습을 다 담아낼 수는 없기 때문입니다. 그래서 일찍이 신라의 원효 스님은 진리의 참된 본성은 '말로써 설명할 수 있는 것이 아니며離言說相, 문자나 개념으로 알려질 수 있는 것도 아니며離名字相, 분석적 사변으로도 닿을 수 없다離心緣相'고 갈파했습니다. 모든 말과 표현들은 실체 그 자체가 아니라 그 실체를 보여주기 위해 빌려 쓴 수단에 불과하다는 것입니다. 그런 까닭에 부처님은 45년 동안 8만4천의 방편설법을 하시고도 '한 말씀도 말한 바 없다一字不說'고 했습니다. 개념화된 말로써는 어떤 천변만어千辯萬語를 쏟아낸다 하더라도 진실 그 자체를 말한 것이 아니라는 것입니다.

　그렇기는 하지만 이 세상의 어떤 진리도 언어나 문자로 표현되지 않고서는 그 본모습을 표현할 수 없습니다. 우리는 언어를 통해야만 모든 사물과 진리의 모습을 짐작하게 됩니다. 언어와 문자가 없으면 철학과 종교, 역사와 문학도 존재할 수 없습니다. 모든 진리는 언어와 문자로 표현될 때만 비로소 진리로서의 모습을 드러내게 됩니다. 이를 의언진여依言眞如라고 합니다. 말에 의지하지 않고는 진리도 드러나지 않는다는 것입니다. 그것은 마치 '사랑한다'고 말하지 않으면 어떤 사람도 사랑을 알아채지 못하는 것과 같은 이치입니다.

  부처님은 처음 깨달음을 얻은 뒤 설법을 주저했다고 합니다. 깊은 명상 끝에 홀로 깨달은 심심미묘甚深微妙한 법을 아무리 설명한다 하더라도 표현이 부족할 뿐만 아니라 어리석은 중생들이 다 알아듣지 못할 것을 우려한 것입니다. 그럼에도 부처님이 설법을 결심한 것은 침묵만으로는 중생을 제도할 수 없음을 알았기 때문입니다. 그리하여 부처님은 35세 때 녹야원에서 법륜을 굴리신 이래 쿠시나가라에서 80세를 일기로 열반에 드실 때까지 하루도 쉬지 않고 감로법문을 연설하셨습니다. 그것을 기록해 놓은 것이 바로 팔만대장경입니다.
  부처님이 이처럼 평생 동안 무상심심한 미묘법을 연설한 뜻은 다른 데 있지 않습니다. 그것은 고해중생을 널리 제도하여 안락에 이르게 하고자 하는 자비심의 발로였습니다. 부처님의 대자대비란 다른 것이 아닙니다. 중생들의 무명과 우치를 깨우쳐 다시는 어리석은 짓을 하지 않는 지혜로운 삶을 살도록 하는 것입니다. 불교가 절을 짓고 교단을 조직하며, 역대조사가 방할棒喝과 수지竪指와 권렴捲簾으로 중생을 접화한 뜻도 여기에 있습니다.

 무명과 삼독번뇌에 가려서 삼악도를 헤매는 중생에게 큰스님의 법문은 횃불과 같습니다. 불빛을 받아 바른 길로 가면 저 언덕에 이를 것이지만, 반대로 그 빛을 외면하면 천길 나락으로 떨어지게 됩니다. 따라서 중생들은 한시라도 빨리, 한마디라도 더 많이 법문을 듣고 실천하려고 애써야 합니다. 이것이 불교를 믿는 불자들이 해야 할 참다운 수행입니다.

 중생이 불법을 만나는 것은 천년에 한번 씩 물위로 올라오는 눈먼 거북이가 구멍 뚫린 나무판자를 만나는 것처럼 어려운 일이라고 했습니다. 이번에 홍법원에서 출간하는 이 고승법어는 '맹구우목盲龜遇木'의 판자와 같은 보감寶鑑입니다. 여기에는 우리 나라 근현대의 고승들이 고구정녕하게 이르신 수행의 나침반이 들어있습니다. 그러므로 이 법어집을 읽는 사람들은 모두 생사고해에서 벗어나게 하는 출신활로가 어떤 것인지 알게 될 것입니다. 어찌 다행하고 기쁜 일이 아니겠습니까. 천하의 불자들께서는 모처럼의 진귀한 인연으로 만난 이 〈고승법어〉를 배독한 공덕으로 마침내 무상대도無上大道를 성취하기를 진심으로 바라고 또 바랍니다.

 끝으로 옛날의 불자들은 어떤 마음으로 불경을 읽었는지를 알게 하는 〈법구경〉의 한 구절을 소개하면서 맹구우목의 인연을 함께 기뻐하고자 합니다.

비록 아무리 많은 경전을 외우더라도   雖多誦經
뜻을 알지 못하면 무슨 이익이 있으랴   不解何益
하나의 구절이라도 그것을 바르게 알고   解一法句
실천해나가야 도를 얻을 수 있으리라   行可得道

불기 2551년 5월
설악산 향성선원 · 무금선원 회주 오현

간행의 말씀

 "불자들이여, 이제 전법傳法의 길을 떠나라. 모든 사람의 이익과 행복을 위하여 두 사람이 한 길로 가지 말라. 설법은 처음도 좋고, 끝도 좋게 하라."
 잡아함경 39·16에 있는 말씀입니다.
 부처님께서 깨달으신 후 제자들에게 부촉한 전법선언傳法宣言은 오늘 날 한국 불교가 해야 할 일이 무엇인가를 단적으로 일깨워 주신 교훈입니다.
 한 사람이라도 더 많이 불법佛法을 전하기 위해 '두 사람이 한 길로 가지 말라'고 까지 당부하신 부처님의 간곡한 뜻을 우리는 충분히 헤아릴 수 있습니다.
 그러나 불행하게도 한국불교의 현실은 부처님의 '전법선언 정신'이 어느 때 보다 위축되어 있습니다. 특히 해방 이후 서구종교의 폭발적인 교세확장과 무분별한 전도 활동으로 인해 불교는 상대적으로 깊은 좌절과 침체의 늪에 빠져 있음은 부인할 수 없습니다. 심하게 표현하면 그나마 있던 불자마저도 타종교에 빼앗기고 불교자체의 존립마저도 위태로울지 모르는 상황입니다.
 이 같은 상황이 도래한데는 그럴만한 이유가 있습니다. 그동안 우리들의 신행자세를 돌아보면 조탑조사造塔造寺와 불공만이 최고의 공덕이라고 믿어온 것이 사실입니다. 그러다보니 종교의 생명이라 할 '전법의 사명'은 소홀하게 되었습니다.

　수많은 경전은 이렇게 가르치고 있습니다.

　"만약 선남자 선녀인이 칠보七寶로 삼천대천세계를 장엄하고 제불보살께 공양 예배하는 공덕보다도 부처님 말씀 가운데 한 마디 사구게四句偈를 다른 사람에게 전해주는 공덕이 더욱 크다." 하였습니다.

　전법傳法은 곧 불자가 공덕을 쌓는 가장 뛰어난 길이며, 그것은 바로 불자의 사명이라 하겠습니다. 부처님의 말씀을 전하는 사람은 반드시 법사法師만이 아닙니다. 모든 불자가 전법에 나서라는 것이 부처님의 유촉입니다.

　바라건데 전국의 모든 사암에서 매주 1회 이상 대중을 위한 설법회를 의무적으로 시행할 수 있도록 종단차원에서 법을 제정해 실시한다면 포교는 크게 활성화되리라 믿습니다.

　홍법원이 문서포교를 시작한지 40년을 맞이하여 한국불교를 빛내주신 근현대 고승인 경허·용성·만공·전강·성철스님 등 여러 선지식과 원로 대덕 큰스님 235인의 법문원고를 모아 법어집(5권)을 간행하게 되었습니다. 〈고승법어〉 3권의 차례는 생년월일 순에 따랐고, 〈名설법名법어〉 2권은 법명의 가나다순으로 정하였습니다.

그리고 〈名설법名법어〉의 원고는 1987년 4월부터 1990년 2월까지 3년간 불교신문에 연재됐던 「설법」과 최근에 수집한 원고를 추가하여 출간하였습니다.

한 권의 〈법어집〉은 수십 명의 상좌보다도 낫다는 말이 있습니다. 한 평생 수행정진하고 중생교화에 헌신한 큰스님이라도 제자들이 정성으로 그 뜻을 기록하고 보전하려는 마음이 없으면 그의 사상과 교화의 발자취도 곧 사라지고 맙니다. 높은 차원에서는 언어 문자가 바로 참모습의 작용이고 표현이므로 선종계통에서 문자로 된 어록이 다른 종파에 비해 더 많은 것을 역사적으로 살펴볼 수 있습니다.

지면관계상 더 많은 스님들의 법어를 싣지 못한 것을 아쉬워하면서 아무쪼록 이 법어집이 큰스님들의 진면목眞面目에 한 점 허물도 없기를 간절히 바랍니다.

이 법어집을 통해 마음 공부하는 이들에게 조금이라도 지침이 된다면 이는 오로지 부처님과 큰스님들의 은혜라고 생각합니다. 그리고 한국불교의 앞날을 위해 밤낮없이 대중포교에 수고하시는 여러 스님들과 법사님께서 설법자료로 활용해 주신다면 어둔 밤길을 밝혀줄 한 줄기 큰 횃불이 되리라고 확신합니다.

 이 책이 나오기까지 격려와 지원을 해 주신 원로대덕스님과 각 문도회 여러분 그리고 성철스님의 법어를 제공해 주신 원택스님과 장경각에 깊은 감사를 드리며 끝으로 이 책의 서문을 써주시고 물심양면으로 후원해주신 설악산 향성선원 · 무금선원의 회주 오현 큰스님과 범종사 김철오 회장께 지면을 빌려 감사를 드립니다.

불기 2551년 6월
홍법원 대표 길상 합장

차례

성철 스님

망상하지 말라 ················ 21
三九는 二十八이니라 ············ 24
돈오란 무엇인가 ············· 26
선 정 ····················· 33
중생과 불성佛性 ················ 38

서옹 스님

인간의 존엄성 ················ 43
참나의 빛을 발휘하자 ············ 49
자작자수自作自受 ··············· 52

월산 스님

우리 곁에 계시는 부처님 ·········· 55
부처를 친견하는 법 ············· 59
수행자가 새겨 둘 법문 ··········· 64

경계에 끄달리지 않는 공부 ················ 69
쥐가 고양이 밥을 먹다 ···················· 73

탄허 스님

삶과 죽음 ································· 77
선이란 무엇인가? ························· 81
마음은 우주의 본체 ······················· 91
화신불 ····································· 94

월하 스님

육체보다는 마음의 가치 ·················· 97
화두란 무엇인가 ························· 101
염불공덕 이야기 ························· 104
꿈을 깹시다 ······························ 112

서암 스님

출가의 길 ································ 119

세상을 가장 열심히 사는 길 ············ 124
생명의 실상 ························· 137
선의 진수 ··························· 144
성냄과 인욕 ························· 153

경산 스님

불교란 무엇인가? ···················· 159
선禪과 교敎 ························· 164

혜암 스님

어떻게 공부할 것인가 ················ 169
자신을 지켜라 ······················· 172
세상법이 무상하니 발심하라 ·········· 174

성수 스님

수행자에게 ·························· 179

무상한 인생 ········· 186

승찬 스님

이 도리가 어떠한 도리입니까? ········ 191
안심입명安心入命 ············· 194
하안거 법문 ············· 199

법전 스님

산도 좋고 물도 좋다 ············ 203
누구 있는가? 누구 있는가? ·········· 207

영파 스님

이 뭣꼬? ················· 211

원담 스님

그물 법문 ················ 217

하루는 길다 ·················· 221
무릎에다 망건쓰다 ··············· 224

숭산 스님

12인연의 비유 ················· 229
마음이 곧 부처 ················ 235
선이란 무엇인가? ··············· 239
좌선의 방법 ·················· 251

광덕 스님

놓아라 ····················· 261
믿음의 실천으로 전법하자 ············ 266
기도성취의 원리 ················ 269
무엇이 광명을 가리는가? ············ 275
불국의 문을 열자 ················ 280

청하 스님
주인공을 찾으라 ················ 287

보성 스님
고삐를 당겨라 ················ 291

녹원 스님
불교란 무엇인가? ················ 297
마음밭을 가꾸자 ················ 305

경우 스님
선禪의 의미 ················ 309
자성불을 봅시다 ················ 315

일타 스님
불자의 세 가지 법공양 ················ 323

올바른 기도법 ················· 329

지유 스님

자신의 모습을 보라 ················· 339
선도 악도 생각하지 마라 ············ 347

진제 스님

소리없는 법문 ················· 359
어디서 오는고! ················ 362

정무 스님

자신의 업 스스로 끊어야 ············ 367
최상의 선은 효 ················ 370

성준 스님

항상 정진하라 ················· 377

기도란 무엇인가 ·················· 383
그대들은 보지 못했는가 ················ 389
卽心是佛 ························ 396
스님은 어느 편입니까? ·············· 403

천운 스님

지장경의 핵심은 효 ················ 409
고苦를 여의는 길 ·················· 413
종교인의 자세 ···················· 417

혜산 스님

가장 잘 사는 법 ·················· 421

性徹 (1912~1993)

1936년 25세 때 동산스님을 은사로 득도
1940년 29세 때 동화사 금당선원에서 오도함
1947년 봉암사 결사를 이끔
1967년 해인총림 방장
1981년 조계종 제7대 종정
1991년 제8대 종정
1993년 해인사 퇴설당에서 82세에 입적

1
망상하지 말라

사자는 소리치고 여우는 울음 우니
푸른 산은 높고 흰구름은 달린다.
떨어진 꽃은 세 잎 다섯 잎이요
분주한 나비는 한 쌍 두 쌍이라.
홀연히 우르릉 하는 우레소리에 하늘과 땅이 좁아지니
돌사람이 놀라 달음질치고 푸른 바다가 뒤집히네.
알겠는가?
밤중에 미친 원숭이는 밝은 달 아래서 울고
새벽에 금빛 봉황새는 서쪽 봉우리를 지나간다.

분양汾陽스님에게 무릇 무엇이든지 물으면 그때마다 "망상하지 말라."고 말씀하셨습니다. 감원監院스님이 말하기를 "사람들은 스님의 불법은 다만 한마디 뿐이라고 하니 지금부터는 쉬소서."하니 그 후로는 사람을 보면 다만 "쉬어라." 하였습니다.
　스님께서 평하셨습니다.

두건을 벗어 나무에 거니 바람이 머리털에 나부끼고
지팡이 짚고 매화를 찾으니 눈이 몸에 송이송이 내리네.

　자수慈受스님이 송하셨습니다.

망상하지 말라함을 잘 참구할지니
종일토록 누굴 위해 바쁜지 알지 못하네.
만약 바쁜 가운데서 참소식을 알면
한 송이 연꽃이 끓는 물 속에서 피어나리.
쉬어라 또한 참으로 잘 쉬니
백년 동안 헛된 꿈은 물 속의 거품이라
자기 집 속의 천진불天眞佛을 구구하게 밖을 향해 찾지 말라.

　스님께서 평하셨습니다.

봉숭아 꽃 함빡 웃으니 대울타리 짧고 시냇가 버들가지 절로 흔들리니 모래 위 물이 맑구나.

대중들이여, 석가가 세상에 나오심도 망상이요 달마가 서쪽에서 오심도 망상이며 팔만대장경도 망상이요 천칠백공안도 망상입니다.
조주趙州의 쓰디쓴 차와 운문雲門의 독한 호떡과 임제臨濟의 어지러운 고함과 덕산德山의 눈먼 몽둥이도 망상이니 필경 어떠합니까?

풀 한 포기 없는 천만리 길에
문을 나서니 봄빛이 한창일세.

2
三九는 二十八이니라

조주의 "찬 한잔 마시라"함이여!
안량顔良이 관우를 만남이라.
오호五湖의 선객들이 흰 뼈도 거두지 못하네. 알겠는가?

三頭六臂努力嗔하니
千門萬户盡豁開로다
머리 셋에 팔 여섯이 힘써 성내니
천만의 문호들이 활짝 열리네.

보자報慈스님에게 한 스님이 물었습니다.
"정情이 생기면 지혜가 막히고 생각이 변하면 본체가 달라지거늘, 정情이 나지 않을 때는 어떠합니까?"
"막혔느니라."
"정이 생기지 않았거늘 무엇이 막혔습니까?"
"어린애야! 네가 사람을 만나지 못하였구나."

스님께서 말씀하셨습니다.
"주장자 끝으로 해와 달을 놀린다."

천의회天衣懷선사가 송하였습니다.

옛 사람의 한 번 막힘이여! 납승衲僧의 명맥이니
만약 한 관一貫을 알고자 하면 두 개의 오백五百이로다.

스님께서 말씀하셨습니다.
"三九는 二十八이니라."

대중들이여, 보자報慈 늙은이가 뱀 마음에 부처의 입이니 사람을 죽일 뿐 아니라 또한 능히 사람을 살립니다. 비로자나 부처님이 밤낮으로 백호광명을 비추니 소림굴 바위 앞에 얼음과 눈이 찹니다. 한 마디 법문이 어느 곳에 떨어져 있습니까?

   人貧智短이요 馬瘦毛長이니라.
  사람이 가난하매 지혜가 짧고 말馬이 여위매 털이 길도다.

악!

3
돈오란 무엇인가

"어떤 법을 닦아야 곧 해탈을 얻을 수 있겠습니까?"
"오직 돈오頓悟의 한 문一門만이 곧 해탈을 얻을 수 있느니라."

불법佛法의 근본목표는 바로 생사해탈에 있다는 것은 누구나 다 아는 일입니다. 그렇지만 해탈에 이르는 방법에는 여러 가지가 있어서 범부중생에게는 혼란을 야기시키고 있습니다.
부처님의 가르침에도 8만 4천 법문이 있어서 중생의 근기에 따라 이 문으로 들어갈 수도 있고 저 문으로 들어갈 수도 있는 것입니다.
그런데 그 가운데서도 근본적으로 어떤 법을 닦아야만 곧바로 쉽게 해탈을 얻을 수 있느냐 하는 것이 중요합니다. 이러한 뜻에서 이 물음을 끌어온 것입니다.
이에 대한 대답으로 진정한 해탈을 얻으려면 돈오頓悟라는 한 문一門에 의지해서 진여자성眞如自性을 바로 깨쳐야 해탈을 얻을 수 있다는 것을 강조하고 있습니다. 해탈이란 일체 번뇌망상을 다 여윈 가운데서 구경각究竟覺을 성취해야만 얻을 수 있는 것이지 구경각을 성취하기 전에는 실질적인 해탈이라고 할 수 없습니다.

그리고 실질적인 해탈을 얻는다는 것은 돈오 즉 증오證悟가 되어야지 해오解悟가 되어서는 해탈을 얻었다고 할 수 없습니다.

십지보살十地菩薩이 설법을 구름일듯 하고 비오듯이 잘하더라도 근본무명을 완전히 끊은 해탈이 아니니 구경각을 성취해야만 진정한 해탈이 되는 것입니다.

또 돈오하면 해탈한다고 했으므로 돈오의 내용과 해탈의 내용은 똑 같아서 돈오가 증오이며 바로 구경각인 것입니다.

"어떤 것을 돈오頓悟라고 합니까?"
"돈頓이란 단박에 망념을 없앰이오, 오悟란 무소득無所得을 깨치는 것이니라."

이것은 돈오의 근본내용을 표현한 것입니다. 여기서 망념을 없앤다는 것은 제8아뢰야식의 미세망념까지 포함해서 모든 망념을 다 없앤다는 뜻입니다.

보통 우리가 생멸生滅적인 무심無心을 말해서 망념을 없앤다고 하는데 이것은 전체적으로 망념을 다 없앤것이 아닙니다.

그러면 어떻게 해서 돈頓이라고 하는가 하면 '돈頓'이란 시간적으로 일찰나를 의미하는 것입니다. 망념을 없애는데 있어서 점차적으로 조금씩 조금씩 단계적으로 없애는 것이 아니라 참으로 바른 법을 알아서 시간적으로 일찰나간에 근본무명을 완전히 끊고 구경각을 성취할 수 있다는 뜻입니다.

그러므로 시간적으로 여유를 두지 않고 눈깜짝할 사이에 전체 망념이 다 떨어졌기 때문에 돈頓이라고 하는 것입니다.

'얻은 바 없다無所得'고 하는 것은 교가敎家에 있어서는 십지十地·등각等覺보살이라도 아직까지 공부의 자취가 남아 있어서 어느 경에서도 십지·등각보살을 무소득無所得이라고 말하지 않았으며 참으로 구경각을 이룬 것을 무소득이라고 하였습니다.

제8아뢰야 근본무명을 끊고 십지·등각을 넘어서 구경각을 성취한 것이 돈오이니 삽삼조사卅三祖師로 부터 시작하여 천하 선종의 정맥은 구경각을 돈오라고 했지 그 중간의 해오解悟를 돈오라고 한 분은 아무도 없다는 것을 이 간단한 문구에서 다 표현하고 있습니다.

"무엇부터 닦아야 합니까?"
"근본根本부터 닦아야 하느니라."
"어떻게 하는 것이 근본부터 닦는 것입니까?"
"마음이 근본이니라."

마음을 바로 닦고 마음을 깨치면 돈오할 수 있습니다. 여기서 마음이라고 하는 것은 우리의 진여자성眞如自性을 말하는 것이며 중생의 생멸심生滅心을 말하는 것이 아닙니다.

"마음이 근본임을 어떻게 알 수 있습니까?"
"〈능가경〉에 이르기를 '마음이 생生하면 일체만법이 생하고 마음이 멸滅하면 일체만법이 멸한다'고 하였고, 〈유마경〉에 이르기를 '정토淨土를 얻으려고 하면 마땅히 그 마음을 깨끗이 하여야 하나니 그 마음의 깨끗함을 따라 불국토가 깨끗해진다'고 하였고, 〈유교경〉에 이르기를 '마음을 한 곳으로 통일하여 제어하면 성취하지 못하는 일이 없다'고 하였고, 어떤 경에서는 '성인은 마음을 구하나 부처를 구하지 아니하고 어리석은 사람은 부처를 구하면서 마음을 구하지 아니한다. 지혜로운 사람은 마음을 다스리나 몸을 다스리지 아니하고 어리석은 사람은 몸을 다스리나 마음을 다스리지 아니한다'고 하였고, 〈불명경〉에 이르기를 '죄는 마음에서 났다가 다시 마음을 쫓아서 없어진다'고 하였다. 그러므로 선악과 일체의 모든 것은 마음으로부터 말미암은 것이니 그런 까닭에 마음이 근본이다. 만약 해탈을 구하는 사람이라면 먼저 모름지기 근본을 알아야 한다. 만약 이런 이치를 통달하지 못하고 쓸데없이 노력을 허비하여 밖으로 나타난 모양에서 구한다면 옳지 않느니라. 〈선문경〉에

성철 스님

이르기를 '바깥 모양에서 구한다면 비록 몇 겁을 지난다 해도 마침내 이루지 못할 것이요, 안으로 마음을 관조하여 깨치면 한 생각 사이에 보리를 증證한다고 하였다."

〈능가경楞伽經〉의 말씀은 일체유심조一切唯心造, 즉 일체만법은 오직 마음이 만든 것이어서 마음 밖에는 법이 없으니 마음이 일체만법의 근본이 되지 않을 수 없다는 것입니다.
〈유마경〉의 말씀은 불국토란 본래 청정함과 더러움이 없지만 중생이 업견業見으로 보기 때문에 깨끗하다 더럽다 한다는 것입니다.

이 말씀은 중생쪽에서 중생을 상대하여 하시는 말씀입니다. 중생들의 더러운 땅穢土을 보고 더러움과 깨끗함을 보는 것이고, 또 생멸生滅을 보는 것은 본래 생멸이 있는 것이 아니라 우리 마음이 청결하지 못하기 때문에 더러움과 생멸을 보는 것입니다.
그러므로 자기 마음을 청정하게 닦아서 일체의 망념이 다 떨어질 것 같으면 본래 청정한 불국토를 볼 수 있는 것입니다.
마음을 닦아서 마음을 청정히 해야 불국토를 보고 부처를 볼 수 있는 것이기 때문에 마음이 일체만법의 근본이 된다는 것입니다.

〈유교경遺教經〉의 말씀은 누구든지 마음을 한 곳에 모아서 잘 닦을 것 같으면 무엇하나 성취하지 못할 것이 없기 때문에 마음이 일체법의 근본이 된다는 것입니다.

마음을 잘 제어하여 닦으면 부처도 될 수 있고 조사도 될 수 있고 마구니도 될 수 있으니 모든 것은 마음에 달린 것이지 다른 것에 있는 것이 아닙니다.

어떤 경에서 하신 말씀은 마음이 부처이지 마음 밖에는 부처가 없으므로 밖으로 무엇이 있는가 하고 구할 것 같으면 영원히 부처를 이루지 못한다는 것입니다. 부처 다르고 마음 다른 것이 아닌데 밖으로 모양과 형상에 치우치는 것을 경계하기 위하여 하신 말씀입니다.

누구든지 마음을 바로 깨칠 것 같으면 거기에 부처도 있고 법도 있고 승도 있고 삼신사지三身四智가 원만 구족하지만 만약 마음 밖에 달리 부처를 구하려 한다면 부처는 영원히 성취하지 못하기 때문에 마음이 근본이 된다는 것입니다.

병에도 여러 가지 병이 있는데 병이란 마음에서 나기 때문에 마음을 고치면 병을 고칠 수 있고 몸의 병만 고치려고 해서는 건강한 사람이 될 수 없다는 의학이론이 현재 강력이 대두하고 있으니 모든 것이 마음의 병에 있다는 것을 이해해야 합니다.

〈불명경佛名經〉의 말씀은 죄와 복이 모두 마음에서 일어났다가 마음에서 없어지니 어떤 죄와 복을 따지려 하지 말고 마음을 잘 닦을 것 같으면 죄니 복이니 하는 차별은 자연히 해결될 것이기 때문에 마음을 근본으로 삼는다는 것입니다.

그래서 누구든지 공부를 해서 해탈을 얻으려고 하면 근본되는 마음을 닦아야지 공연히 지엽적인 것에 쓸데없는 시간과 노력을 낭비해서는 안된다는 것입니다.

마음이 부처인줄 알고 마음을 닦는 것이 바른 믿음이며 밖으로 무엇을 구하면 삿된 믿음입니다.

그래서 〈선문경禪門經〉에서는 자기 마음이 부처인 줄 알고 마음을 바로 닦을 것 같으면 눈 깜짝할 사이에 성불할 수 있다는 것이니 이것이 돈오하는 비결이며 해탈하는 방법인 것입니다.

그러므로 마음을 닦는 방법 외에는 팔만대장경을 거꾸로 외우고 옆으로 외워도 소용이 없으니 만큼 누구든지 마음을 깨치고 바로 닦아 돈오頓悟하여 해탈하여야 합니다.

4
선정 禪定

"근본根本을 닦으려면 어떤 법으로 닦아야 합니까?"
"오직 좌선하여 선정을 하면 얻을 수 있느니라. 〈선문경禪門經〉에 이르기를 '부처님의 성스러운 지혜인 일체종지一切種智를 구하려고 하면 선정禪定이 요긴한 것이니 만약 선정이 없으면 망상이 시끄럽게 일어나서 그 선근善根을 무너뜨린다'고 하였다."

우리가 진실로 마음을 잘 닦으려면 마음이 선정禪定에 들어 고요하게 하여야 하며 요동치게 해서는 안됩니다. 번뇌망상이 자꾸 일어날 것 같으면 구름이 해를 가리듯이 진여자성을 번뇌가 가려서 근본은 어둡지 않지만 진여자성을 보지 못합니다.
그러므로 우리가 공부를 성취하려고 하면 참선을 해야 하고 참선을 하지 않으면 망상이 일어나서 우리의 마음을 밝힐 수 없을 뿐만 아니라 해탈할 수도 없는 것입니다.
"어떤 것을 선禪이라 하며 어떤 것을 정定이라 합니까?"

"망념이 일어나지 아니함이 선禪이요, 앉아서 본성本性을 보는 것이 정定이니라. 본성이란 너의 무생심無生心이요, 정이란 경계를 대對함에 무심無心하여 팔풍八風에 움직이지 아니함이다. 팔풍이란 이로움과 손실利·衰, 헐뜯음과 높이 기림毀·譽, 칭찬함과 비웃음稱·譏, 괴로움과 즐거움苦·樂을 말한다. 만약 이와 같이 정定을 얻은 사람은 비록 범부라고 하더라도 부처님 지위佛位에 들어간다. 왜냐하면 〈보살계경菩薩戒經〉에 이르기를 '중생이 부처님계佛戒를 받으면 곧 모든 부처님 지위에 들어간다' 고 하셨으니 이와 같이 얻은 사람을 해탈했다고 하며 또 피안에 이르렀다고 한다. 이는 육도六度를 뛰어넘고 삼계三界를 벗어난 대력보살大力菩薩이며 무량력존無量力尊이니 대장부인 것이다."

'망념이 일어나지 아니한다' 고 하는 것은 흔히 말하는 분별육식分別六識뿐만 아니라 제8아뢰야식의 미세망념微細妄念까지 일어나지 않는다는 것을 말합니다. 제6식은 끊어졌으나 제8아뢰야식이 남아 있으면 선禪이 아닙니다.

미세망념이 모두 끊어지면 망념의 구름이 걷히고 진여자성인 지혜의 해가 드러나서 자기 본성을 보지 않을래야 보지 않을 수 없으니 이것이 곧 돈오頓悟이며 해탈이며 성불입니다.

본성本性이란 제8아뢰야식의 무기심無記心의 무생심無生心이 아니고 제8아뢰야식의 무기심의 무명까지 완전히 끊어진 진여 본성이 본래의 구경 무생심입니다. 따라서 이것을 보는 것이 본성을 보는 것이며 불성을 보는 것입니다.

'망상이 일어나지 아니한 것'이 무생심이며 본성이므로 표현은 다르다고 하더라도 그 내용은 똑 같습니다.

정定이란 모든 경계를 대할 때 무심無心함을 말하는 것입니다.

일체망념이 일어나지 아니하고 진여본성이 드러나서 대무심지大無心地가 현전하여 행·주·좌·와行住坐臥와 어·묵·동·정語默動靜 뿐만 아니라 자나 깨나 미래겁이 다하도록 경계에 변함이 없습니다.

그래서 아무리 나를 이롭게 하거나 해롭게 하거나 헐뜯거나 기리거나 칭찬하거나 비웃거나 괴롭거나 즐겁거나 하는 팔풍八風이 거세게 불어닥친다 해도 여기에 움직이지 아니합니다.

그러므로 누구든지 자기 본성을 바로 깨쳐서 망념이 다 떨어지고 무생법인無生法忍을 증득해서 일체처一切處에 무심이 되는 것이니 이런 사람은 설사 겉보기에는 범부같이 보이지만 구경각究竟覺을 성취한 부처님의 지위에 들어가는 것입니다.

그리고 여기서 범부라고 하는 것은 꼭 사람만 지적하는 것이 아니라 팔세용녀가 성불하듯이 남자든 여자든 축생이든 무엇이든지 간에 무생법인을 증득하면 모두 부처인 것입니다.

그 이유로써 〈보살계경〉의 말씀을 인용한 것입니다. 〈보살계경〉에서 말하는 부처님의 계佛戒라고 하는 것은 고기를 먹지 말라, 술을 먹지 말라, '……하지 말라'는 등의 명상名相에 의지해서 계첩을 받거나 말 몇마디 듣는 것을 말하는 것이 아니라, 진여자성계眞如自性戒를 받아서 자성을 바로 깨칠 것 같으면 이것이 부처라는 것입니다.

어떤 사람이든지 마음 닦는 법을 바로 알아서 일체망념을 다 여의고 자성을 바로 깨쳐서 무생법인을 증득하여 일체경계에 무심無心이 되면, 아무리 범부라고 하더라도 이 사람이 바로 부처인 것이고, 이것을 해탈이라 하고, 피안 즉 구경상적광토究竟常寂光土라 하고, '큰 힘을 갖춘 보살'大力菩薩'이라 하고, '한량없는 힘을 가진 세존無量大尊'인 것이니, 이것을 대장부라고 합니다.

논의 앞부분에서 이런 말을 하는 이유는 부처님이 가섭에게 전하고 가섭이 아난에게 전하여 삼삼조사가 계계승승繼繼承承하여 마음으로써 마음을 전한 것은 진여본성 즉 무심無心을 전한 것이다는 것을 말하기 위함입니다.

그리고 또 육조스님 이후에 오가칠종五家七宗이 벌어져 천하에 선종이 풍미하게 되었지만 실지 선종정맥禪宗正脈으로 바로 내려온 큰 스님네가 모두 해탈하여 무생심無生心을 전하였지 다른 것을 전한 것이 아닙니다.

중간의 해오解悟라든가 다른 점차漸次를 밟아서 본성을 보는 것이 아니라 눈 깜짝할 사이에 본성을 바로 보아 성불하는 것이 선종의 비결인 것입니다.

그러므로 대중들은 이런 법문을 많이 듣고 바로 실천하여서 공부를 성취해야지 만약 그렇지 않고 말로만 듣고 귓전으로 흘려보내 버린다면 도리어 듣지 않는 것만 못한 것이니 화두話頭를 부지런히 하여 하루빨리 대장부가 됩시다.

5
중생과 불성佛性

"죄를 지은 중생도 불성이 있습니까?"
"불성이 있느니라."
"이미 불성이 있을진댄 바로 지옥에 들어갈 때에 불성도 함께 들어갑니까?"
"함께 들어가지 않느니라."
"바로 지옥에 들어갈 때에 불성은 다시 어느 곳에 있습니까?"
"또한 함께 가지고 들어가느니라."
"이미 함께 들어갈진댄 지옥에 들어갈 때 중생이 죄를 받음에 불성도 또한 함께 죄를 받습니까?"
"불성이 비록 중생을 따라 함께 지옥에 들어가지만 중생이 스스로 죄의 고통을 받는 것이요 불성은 원래 고통을 받지 않느니라."

지옥·천당은 중생의 업연業緣으로 지옥·천당이 있는 것이지 자성에 있어서는 지옥·천당이 없습니다. 중생이 아무리 자기 업연으로 지옥에 가고 지옥고를 받는다 해도 지옥고는 업이 업으로 받는 것이기 때문에 자성과는 아무런 관계가 없습니다.

그러니 아무리 천당에 있더라 해도 불성은 천상낙을 받지 않는 것이고 아무리 지옥에 있다 해도 불성은 지옥고를 받지 않는 것입니다. 왜냐하면 천당이니 지옥이니 하는 것은 중생업연의 환幻이지 실제는 아니기 때문입니다.

"이미 함께 지옥에 들어갔을진댄 무엇 때문에 지옥고를 받지 아니합니까?"

"중생이란 모양相이 있음이니 모양이 있는 것은 이루어지고 무너짐이 있음이요 불성이란 모양이 없음이니 모양이 없는 것은 곧 공한 성품이니라. 그러므로 진공의 성품은 무너짐이 없는 것이니라. 비유하면 어떤 사람이 허공에 땔 나무를 쌓으면 땔 나무는 스스로 무너지나 허공은 무너지지 않음과 같으니 허공은 불성에 비유하고 땔 나무는 중생에 비유한 것이니 그러므로 함께 들어가나 함께 받지 않는다고 하느니라"

모양이란 업연이며 이루어지고 무너짐成壞이란 생멸입니다. 그러므로 중생은 업연이 있으므로 생멸이 있고 불성은 업연이 없으므로 생멸이 없습니다.

그래서 중생이 지옥에 들어가면 중생업으로 인해 모양이 있음으로 무너지고 이루어짐이 있어서 지옥고를 받으나 중생의 불성은 모양이 없음으로 이루어지고 무너짐이 없어서 거기에 조금도 영향을 받지 아니합니다.

중생의 업이란 생멸이 있어 시작이 있고 끝이 있으니 천당에 가서 낙을 받기도 하고 지옥에 가서 고를 받기도 하지만, 불성, 근본자성은 생멸이 없어 시작이 없고 끝이 없으니 천당에 가서 낙을 받아도 아무 영향이 없고 지옥에 가서 고를 받아도 아무 영향이 없습니다.

그렇기 때문에 같이 들어 갔으나 같이 받지 아니한다고 한 것이니 같이 받지 아니하기 때문에 들어가지 않는것과 똑 같은 것입니다.

설사 고를 받는다 해도 중생업이 받는 것이지 불성이 받는 것이 아니라고 하면 두 갈래가 나는 것 같지만 이것은 중생을 위해서 하는 말입니다.

그러므로 확철히 깨쳐서 '무명의 실다운 성품이 곧 불성이요 헛깨비같은 빈몸이 법신'이라는 것을 바로 알면 이것은 일종의 웃음거리가 되고 말 것입니다.

※ 위 법문은 대주 혜해大珠慧海스님께서 '자기 집의 보배창고自家寶藏'를 어떻게 하면 활짝 열 수 있느냐에 대해서 말씀하

신 〈돈오입도요문론頓悟入道要門論〉을 성철큰스님께서 강설하시고 큰스님의 불교사상과 깨달음의 세계를 더욱 발전계승하고 있는 원택스님께서 정리하신 것입니다.

※ 위 원고는 출판사 「장경각」에서 제공한 것입니다.

西翁 (1912~2003)

1932년 백양사에서 만암스님을 은사로 득도
1941년 일본 임제대학 졸업
대흥사 · 백양사 주지
고불총림 선원 방장
제5대 조계종 종정

1
인간의 존엄성

수렵을 생업으로 삼았던 선사시대의 원시인에서 시작되는 인류문명의 역사는 씨족사회, 부족사회를 발전시켜 국가의 모습을 갖추게 됩니다.

이러한 인류문명의 역사가 변화, 발전하는 문화활동의 밑바탕에는 종교가 있습니다. 문명이 발달하기 이전 선사시대의 인류조상들은 인간의 힘만으로는 자연의 재해를 막지 못한다고 생각했습니다. 그래서 대자연계大自然界의 현상에 불가사의한 영靈적인 힘, 절대적인 능력이 있다고 생각하여 신앙의 대상으로서 숭배했는데 이것이 원시종교의 시작입니다. 자연계의 모든 사물은 생물이든 무생물이든간에 생명이 있는 것으로 보고 그것의 정령精靈을 인정하는 신앙이었습니다.

그 후 씨앗을 뿌려 곡식을 재배하는 농업이 발전했는데 농사는 집단의 힘을 필요로 하였고 또 생산품이 많아지니, 자연히 상호 물물교환의 필요에 따라 상업이 성행하여 도회지가 형성되었습니다. 씨족사회, 부족사회를 거치면서 더욱 발전되고 힘이 커진 집단체는 국가의 형태를 갖추게 됩니다. 국가에는 개인의 힘을 초월한 절대의 권력이 부여되었을 뿐만 아니라 집단의 대표자를 신앙의 대상으로 여기면서 원시종교 때 가졌던 애니미즘적 외경畏敬의 대상도 달라지게 되었습니다.

그러나 인간의 사고와 인지人智가 발달하면서 집단을 대표하는 개인의 절대적인 능력은 인간에 의해 만들어진 것임을 알게 되었고 또한 그것을 비판하기에 이릅니다. 그래서 막연히 외경의 대상으로 여겼던 대자연의 현상을 초월하고, 개인에게 부여된 절대적인 권력도 초월하고, 인간의 근본자리마저 초월한 그 자리를 숭배하게 됨에 따라 종교가 발생하게 되었습니다.

그런데 대자연을 초월하고 인간 자체를 초월할 뿐만 아니라 그것의 근본이 되는 절대자이자 만물의 창조주가 인간 밖에 있는 전지전능한 힘을 가진 인격적 신인 하느님이라고 보아 절대적인 신앙을 강조하는 종교가 있습니다.

그러나 불교는 맹목적으로 모든 현상을 믿는 것이 아니라 모든 인간은 죄악 덩어리이고-기독교에서 말하는 원죄의 이미와는 다릅니다-거짓 덩어리이니 모든 것을 절대적으로 비판해서 인간을 초월하고, 인간이 인식하는 대자연도 초월하고, 인도의 범신론梵神論도 비판해서 초월합니다. 이렇듯 한정된 인식을 타파하고 더 깊은 경지로 몰입하다 보니 결국 '불교는 무아無我'라고 표현하게 되었습니다. 이것은 개체를 초월하고 부정했을 뿐만 아니라 종교의 절대경지까지도 초월했기 때문입니다.

일부 학자들은 '모든 법이 연기緣起인 즉 인간 개체와 우주만법이 서로 연관되어 있으므로 한 개체가 독립될 수 없으니 불교는 무아無我다' 라고 주장합니다. 물론 일리가 있지만 그것은 모든 것을 초탈한 경지의 열반적정涅槃寂靜을 무시하고 연기의 차원에만 집착해 불법을 설명한 데 그친 것입니다. 부처님이 깨달은 바로는 종교를 초월하고 종교에서 인정하는 절대적인 것까지 초월하는 차원 높은 경지의 그 자리에서도 자유자재하여 무아無我라고 설파하신 것입니다.

불교의 근본교의를 세 가지로 표시한 삼법인三法印을 보면 첫째, 제행무상諸行無常으로 물物, 심心의 현상은 모두 생멸변화生滅變化하여 영원불변하는 것이 아니거늘, 사람들은 이를 영원한 것처럼 생각하므로 이 그릇된 견해를 없애기 위하여 무상하다고 말하는 것입니다.

둘째, 제법무아諸法無我로 만유의 모든 법은 인연으로 생긴 것이어서 실로 자아自我인 실체가 없거늘, 사람들은 아我에 집착하는 그릇된 견해를 일으키므로 이 때문에 무아無我라고 말하는 것입니다.

셋째, 생사의 윤회하는 고통에서 벗어나고 의식과 무의식을 초탈한 열반적정의 진상을 말한 것입니다.

이상의 삼법인으로 부처님의 말씀과 그 밖의 사상과 종교를 판정[印]하는 것인즉, 이러한 경지는 구경究竟의 절대경지를 초월하고 어디든지 의지하지 아니하여 독탈무의獨脫無依하고 자유자재한 차원에서 비로소 확연히 드러나는 것입니다.

산업혁명으로 가내수공업에 의존해 오던 시대는 기계에 의한 대량생산이 가능하게 되었고, 인류는 또 하나의 전환점을 맞이하게 되었으니 과학문명시대가 그것입니다. 더욱이 변화의 빠른 물결은 최근 컴퓨터 산업의 각광으로 정보화시대를 등장시켰습니다.

이러한 외적인 변화에 대응하여 종교를 보는 관점에도 변화가 있었는데, 절대적으로 군림해 온 서양의 종교가 서양에서 일어난 과학문명에 의해 배척되는 모순을 빚게 된 것입니다. 과학은 어떤 가정위에서 특수한 현상의 법칙이나 원리를 연구하는 학문으로 원칙에 의한 운행運行을 이성적으로 개발합니다.

그런데 쉬운 예로 서양의 종교는 과학의 가장 기초가 되는 다윈의 진화론을 거부합니다. 그래서 지금까지 진리라고 믿어

왔던 서양의 종교가 모순투성이임을 드러나자 더 이상 종교에 인류의 미래를 맡길 수 없다는 결론을 내린 학자들이 종교 대신 과학을 깊이 연구한 결과 오늘날의 과학발전을 이룩한 것입니다.

또한 절대 불가사의하다는 하느님의 존엄을 무조건 믿을 것이 아니라 인간에게 내재되어 있는 무한한 능력과 인간성을 개발하여 인간이 역사의 주인공이 되자고 주장하였고, 이것을 계기로 신본주의 역사는 인간중심의 역사로 전환하게 되었습니다.

이처럼 인간이 역사의 주인으로 자유롭고 합리적인 삶을 추구하게 된 것은 가치있는 일입니다만, 이로 인한 과학 일변도의 삶이 오늘날에 와서 문제로 떠올랐습니다.

과학발생 초기에는 인간중심의 삶을 영위하려는 동기를 가지고 출발한 과학문명이 인간의 내면세계를 무시한 채 인간 외적인 물질에 집중하다 보니 형이하학에 치우친 인간의 욕망이 증대되었습니다. 욕망의 실현에 급급하다 보니 타락이 만연하여 인간성이 실추되었고, 서로 돕고 의지하며 살아야 할 사람들끼리 반목과 질시로 대응하였습니다.

이러한 영향으로 제1,2차 세계대전이 유발되지 않았습니까. 더욱이 제3차 세계대전의 발발이 위협적으로 다가오는 오늘날의 현실에서 볼 때, 과학문명 그 자체에는 인류에게 공헌한 바가 지대하지만, 인간성이 배제된 상태의 과학문명은 더 이상

인류에게 행복과 평화를 보장할 수 없습니다.

이러한 위기에 직면하여 우리는 '과학문명을 뒷받침해 줄 수 있는 종교가 무엇인가' 하는 각성을 해야합니다. 그럴 때에 인생문제를 완전히 해결한, 인간의 참모습을 완전히 해결한 종교라야 한다는 당연한 귀결에 도달합니다.

모든 철학과 종교원리를 비판하여 초월하는 동시에 과학과 모순이 안되는 차원이 높은 종교가 무엇이냐 할 때에 불교밖에 없다고 생각합니다. 그 자리는 온 우주가 한 진리이며, 부처님 몸과 하나입니다. 사람의 개체가 깨닫는 그 자리는 모두 똑같으며, 또 하나이므로 평등하며, 여기서 대자대비함이 우러나와서 평화스럽고 행복하게 살 수 있다고 말할 수 있습니다.

부처님께서 말씀하신 '천상천하 유아독존天上天下 唯我獨尊'은 바로 인간 개인의 존엄성을 뜻합니다. 그런데 과학은 인간도 물질의 개념으로 파악하기 때문에 자연히 과학이 숭상되는 오늘날은 생명의 존귀함이 무시됩니다. 그래서 사람을 죽이고도 죄악을 모르며, 자신의 생명마저도 사소한 문제 때문에 스스로 버리는 사람들이 날로 늘어나고 있습니다.

특히 한때의 어려운 일을 극복하지 못해 자살하는 청소년들이 늘어나고 있는데, 이는 훌륭한 정신바탕을 심어 주지 못하고 자살환경을 방조해 온 사회 전체의 구조적인 책임 때문임을 통감해야 할 것입니다.

2
참나의 빛을 발휘하자

우리가 「나」라고 생각하는 그 「나」는 「참 나」가 아니요 「거짓 나」입니다. 아주 고통스럽고 허망하고 미혹하고 깜깜한 「나」인 것입니다. 그런데 그 「거짓 나」의 근원에는 아무 걸림도 없고 죽음도 없고 고통도 없고 밝고 밝은, 자유자재한 「참나」가 있습니다. 우리는 잃어버린 「참나」를 되찾아서 자유스럽게, 자주적으로 살아야 합니다.

우리가 일제의 압박을 받다가 해방이 된 뒤 외국의 문명을 너무 맹목적으로 수입하지 아니 했는가 하는 생각이 듭니다. 다시 말해서 우리가 주체성을 가지고 외국 문명을 수입해 왔다면, 무조건 외국것이 좋은 줄만 알고 맹목적으로 받아들이지만은 않았을 것입니다.

우리 조상 때부터 내려온 것도 좋은 것이 있으면 이것을 잘 살리고 외국에서 좋은 것이라도 그것을 비판해서 버릴 줄 알고 좋은 것이 있으면 잘 취해서 발전시켜야 주체성이 있다고 할 수 있는 것입니다. 맹목적으로 외국 문물을 들여온다고 하는 것은 주체성이 있다고 할 수 없습니다. 그러나 오늘날에 있어서는 우리가 많이 깨어서 지금은 외국 문물을 덮어놓고 좋다는 것도 아니고 좋은 것은 좋고 나쁜 것은 나쁜 것으로 가릴 줄 알며 우리의 전통도 좋은 점은 좋다고 깨달아서 이것을 더욱 발전시키지 않으면 안 된다는 각성을 갖게 되었다고 봅니다.

우리 겨레도 이제 이러한 훌륭한 정신이 발전해 나가는 것이 보여 다행스럽게 생각됩니다.

우리 불교의 가르침은 앞서 말한 바와 같이 「거짓 나」를 버리고 「참나」-자기 본래 면목을 알아야 하는 데에 있습니다. 이 「참나」-우리의 근본마음, 이 자리는 허공과 같다고 옛 조사 스님께서 말씀하셨습니다. 허공이란 것은 끝이 없고 아무 걸림이 없이 텅 비어 있으면서 삼라만상이 그 가운데 갖춰져 있습니다.

우리는 이 「참나」-우리 근본 마음을 알고 「참나」답게, 「참사람」답게 살아야 합니다. 그러기 위해서는 자기 개인 욕심이나 삿된 마음을 가져서는 안됩니다. 남이야 죽든 말든 나만 잘 살면 된다는 생각은 버려야 합니다.

불법을 믿는 사람은 자기란 것을 내던져 버리고 여러 사람을 위하여 살아야 합니다. 자기란 것, 거짓 나란 것을 버리고 여러 사람을 위한 일이 성취되도록 힘써야 합니다.

우리들은 바깥으로 오욕에 끄달려서 자기를 잃어버리고 일생을 삽니다. 이렇게 헛되이 인생을 산다면 이 세상에 태어난 보람이 없고 참다운 자기 정신을 가지고 산다고 할 수 없습니다. 우리들은 재물을 잃게 되거나, 명예가 조금이라도 손상되면, 어쩔 줄을 모르고 괴로워 하면서도 「자기의 참 나」는 잃어버리고도 아무렇지도 않은 듯이 노닥거리며 삽니다.

우리 인간에게 재물도 귀중하고 명예도 귀중하지만 자기가 죽는다고 하면 그런 것들은 소용이 없는 것입니다. 자기가 죽는다고 하면 재물도 소용이 없고, 명예도 소용없고, 자기 권속도 소용없고 저 세상으로 혼자가고 마는 것입니다. 이와 같이 「참 나」를 잃어버리고 깜깜한 마음으로 거짓 나를 「참 나」로 생각하고 여러 가지 욕망에 끄달려 헤매이는 사람은 자기 정신을 잃고 사는 미친 사람과 꼭 같은 것입니다.

그러니 우리는 제 정신을 차려서 참 나를 깨달아 참으로 밝고 맑은 그 자리에서, 허공에서 사지四肢를 움직이듯 자유자재하게 자주적으로 살 수 있도록 힘써야 할 것입니다.

서옹 스님

3
자작자수 自作自受

콩을 심으면 콩이 나고 팥을 심으면 팥이 납니다. 콩을 심어서 팥 나기를 바란다는 것은 어리석은 자의 농입니다.

선행을 닦으면 선과善果를 얻고 악행을 하면 악과惡果가 나타납니다. 하루 놀면 하루를 굶습니다. 날마다 노력해 기아를 면해야 합니다. 육신의 기아만이 아닙니다. 정신의 기아를 면하는 선행을 닦아야 합니다.

스스로 지은 바를 스스로가 받는다는 것은 인과응보의 법칙입니다. 사람은 착하게 살아야 합니다. 남을 도와주고 잘못을 용서하고 또는 지도편달도 해야 합니다. 선행을 방해해서도, 의심을 파괴해서도 안 됩니다.

남을 도와주는 것이 당장에는 남만을 위하는 것 같지만 결국은 나 자신을 위함이 됩니다. 자신을 위함은 곧 국가와 민족을 위함이요, 나아가 인류사회를 위함이 됩니다.

근소한 악이라 하여 죄가 없다고 가볍게 생각해서는 안 됩니다. 선악의 과보는 대소를 막론하고 죽은 뒤에까지 반드시 그대가를 받게 마련입니다.

설산에서 침식을 잊고 수행정진에 몰두하던 구담사문沙門은 문득 제행무상 시생멸법諸行無常 是生滅法이란 법구 반절을 들었습니다. 그 법구는 나찰귀의 소리였습니다. 사문은 나찰에게 다음 구절을 알려 달라고 간청했습니다. 그러자 나찰은 배가 고프니 사문의 몸을 달라는 것이었습니다.

사문은 '참된 나'를 얻기 위하여 '거짓나'의 애착을 버릴 것을 결심했습니다. 그래서 나찰의 요구를 수락하고 다시 생멸멸이 적멸위락生滅滅已 寂滅爲樂이라는 나머지 구절을 들었습니다. 나찰귀의 법구에서 구경究竟의 진리를 터득한 사문은 기꺼이 일신을 나찰에게 던졌습니다. 그 순간 나찰은 제석천帝釋天으로 화하여 사문을 받들어 모셨습니다.

이것은 석가세존이 성불하시기까지 육도만행六度萬行을 닦은 인행입니다. 이 같은 적극적인 선인善因은 적극적인 선과善果를 얻습니다.

오늘날 사회의 현실은 착하고 어짊보다도 악하고 교활함이 더 극성을 부리고 양심과 도의는 점차 메말라 가고만 있습니다. 그럼 과보란 법칙도 이제 없어졌느냐? 결코 그런 것이 아닙니다.

업인에는 세 가지가 있습니다. 즉 현수現受(이 몸으로 과보를 받는 것)와 생수生受(다음 세상에 과보를 받는 것), 그리고 후수後受(그 다음 세상인

후생에 언제든지 받게 되는 것)입니다. 이 세가지 가운데 낱낱에 다 정定(결정코 과보를 끄는 것)과 부정不定(언제든지 받게 되는 것)이 있습니다.

그러므로 당장 오늘 나타나지 않는다 하여 내일의 인과응보가 없을 것으로 생각해서는 안 됩니다. 그래서 우리는 훌륭한 일을 적극적으로 하면 훌륭한 역사를 창조할 수 있는 것 입니다.

月山 (1912~1997)

1944년 금오스님을 은사로 득도
1968년 조계종 총무원장
1978년 조계종 원로회의 의장
불국사 · 법주사 조실

1
우리 곁에 계시는 부처님

　부처님께서 이 세상에 탄생 하실 때에 온 누리는 광명으로 사무쳤고, 위로는 유정천有頂天, 아래로는 무간지옥에 이르기까지 하나의 찬란한 불국토로 장엄되었으며 부처님은 '천상천하에 유아독존' 이라고 큰 사자후를 하셨습니다. 또한 영산회상에서는 이르시기를

　"널리 일체중생을 보니 모두가 여래의 지혜와 부처님의 덕상을 갖추고 있다."

고 하셨습니다.

우리는 지금 기술집약적인 고도산업 사회에서 살아가고 있습니다. 이같은 사회에서 불교의 참 진실은 어떤것이며, 그것은 어떻게 실천되어야 하는가를 돌이켜 생각해 보아야 할 것입니다.

부처님이 탄생 제일성을 '천상천하 유아독존' 이라고 선언하신 것은 인간은 스스로가 자신의 주인이요, 만법의 주인임을 깨우쳐 주심이요, 또한 각자가 자기 자신을 개발해서 스스로 해탈을 구하도록 하는 가르침입니다.

부처님에 의해 제시된 존재의 대자유와 대해탈의 정신은 어떠한 종교역사속에서도 찾아볼 수 없는 것입니다. 해탈과 열반은 자신의 주인공인 마음에 대한 자각自覺에 근거하는 것이며 어떤 외적인 힘에 의한 것이 아니기 때문입니다.

과거의 모든 부처님도 이 마음자리 하나 밝힌 분이요, 현재의 수도하는 분들도 이 마음자리를 닦으려고 하는 것 입니다. 다시말해 '뚜렷이 깨달은 이 마음을 버리고 다른 것을 구할 것이 없다' 하신 것이 부처님 말씀입니다.

중생이 곧 부처라 하면 깜짝 놀라겠지만 중생의 여러가지 환화幻化가 곧 여래의 원만하고 오묘한 마음이니 이 마음 밖에 다른 무엇이 있겠습니까?

또 한가지, 불교란 절에 사는 스님 뿐 아니라 집에서 가족과 함께 사는 세속인에게도 꼭 실행해야 할 것임을 알아야 합니다.

흔히 불교는 너무나 숭고하고 장엄한 세계를 체계화한 이론이라서 혼탁하고 악착스런 현실사회를 사는 세속 인으로써는 실행할 수 없다라든가 산사山寺나 조용한 곳寂靜處에 가야 된다고 믿는 사람들이 있습니다.

그러나 이러한 유감스럽고도 그릇된 생각은 불교를 잘 이해하지 못하는데서 온것입니다.

팔정도八正道란 불교인의 생활방식인데 이는 어떤 계층이나 부류를 가리지 않고 모든 중생을 대상으로 하고 있습니다.

불교가 아무리 숭고하고 더없이 순결한 진리라 할지라도 현대의 일상 생활속에서 추구 할 수 없다면 무용지물이 되고 말 것입니다.

이타利他의 정신으로 마음과 품성을 닦기 위해 한동안 은둔 생활을 하는것도 때에 따라서는 유용한 일이기는 합니다. 하지만 자기와 동류인 중생을 버리고 자기만의 행복과 구제에 대해서만 생각하며 일생을 고독하게 보낸다면 분명 자비정신에 근거를 둔 불교와는 거리가 먼 사람이 될 것입니다.

또한 말로는 그럴듯하게 자비를 외치면서 행동으로는 증오의 채찍을 휘두른다면 이 또한 진리를 거역하는 것이 될 것입니다. 이웃을 위하는 자비와 보시는 우리의 생활 속에서 실천해야 할 진리입니다.

진리를 외면하고 자신의 이익만을 위해 탐욕하게 되면 그 사람은 영원히 부처님을 보지 못할 것이며, 나락으로 굴러 떨어지게 됩니다.

이점을 깊이 명심할 때 우리는 날마다 부처님을 만나게 될 것이며 부처님은 늘 우리와 함께 계실 것입니다.

불교인으로써의 실천 덕목인 팔정도八正道의 중도中道사상은 모든것을 포용하는 불사일법不捨一法의 정신입니다.

만법이 혼연융합된 중도의 실상實相을 볼 때 천지가 나와 같은 뿌리요, 만물이 나와 일체인 미묘한 도리를 체득하여 모순과 대립의 현실을 비약과 발전의 탄탄대로로 인도될 것이며, 진리의 광명으로 오신 부처님 뜻에도 부합符合하게 될것입니다.

2
부처를 친견하는 법

若而色見我
以音聲求我
是人行邪道
不能見如來

모양으로 나를 보고자 하거나
소리로써 나를 찾고자 한다면
그는 사도를 행하는 것이니
능히 여래를 보지 못하리라.

 불교공부를 하는 궁극적 목적은 견성성불하는데 있습니다. 그러므로 부처를 보지 못하고 부처를 찾지 못하면 백년동안 불교공부를 해도 헛수고를 하는 것입니다. 부처는 먼 곳에 있는 것이 아니니 심즉시불心卽是佛이라 마음이 곧 부처이기 때문입니다. 이 세상에 마음 없는 사람 없으니, 부처를 보기란 세수하다가 코 만지는 것보다 쉽다고 한 것은 틀림없는 사실입니다.

월산 스님

그래서 옛사람이 말하기를 막멱외구莫覓外求 즉 밖에서 구하지 말라 했습니다. 그러나 요즘 사람들은 견문각지見聞覺知에 빠져 고인의 경계하심을 듣지 않으니 안타까운 일입니다.

산승이 결단코 말하리니 부처는 결코 언어나 문자 속에 있지 않습니다. 책 속에서 부처를 찾으려는 것은 나무 위에 앉아 고기를 구하려는 것과 같으니 이는 부처님도 《금강경》 사구게四句偈에서 이미 말씀하셨습니다. 언어나 문자에 부처가 있다고 생각하는 것은 그림자가 참모습인 줄 착각하는 것입니다. 그림자란 햇빛이 비추면 따라서 없어지니 그 때 가서 부처가 사라졌다고 한다면 이는 어리석은 사람일 뿐입니다. 요즘 사람들은 영화를 좋아하는데 그렇다면 산승이 한 가지 물어보겠습니다. 영화 속의 사람이 진짜 사람입니까 아니면 그림자입니까?

一切有爲法
如夢幻泡影
如露亦如電
應作如是觀

일체의 유위법은
꿈이요 환상이요 물거품이요 그림자 같으며
또한 아침이슬 같으며 번개불 같은 것이니
마땅히 이와 같이 관찰해야 하느니라.

거짓을 보고 참이라 믿고, 남의 지식을 자기 것인 양 자랑하는 사람은 끝내 실체를 보지 못합니다. 이런 사람은 책에 없는 얘기가 한줄만 나와도 이내 벙어리가 되니 저 유명한 덕산의 고화古話가 좋은 예가 됩니다.

옛날 《금강경》을 거꾸로도 읽고 옆으로도 읽는 덕산德山이란 교학자가 있었습니다. 그 사람은 《금강경》에 매우 해박하여 주금강周金剛이란 별명을 얻을 정도였습니다. 그는 남쪽의 외람된 무리들이 '마음이 곧 부처'라면서 교학자들 알기를 떨어진 짚신처럼 여긴다는 말을 듣고 일언지하에 박살을 낼 요량으로 《금강경소초》를 짊어지고 용담 숭신龍潭崇信화상과 법거량을 하러 나섰습니다. 그가 용담에 이르자 점심 때가 되어 떡집에 들려 노파에게 요기할 것을 시켰습니다. 그런데 워낙 오만방자했던 덕산이라 뒤에 한 마디 덧붙였습니다.

"용담이라 하길래 찾아왔더니 어디를 둘러보아도 용이 살 만한 곳은 한 군데도 없구만…."

이 말을 들은 떡집 노파가 덕산을 한 번 쳐다보더니 말을 붙였습니다.

"스님이 갖고 계신 그 책이 무슨 책입니까?"

"《금강경》이라는 아주 귀한 경전이요. 나는 소초疏抄를 썼지요."

다시 한번 으쓱하는 덕산에게 노파가 송곳을 내밀었습니다.

"그렇습니까. 저도 절 밑에 살다보니 귀동냥으로 《금강경》

법문을 들어 조금을 알고 있는데 한 가지 도저히 모르는 것이 있습니다. 스님이 좀 가르쳐 주시겠습니까?"

"그러지요.《금강경》에 대해서라면 뭐든지 물어 보시구려."

"경에 '과거심불가득 현재심불가득 미래심불가득過去心不可得 現在心不可得 未來心不可得'이라 했는데 이 중 스님은 어느 마음으로 점심을 하시려 합니까?"

노파는 이어서 이렇게 말했습니다.

"만일 스님께서 그 대답을 하신다면 내가 점심을 그냥 대접할 것 이고, 그렇지 못하면 점심값을 내신다 해도 공양을 올리지 않겠습니다."

덕산은 과거심도 미래심도 찾을 수 없는데 어느 마음으로 점심을 하겠느냐는 질문에 땀만 뻘뻘 흘리고 대답을 못했습니다. 물론 점심도 굶었습니다. 덕산은 노파에게 숭신장로가 있는 곳을 물어 그곳으로 찾아가《금강경초소》를 불살라버리고 처음부터 공부를 다시 시작했습니다. 그리하여 덕산은 나중에 임제의 할喝에 비견되는 몽둥이를 가장 잘 쓰는 선문의 대종장이 되었습니다.

이 이야기는 여기서 끝이 나거니와 산승도 이 법문이 끝나면 점심공양을 해야 하니 밥값이 되는 질문을 하나 해야 하겠습니다.

경에 이르기를 '삼세심불가득三世心不可得'이라 했으니 시회대중時會大衆은 어떤 마음으로 점심공양을 하시겠습니까? 대중들은 반드시 밥값을 내고 오늘 점심공양을 드십시오.

凡所有相
皆是虛妄
若見諸相非相
卽見如來
무릇 모든 모양있는 것은
다 허망한 것이다.
만약 모든 모양을 모양이 아니라고 본다면
즉시 여래를 친견하리라.

3
수행자가 새겨 들 법문

　화두는 언어와 문자를 초월한 것입니다. 생사윤회를 면하고자 한다면 화두를 깨쳐나가는 방법을 알아야 합니다. 이것이 성불의 길입니다.
　성불은 자심自心이 곧 부처임을 깨닫는 것입니다. 이 자심은 일체중생의 본성이요, 시방여래의 본래면목입니다. 이 자심은 본래부터 청청하여 나고 죽음에 생멸상生滅相이 없고 남녀상男女相이 없으며 선악상善惡相도 없으니 무어라 이름할 수 없고 만질 수도 볼 수도 없습니다.
　자성이니 불성이니 하는 것은 다만 그렇게 이름 붙인 것에 불과합니다.
　그러나 만념萬念과 만상萬象이 모두 이 자성 가운데서 생기나니 그것은 마치 대해大海중에서 파도가 이러나는 것과 같고 맑은 거울에 물체의 그림자가 비치는 것과 같습니다.
　자심自心을 알려면 우선 한 생각 일어나는 근원을 볼 줄 알아야 합니다. 오직 자나깨나 행주좌와에서 '이것이 무슨 물건인고?'를 깊이 의심하여 깨닫기를 간절히 원하는 것을 수행이라 하며 공부라 하며 참선이라 합니다.

　이 공부는 하루에 천만 권의 경과 다라니를 읽는 것보다 훨씬 수승한 공부이니 왜 그러할까요? 유상有相의 공부를 하면 공덕은 있으되 그 공덕이 다하면 다시 삼악도에 떨어지지만, 일념으로 하는 참선공부는 무상無相의 공부라 곧 성불의 길이 되기 때문입니다.

　설혹 십악과 오역죄를 지은 사람이라도 일념을 돌이켜 깨달으면 곧 부처가 됩니다. 그래서 고인들이 사교입선捨敎入禪을 권한 것입니다.

　그러나 여기서 한 마디 더 일러 둘 것은 깨달음을 믿고 죄업을 지어도 괜찮은가 하는 것입니다. 내가 단언해서 말하건대 그렇게 되면 악도에 떨어져 불조佛祖도 구할 수 없게 될 것입니다. 비유하면 어린아이가 아버지 곁에서 잠을 자는데 꿈 속에서 남에게 얻어맞거나 괴로움을 당하게 되었습니다. 이 때 아이가 아버지에게 도와줄 것을 애원했습니다.

　그러나 아버지는 전혀 손을 쓸 수 없습니다. 이 때는 오직 자기 스스로 놀라 꿈에서 깨어나야 합니다. 이렇게 되면 다른 사람의 힘을 빌릴 것도 없이 고통에서 벗어날 수 있습니다. 자심自心이 불佛인 줄 깨닫는 것도 이와 같으니 만약 이것만 알게 되면 더 이상 윤회하는 일이 없을 것입니다.

만약 부처가 윤회에 떨어진 자를 구할 수 있다면 한 사람도 윤회고를 받는 사람이 없을 것입니다. 이 이치를 반드시 명심해두면 뒷날 후회할 일이 없을 것입니다.

그러면 화두는 어떻게 참구해야 할까요?

지금 눈으로 모양을 보고 귀로 소리를 듣고 손발을 놀리는 이 주인이 무슨 물건입니까? 생각해보면 자기의 소위所爲인 줄은 짐작하지만 분명한 도리를 알 수 없습니다. 없다고 하면 용처에 따라 자재함이 분명하니 그렇게 말할 수도 없고, 있다고 하자니 또한 그 형상을 볼수도 들을 수도 없으니 단지 불가사의할 뿐입니다.

어찌할 수 없어 다만 의심만 계속되니 이 때가 바로 공부가 되어가는 것입니다. 바로 이럴 때 후퇴하는 마음을 갖지 말고 점점 더 의지를 굳혀서 의심하면 그 의심이 부서져 자심이 곧 부처인줄 알게 됩니다. 이렇게 깨달으면 생사를 싫어 할 것도 없고 법을 구할 것도 없음을 알게됩니다.

虛空世界
只我一心

허공과 세계가 오직 하나의
마음에 지나지 않느니라.

이 육신을 관찰하기를 환상이요 물거품 같다고 해야 합니다. 또한 자심을 관하기를 허공과 같이 해야 합니다. 이렇게 될 때 '이 무엇인고?' 하고 조금도 간단없이 깊이 의심할 뿐 다른 생각이 추호라도 일어나지 않습니다. 이렇게 되면 나와 나의 것, 유有니 무無니 하는 생각이 전후좌우 완전히 절단되어 홀연히 통桶밑이 쑥 빠지는 것과 같은 경계에 이릅니다. 이렇게 되면 통 속에 담긴 물이 한 방울도 남김없이 다 빠져나가는 것과 같이 될 것입니다.

　그러나 이와 같이 되더라도 만족감을 가지고 주저 앉으면 안 됩니다. 더욱 용맹으로 가행정진을 해야 합니다. 이렇게 하면 앉으나 서나 화두를 참구하되 망상이 모두 끊어져 푸른 하늘에 구름 한 점 없이 되나니 나我라 할 것도 없고, 허공과 같다고 할 수도 없는 경계에 이릅니다. 이 때를 깨달은 것으로 생각하기 쉬우나 여기서 다시 의심을 크게 해야 합니다.

　그리하여 일념불생처一念不生處를 향하여 밀고 나가면 허공과 같아서 일물一物도 없고, 생각마저 끊어져 다시 무미無味하여 마치 캄캄한 밤중과 같아집니다. 이 때 퇴굴심을 내거나 만족심을 내서 주저앉지 말고 더욱 힘을 내서 '이 무엇인고?'를 진력의심盡力疑心하면 비로소 의심이 대파되어 대사일번大死一飜의 때를 당하게 되나니 이 때가 바로 시방제불과 역대조사를 일시에 만나는 경계입니다.

여기에 이르면 구자무불성狗子無佛性이니, 정전백수자庭前栢樹子니 혹은 간시궐乾屎橛, 마삼근麻三斤이니 하는 화두가 일시에 환해집니다. 만약 이 때 조금이라도 의심이 있으면 또 다시 이 무엇인고? 하고 전력의심해야 합니다.

옛사람이 이르기를 염기염멸念起念滅이 곧 생사라 하였고 화두는 이 생사지간에 드는 것이라 하였습니다. 이렇게 화두를 들면 생사기멸이 곧 없어지니 이것을 공적空寂이라 합니다. 이 공적에 머물게 되면 무기無記에 떨어짐이요, 여기에서도 화두가 성성적적하면 영지靈知라 합니다.

이 공적영지空寂靈知가 성성하여 무괴무잡無壞無雜하게 끌고 나가면 반드시 성취가 있을 것이니 참구하고 또 참구할 일입니다.

今生未明心
滴水也難消
금생에 마음을 밝히지 못하면
한 방울 물도 소화하지 못하리라.

4
경계에 끄달리지 않는 공부

"참됨을 구하려는 것은 쓸데 없는 일이니 오직 망령된 견해만을 쉬라. 두 가지 견해에 머물지 말고 쫓아가 찾지도 말라. 잠깐이라도 시비是非를 일으키면 어지러이 본 마음을 잃으리라. 둘은 하나로 말미암아 있으니 하나마저도 지키지 말라. 한 마음이 나지 않으면 만법이 허물이 없느니라. 허물이 없으면 법도 없고 나지도 않으면 마음이랄 것도 없느니라."

이 말씀을 승찬僧璨대사의 〈신심명〉에 나오는 유명한 법문입니다. 승속을 막론하고 귀감을 삼으면 공부에 큰 도움이 있을 것입니다.

대저 불교 공부란 말로 하는 것이 아니요, 문자를 외우는 것이 아닙니다. 아무리 말을 잘하고 글을 잘해도 생사生死에 이르러서는 쓸모가 없습니다. 생사에 쓸모없는 공부는 허공에 그림을 그리는 것과 같이 아무런 공덕이 없는 것이니 공부하는 사람은 마음을 다스리는 일에만 전념할지언정 다른 일에 마음을 빼앗기는 짓을 해서는 안됩니다.

　사람의 참된 인격이란 스스로 마음을 다스릴 줄 알아야 훌륭한 것이지 동서고금 성현들의 말씀이나 줄줄 외운다고 훌륭해지지 않습니다. 입으로만 훌륭하고 도덕군자인 체 하는 사람은 조건이 변하고 환경이 달라지면 금방 그 본성이 탄로나는 법이니 그런 사람은 믿을 바가 못됩니다.

　옛날 부처님 당시에 어떤 과부가 있었는데 그녀는 아주 용모가 잘 생기고 말과 행동이 얌전해 모든 사람에게 칭찬을 받았습니다. 그런데 어느날 그 집 여자하인이 '우리집 마님이 얼마나 훌륭한지 한번 시험을 해보기 위해 한 계책을 냈습니다. 하인은 우선 다음날 아침 해가 중천에 뜰 때까지 일어나지 않고 늦잠을 잤습니다. 그러자 과부마님이 문을 열고 하인을 힐책했습니다.

　"너는 왜 아직 일어나지 않고 게으름을 피우는가?"

　"평생을 살다가 하루를 늦게 일어난다고 무슨 죄가 되겠습니까?"

　"이 못된 년이 어디에서 말대꾸냐!"

　과부마님은 화가 나서 욕을 하고 돌아갔습니다. 여자하인은 그 다음날도 늦게 일어났습니다. 과부마님은 약이 올라 방에다 물을 끼얹고 날리를 쳤습니다. 그 다음날도 늦게 일어나자 이번에는 재를 뿌리고 몽둥이를 들고 들어와 마구 때렸습니다.

이런 일이 밖으로 알려지자 그 과부마님의 명성은 금방 땅에 떨어지고 말았습니다.

사람의 명예나 인격이란 실상을 들여다 보면 이 과부마님과 크게 다를 바 없습니다. 평소 점잖은 사람도 뒷모습을 보면 전혀 다른 얼굴을 하고 있는 경우가 많습니다. 이는 인격이나 교양을 하나의 장식품으로 생각하고 억지로 그렇게 꾸미기 때문입니다. 이런 사람은 환경이나 조건이 바뀌면 과거와는 판이한 나찰아귀의 모습으로 돌변하기가 예사입니다. 이는 본성을 다스리지 않고 겉모양만 꾸민 것에 지나지 않습니다.

불교를 믿는 사람, 그리고 수행자들은 이 비유에서 깨우치는 바가 있어야 합니다. 굳이 진실됨을 구하려 애쓰지 말고 모름지기 망령된 생각을 쉬어서 그 마음이 흔들리지 않도록 해야 합니다. 옆에서 대포소리가 나도 흔들리지 않고, 마왕파순의 딸이 와서 유혹을 해도 끄떡하지 않는 마음이 되려면 분별심을 끊고 한 생각을 일으키지 않는 법을 배워야 합니다.

佛祖位中留不住
夜來依舊宿蘆花
부처나 조사의 지위도 아랑곳하지 않고
밤이 되면 옛날처럼 갈대숲에 잠든다

이것이 바로 경계입니다. 그러면 어떻게 해야 이 경계에 이를 수 있을까요.

참선을 해야 합니다. 자나깨나 화두를 참구해야 합니다. 불자들은 생업에 바빠서 그럴 형편이 못되면 아침에 일어나 30분, 잠자리에 들기 전에 30분만이라도 화두를 들고 참선을 하다보면 삼독 번뇌로 일어나는 모든 망상이 조금씩 가라앉습니다. 이렇게 되면 성불은 못한다 해도 참다운 인격자, 교양있는 사람이 될 것입니다.

마음이 바뀌면 행동이 바뀌고, 행동이 바뀌면 운명이 바뀌고, 운명이 바뀌면 인생이 바뀝니다. 그리고 인생이 바뀌면 세계가 바뀝니다.

5
쥐가 고양이 밥을 먹다

鼠食猫兒飯
飯器已破
쥐가 고양이 밥을 먹었다
밥그릇이 이미 깨졌다

 쥐가 고양이 밥을 먹은 소식을 알면 인천人天의 스승이 될 것입니다.
 한걸음 나아가서 밥그릇이 깨진 소식을 알면 부처와 조사의 스승이 될 것입니다. 이것을 방편으로 알고 이런 것을 믿지 않고 있으면 지옥에 떨어질 것입니다.
 여기에 대한 근거를 들어서 후학들을 위해 몇 마디 하겠습니다.

 옛날에 찬대사璨大師께서 산중에 계시면서 젊은 나이에 깨닫고 법을 전하려고 기다리고 있던 중 80이 된 노인이 와서 절을 하고

"법을 받으러 왔습니다."
하고 말하자, 찬대사 말하기를
"당신이 법을 얻을 수 있는지를 일러보라."
노인이 말하기를
"쥐가 고양이 밥을 먹었습니다."
찬대사 말하기를
"다시 한 번 일러보아라."
노인이 말하기를
"밥그릇이 이미 깨졌습니다."
하고 말하니 찬대사께서 말씀하시기를
"법을 전하려고 하니 노老가 먼저 죽겠소이다."
하고 일어나니 노인이
"몸을 바꾸어 오겠습니다."
하고 일어나더니 신표로서 뜰 앞에 소나무를 심어 놓고 노인이
"다녀오겠습니다."

인사를 마치고서 다시 걸망을 지고 산을 내려가다가 시냇가에서 빨래하는 처녀 옆에 걸망을 내려놓고 처녀에게 말하기를

"너에게 부탁이 있다. 다른 것이 아니고 너의 집에서 하룻밤을 쉬었으면 한다."

하셨습니다. 그녀가 "네"하고 대답을 하였을 때는 그 자리에 노인이 입정入定한 채 입적하였습니다.

그 후로부터 몇 개월이 흐른 다음 그녀가 배가 부르기 시작하여 집에서 쫓겨나서 유랑생활 수개월이 흐른 다음 아기를 낳고 보니 사내 아이였습니다. 그러나 그녀는 너무 놀랜 나머지 아기를 버릴 수밖에 없어서 연못 가운데 던져 버렸으나 이상하게도 연못의 어름이 녹더니 상서로운 학 한 마리가 아기를 깃에 품고 있으므로 그녀는 상서로운 아기라 생각해서 아기를 15세까지 키웠습니다. 그런데 하루는 아이가 어머니에게 말하기를

"산으로 들어가서 공부를 해야만 하겠습니다."

하고 말을 하니 어머니께서는

"그렇게 하도록 하라."

하시어 승낙을 받고 출가하여 찬대사에게 돌아오니 다음과 같은 게송으로써 그가 돌아왔음을 알렸습니다.

參毛白髮下靑山
八十年來還舊面
人却少年松自老
始知從此認人間

삼삼한 백발로 산을 내려가
팔십 년 전 구면으로 돌아왔어라.
소년으로 되었것만 소나무는 늙어
비로소 여기에서 인간인 줄 알았네

吞虛 (1913~1983)

1933년 한암스님을 은사로 득도
1962년 월정사 주지
1965년 동국대학교 정각원장
1966년 동국역경원 초대원장
1975년 동국학원 이사
1983년 월정사에서 입적

1
삶과 죽음

 이 세상에 사람으로 태어난 자에게 가장 중요한 것은 무엇일까요? 그것은 두 말할 것 없이 삶과 죽음일 것입니다. 즉 생사生死문제야말로 그 무엇보다 앞선 궁극적인, 그리고 이 세상에서 몸을 담고 살아가는 동안 기필코 풀어야 할 중심문제입니다. 인간의 생사문제를 해결하기 위하여 종교가 있다고 해도 지나친 말은 아닙니다.
 우리 불교에서는 생사문제를 쉽게 말해서 이렇게 해결합니다. 즉 마음에 생사가 없다고 부연하면 마음이란 그것이 나온 곳이 없기 때문에 죽는 것 또한 없습니다. 본래 마음이 나온 곳이 없음을 확연히 갈파한 것을 「도통道通했다.」고 말합니다. 우리 자신의 어디든 찾아보십시오. 마음이 나온生 곳이 있는지. 따라서 나온 곳이 없으므로 죽는 곳도 없습니다. 그러니까 도道가 철저히 깊은 사람은 이 조그만 몸뚱아리를 가지고도 얼마든지 살 수 있습니다.

그렇지만 어린 중생들이 죽음을 두려워하며 천년 만년 살고 싶어하지 도인道人·성인聖人은 굳이 오래 살려 하지 않습니다. 죽는 것을 헌옷 벗는 것이나 한가지로 생각하고 있으므로 굳이 때묻은 옷을 오래 입으려고 하지 않습니다. 오래 오래 살고 싶다는 것은 오직 중생들의 우견愚見일 따름입니다.

도를 통한 사람은 몸뚱아리를 그림자로 밖에 보지 않습니다. 다시 말하면 우리의 삶은 간밤에 꿈꾸고 다닌 것이나 같이 생각한다고 할까요. 간밤에 꿈꾸고 다닌 사람이 꿈을 깨고 나면 꿈속에선 무언가 분명이 있었긴 있었으나 헛것이듯 그렇게 사람을 봅니다.

이와같은 것이어서 이 육신을 굳이 오래 가지고 있으려 하지 않습니다. 벗을려고 들면 향 한대 피워놓고 향 타기 전에 마음대로 갈(죽을)수도 있습니다.

일반적으로 중생에겐 나서 멸함이 있고生住異滅, 몸뚱이엔 나고 늙고 병들고 죽음生老病死이 있으며, 일년엔 봄·여름·가을·겨울春夏秋冬이, 세계엔 일었다가 없어짐成住壞空이 있으나 앞서 말한대로 도인에겐 생사가 붙지 않습니다. 혹자는 그 도인도 죽는데 어찌 생사가 없느냐고 반문할지 모르지만 그것은 겉을 보고 하는 소리일 따름입니다. 옷 벗는 것 보고 죽는다고 할 수 없을 것입니다. 세상 사람들은 이「옷」을 자기「몸」으로 생각합니다.

그러면 도인이나 성인은 무엇을 자기 몸으로 생각하는 것일까요. 몸밖의 몸, 육신밖의 육체를 지배하는 정신, 좀 어렵게 말하면 시공時空이 끊어진 자리, 그걸 자기 몸으로 압니다.

시공이 끊어진 자리란 죽으나 사나 똑같은 자리, 이 몸을 벗으나 안 벗으나 똑같은 자리, 우주 생기기 전의 시공時空이 끊어진 자리, 생사가 붙지 않는 자리란 뜻입니다.

부처란 바로 이 자리를 가르쳐 주기 위해 오셨습니다. 이 세상의 한마당 삶이 꿈이란 걸 가르쳐 주기 위해서 온 것입니다. 덥고 춥고 괴로운 경험을 꿈속에서 했을 것입니다.

꿈을 만든 이 육신이 한평도 안되는 공간에 누워 10분도 안되는 시각의 꿈속에서 몇백년을 살고 있습니다. 그러고 보면 우주의 주체가「나」라는 것을 알 것입니다. 곧 내가 우주를 만드는 것입니다. 우주 속에서 내가 나온 것이 아닙니다.

세간世間의 어리석은 이들은 꿈만 꿈인 줄 압니다. 현실 이것도 꿈인 줄 모르고, 다시 말하거니와 성인이 도통했다는 것은 이 현실을 간밤의 꿈으로 보아버린 걸 말합니다.

우리는 간밤의 꿈만 꿈으로 보고, 현실을 현실로 보니까 몇 백년 부귀영화를 누리며 살고 싶다며 아등바등 집착하게 되는 것입니다. 성인의 눈엔 현실이 꿈, 즉 환상이니까 집착이 없습니다. 그러니까 천당 지옥을 자기 마음대로 합니다.

이 정도로 말해 놓고 나서 우리의 삶이 영원하다면 영원하고 찰나로 보면 찰나일 수 있다고 말하면 좀 수긍이 될지 모르겠습니다.

요컨대, 우주 창조주 즉 하나님이라는 우주 생기기 전의 면목面目을 타파한 걸 「하나님」이라고 합니다. 그러므로 하나님이란 하늘 어느 한구석에 담요를 깔고 앉아 있는 어떤 실재인물이 아니란 말도 이해가 될 것입니다.

자, 그럼 우리는 어떻게 우리의 삶을 살아가야 할까요. 내 말의 초점은 여기에 있습니다. 한반도에 태어난 사람이라면 3천만, 5천만의 잘못을 나의 잘못으로 즉 나 하나의 잘못은 3천만, 5천만명에게 영향이 미친다고 생각하고 나중에 무슨 문제에 부딪치더라도 당황하지 않는 준비를 갖추며 살 일입니다.

2
선이란 무엇인가?

선이란 인도 고대말인 범어(Dhyana)에서 따온 말인데 우리말로는 「생각하여 닦는다」思惟修 또는 「고요히 생각한다」靜慮는 뜻입니다. 고요히 생각한다는 것을 정定과 혜慧의 등지等持라고 말합니다. 이와같이 선이 고요히 생각하고 생각하여 닦는다는 뜻이므로 이런 공부는 불교인만 하는 것이 아니라 모든 사람이 하는 성질의 것이라고 봅니다.

그런데 불교의 선은 좀 깊은 뜻을 갖고 있습니다. 고요히 생각한다고 하는데 무엇을 어떻게 생각하고 닦느냐에 특징이 있는 것입니다.

우리들의 마음을 분류하면 네 가지를 말할 수 있는데 육단심肉團心, 연려심緣慮心, 집기심集起心, 견실심堅實心입니다.

육단심은 우리의 육체적 생각에서 우러나는 마음이고, 연려심은 보고 듣는데서 분별하여 내는 마음이고, 집기심은 소위 제7식과 제8식입니다. 이것은 망상을 내는 깊은 속마음입니다. 견실심은 본성으로서 이것이 부처님 마음자리입니다.

참선은 부처님 마음자리인 견실심堅實心을 보는 공부이며, 쓰는 도道입니다. 그러므로 선은 만법의 근본이 되고 불교의 핵심이 됩니다. 부처님의 교법도 필경 이 선의 경지를 깨우쳐 주려는데 근본이 있는 것이니, 그래서 부처님의 팔만사천 법문과 교리는 부처님 말씀이고, 선은 부처님의 마음이라고 하는 것입니다.

이 선이 추구하는 부처님 마음자리를 깨치면 생사가 없고 일체에 뛰어난 대해탈인이 되며, 완전한 진리의 지혜와 덕성을 갖춘 큰 성인이라고 일컫게 되는 것이니 그 까닭은 우주 만유의 근원적 실상진리를 주체적으로 파악하였기 때문입니다.

부처님 당시에 선법禪法은 어떻게 깨달아 들어갔는가를 예를 들어 봅시다.

부처님 당시 한 외도가 와서 물었습니다.

"말이 있는 세간법도 묻지 않고 말이 이를 수 없는 것도 묻지 않습니다. 이에 대하여 말씀하여 주십시오."

이때 부처님께서는 아무 말이 없이 잠잠히 계셨습니다. 이에 외도가 일어나서 절하면서

"세존께서 대자대비로 저의 미혹한 마음을 열어 주시어 저로 하여금 도에 들게 하셨습니다. 참으로 감사합니다."

하고 돌아갔습니다.

부처님 곁에서 이를 지켜보던 아난阿難존자가 이상히 생각했

습니다. 부처님은 한 말씀도 안하셨는데 무엇을 알고 무엇이 고마운가 생각되었습니다. 그래서 부처님께

"부처님께서는 한 말씀도 안하셨는데, 지금 외도는 알아들었다고 하니 무엇을 알아들었다는 것입니까?"

하고 물었습니다.

부처님께서 이렇게 말씀하셨습니다.

"세상에 하루에 천리 가는 준마는 채찍 그림자만 보아도 바람처럼 뛰어가지만 둔한 말은 궁둥이에 피가 나도록 때려도 가지 않느니라."

다시 말하면 영리한 사람은 말로 이르기 전에 다 알아차린다는 말씀이며, 지금 외도가 그렇다는 뜻입니다.

부처님 당시에는 수행인이 근기가 수승해서 여러말 하지 않아도 이렇게 알아버렸습니다. 원래 도는 분별이 붙으면 외도라 하고, 분별심이 끊어져야 비로소 도에 든다고 합니다. 부처님께서는 이와같이 항상 드러내 주셨으니 이것은 눈밝은 사람만이 아는 것입니다.

이 도리를 모르는 사람에게 여러 말이 있게 되고 여러 방법이 있게 됩니다. 선의 방법은 후대에 와서 이렇게 해서 발달된 것입니다.

선의 근본자성을 요달하여 생사를 끊습니다. 우리들은 아무리 힘이 있고, 건강하고 권세가 있더라도 죽음을 면하지 못합

니다. 그것은 마음에 나고 머물고 변하고 없어지는 이런 번뇌 망상에 휘둘려 있기 때문입니다. 그래서 생노병사生老病死도 생깁니다.

선은 마음 속의 생멸을 없애는 것이 첫째의 목적이며 생멸없는 본성을 크게 희롱하는 것이 근본 목적이 됩니다. 마음의 생멸을 잡아 없애려 하면 더 일어납니다.

오히려 이「나」라는 상이 어디서 나왔느냐?……고 관觀하게 되면 필경「나」라는 놈이 없는 줄을 알게 됩니다. 그때에 그만 생멸상이 살라지게 됩니다.

앞서 본 바와 같이 부처님 당시에는 모두 근기가 수승하여 선의 방법론이 조직화 되지 않았었습니다. 그럴 필요가 없었던 것입니다.

그러나 그 중에서 닦아가야 할 사람을 위하여서는 세가지 기본방법이 있었습니다. 이것이 관법觀法입니다. 세가지 관법이란 정관靜觀, 환관幻觀, 적관寂觀인데 천태선사는 공空, 가假, 중中 삼관이라 하였습니다.

정관이란 한 생각이 일어나는 데서 고요히 관하기를 '이 한 생각이 어디서 일어났는가.' 하는 것입니다. 일어나는 자리가 없는 것을 보면, 고요해지니, 고요한 것이 극치에 이르면 마침내 밝아집니다.

환관이란 밖의 경계를 보는 공부인데 보고 듣는 그 모두를 헛것이라고 보는 것입니다. 꿈은 실實이 아니라고 앎으로 우리는 꿈에 집착하지 않습니다.

우주 만상이 환임을 보게 되면 집착에서 여의고 자성이 밝아옵니다. 거기서 온갖 착한 일을 행하는 것입니다.

적관이란 정관과 환관이 한 덩어리가 된 것입니다. 안으로 일어나는 것도 없고, 밖으로 모든 물상이 다 빈 것입니다. 객관이 한 덩어리가 되어 닦는 방법인 것입니다.

부처님 때로부터 천여년이 지나니 사람들 근기가 약해져서 여러가지 분별심과 나쁜 지견을 일으키므로 깨달아 들어가는 법에도 많은 방법이 더해 갔습니다.

참선법이 가장 체계화 조직화된 것은 중국 당나라 때인 대혜大慧스님 당시라고 보겠습니다. 대혜스님은 참선에 가장 착실한 방법으로 화두를 보라고 가르쳤습니다. 화두는 온갖 분별과 지견이 끊긴 알맹이 법입니다. 조사들은 이 화두를 뚫어내고 깨친 것입니다.

화두를 보는 간화선看話禪 밖에 화두를 보지 않고 참선하는 묵조선默照禪도 있습니다. 교리적으로 들어가는 관법은 묵조선과 일맥 상통합니다.

참선은 반드시 화두를 보는 간화선이라야만 한다고 고집할 것은 없다고 봅니다. 교법에 의한 관법으로도 깊은 도리를 깨칠 수 있으며, 묵조선법으로도 깨친 조사가 실로 많습니다. 그것은 중생의 근기가 각각 다르기 때문입니다.

화두는 자성을 깨쳐 들어가는 법칙입니다. 이것은 움직일 수 없는 법령이라는 뜻에서 공안公案이라고 합니다.
예를 들어 봅시다. 어떤 스님이 동산수초洞山守初 선사에게 묻기를
"어떤 것이 불법입니까?"
하고 물으니 동산스님이
"삼 세 근이니라.麻三斤"
고 대답하였습니다.
또 어떤 스님이 운문선사雲門禪師에게 묻기를
"어떤 것이 부처입니까?"
하니 운문스님이 대답하시기를
"마른 똥 막대기니라.乾屎橛"
라고 대답하였습니다. 이 대답한 도리는 팔만대장경을 다 보아도 해결되지 않습니다.
이 알 수 없는 것을 참구하는 것이 화두를 보는 공부입니다. 이것은 사람들이 나쁜 지견과 분별심이 많으므로 그것을 없애려고 이런 말과 생각, 길이 끊긴 「본분의 말」을 드러내어 악지악각惡知惡覺을 깨뜨리게 된 것입니다.
화두는 생사를 깨뜨리고 곧 바로 대도를 성취하는 길이므로

거기에는 반드시 본분 종사宗師를 만나 배워야 합니다. 대혜스님이 무자화두無字話頭 하는데 있어 열가지 잘못된 길을 가려 말한 것이 있습니다. 이것은 무자화두에만 한한 것이 아닙니다. 참선 공부하는 데는 모두가 이를 알아야 합니다.

참선하는데 화두를 가져 참구하는 방법과 화두가 없이 공부하는 법이 있어 이를 간화선 및 묵조선이라 일러온 것은 앞서 말했습니다. 그런데 어느 쪽이 더 우월한 방법이냐고 물을 때가 있지만, 우열은 없는 것입니다. 근기 따라 공부하는 차이가 있는 것입니다. 중국의 육조스님 법을 이은 5종 가운데 4종이 간화선이고 조동종만이 묵조선입니다.

간화선 측에서는 묵조선이 옅은 공부라고 말하지만 그런 것이 아닙니다. 조동종에서도 많은 조사가 나왔고, 그 교세도 일본에서 보면 당당합니다. 방법을 가지고 힐난할 것이 아닙니다. 몸 바쳐서 착실하게 참구하는 것이 요긴한 것입니다. 그렇게 할 때 필경 이르는 문이 깨달음의 문입니다.

예전에 어떤 학인이 조사선祖師禪을 알았다고 하니까 조사가 물었습니다.

"어떻게 알았느냐?" 하니 자기가 안 경계를 대답하는데 이렇게 말하였습니다.

"지난 해의 가난한 것은 가난한 것이 아니라, 금년에 가난한 것이 비로서 가난한 것입니다. 지난 해는 송곳 꽂을 땅도 없더니 금년에는 송곳까지도 없습니다."

그러니까 그의 사형되는 스님이 '여래선如來禪 정도는 보았다 하겠지만 아직 조사선은 못보았다.' 하였는데 왜 그러냐 하면 아직도 견해없는 견해가 붙어있기 때문에 확실히 깨친 것으로 인정받지 못하는 것입니다. 이 말을 듣자 그 사람이 분발심을 내어 3년을 더 공부하였습니다. 3년이 지나 자기의 허물을 알고 이렇게 말하였습니다.

"나에게 한 고동이 있다."하고는 눈을 껌뻑하며 '알겠느냐? 만약 모르겠다 하면 〈사미야!〉하고 어린 동자를 부를 것이다."

이 스님은 이제 비로서 조사선을 안 것입니다.

참선에서 오도한 예를 들어보겠습니다.

육조스님의 제자인 남악 회양선사가 숭산에서 처음 왔을 때에 육조스님에게 나와 인사를 하니 스님이 물었습니다.

"무슨 물건이 이렇게 왔는고?"

이 물음에 회양스님이 꽉 막혔습니다. 그리고서 그 뜻을 참구하였는데 이것이 화두입니다. 8년만에야 깨치고 육조스님을 찾아갔습니다.

"이제 알았습니다."

"어떻게 알았느냐?"

"설사 한 물건이라 하여도 맞지 않습니다."

"도리어 닦아 증득할 것이 있느냐?"

"닦아 증득하는 도리는 없지 않사오나 물들고 더럽히는 것은 없습니다."

망상에 사로잡히는 일은 결코 없지만 힘을 키우는 도리가 없지 않다는 말입니다. 이때 육조스님이 말씀하였습니다.

"물들일래야 물들 수 없는 이 자리가 모든 부처님의 호념하시는 바이다. 네가 이와같고 나도 또한 이와같다."

이렇게 되어 육조스님의 인가를 받은 것입니다.

처음 참선하는 이들을 위해서 비유를 들어봅시다. 어떤 사람이 산골의 험한 길에서 삼麻을 허리가 부러지게 잔뜩 지고 몇십리를 걸어갔습니다. 길을 가다가 금항아리를 만났습니다. 그 값어치가 어마어마하게 많이 나가는 보물이었습니다. 그 사람은 밤새도록 망설였습니다. 삼짐을 지고 가자니 금항아리는 버려야 하고, 금항아리를 지고 가자니 삼짐을 버려야 했습니다. 어떻게 할까 하고 망설이다가 마침내 금항아리도 중하지만 삼짐을 먼저 지고 온 공이 아까워 그대로 삼을 지고 가기로 하였습니다.

이것은 비유지만 이 얼마나 어리석은 노릇입니까. 진짜 보배를 만났으면 아무리 공들여 얻은 것이라도 가짜는 버려야 합니다. 참선문에 들어오려면 묵은 지식, 묵은 알음알이 선입지견을 깨끗이 버려야 합니다. '이 문에 들어와서는 알음알이를 두지 마라.' 하는 것입니다.

　오직 귀한 것은 진정한 선지식을 의지하여 종전 악지견을 모두 버리고 순직한 마음으로 법문을 받아 들고 오직 실답게 참구하여야 합니다.

　참선법문에 비하면 모든 교리는 삼짐에 불과하고, 참선은 금항아리와 같은 것임을 철저히 알아야 합니다.

　인생의 가장 귀한 것은 정법을 만나는 일입니다. 정법을 만났으면 결코 빈손으로 돌아갈 수 없습니다. 금생에 해탈문 중 큰 보배를 꼭 잡도록 해야할 것입니다.

3
마음은 우주의 본체

　흔히들 불교의 교리는 너무 방대하고 심오하다고 말합니다. 물론 부처님께서 49년 동안 설법하신 내용이 담긴 8만4천여 권, 5천부질에 이르는 불교경전을 적은 것이라고 말할 수는 없습니다.

　그러나 불교의 철학은 한마디로 '우주의 본체는 마음이다.'라고 표현할 수 있습니다. 부처님의 대자대비와 불가의 모든 종교적인 교훈은 이 한마디의 진리에서부터 우러나오는 것입니다.

　원래 석가모니께서는 처음 〈화엄경〉을 설하셨으나 이를 못 알아들어 결국은 기초과정이라고 할 〈아함경〉에서부터 시작해 올라갔던 것입니다. 즉 불교경전들을 현대 교육과정에 비유하면 방등경부方等經部가 중학, 반야경부般若經部가 고교, 법화경부法華經部가 대학과정에 속합니다.

　수학의 한 공식을 국민학교에서부터 대학까지 정도를 높여 이해하듯이 불가의 진리도 정도를 달리해 강화講話하는 것 뿐입니다. 그러니까 팔만대장경이라는 엄청난 불교경전도 하나로 꿰뚫어 이해를 하고 나면 아주 간단명료한 것이 됩니다. 불교 교리가 어렵고 방대하다는 얘기는 중학과정이나 과정 한부분만을 보았을 때 하는 말입니다.

불가에선 우주의 생성을 업의 인因으로부터 인과업보의 원리에 따른 세계世界가 생겨 윤회하는 것으로 봅니다.

범어의 「칼마」를 번역한 업이란 말은 「만든다」「짓는다」「한다」등의 활동을 의미합니다.

마음에 한 생각이 떠오를 때마다 업이 이루어지는 것입니다. 불교에서는 착한 생각도 하나의 업으로 보고 이를 선업善業이라고 봅니다.

업은 그 인因에 대한 어떤 결과가 올 때까지 소멸하지 않는 업력불멸業力不滅의 원리를 갖습니다.

그래서 불가에서는 십악업十惡業을 금하고 십선업十善業을 행하라고 합니다. 십악업이란 살생·도둑질·사음·사기·아첨·이간질·욕설·탐욕·화냄·어리석음을 말하는 것이고 이에 반대가 십선업입니다.

악업을 금함은 소극적인 수도방법이며 십선十善을 행하는 것은 적극적인 방법입니다.

십악十惡을 줄인 오계(불살생·불투도·불사음·불망어·불음주)만 지키면 인도人道에 태어나고 십선十善을 행하면 천계天

界에 이른다는 것입니다. 그러니까 방생이나 보시, 범행梵行 등은 살생, 도둑질, 음행을 금하는데서 더 나아간 적극적인 선행인 것입니다.

물론 이런 얘기들은 불교 교리로 보면 기초적인 수준이지만 오늘의 「사회악」이란 것이 바로 불가에서 말하는 악업이라는 것을 생각하면 다시 한번 되씹지 않을 수 없습니다

모든 업은 마음이 미한데서 비롯됩니다. 원래 사람의 마음이란 청정한게 본성이지만 번뇌나 망상의 객진이 들러 붙어 업을 짓게 합니다.

망상이 붙지 않은 마음의 본체를 진여眞如라고도 합니다. 세태가 각박하다느니 인심이 각박하다느니 하는 말들을 들을 때마다 지금이야말로 모두가 청정한 자기 마음의 본체를 다시 한번 가다듬어야 할 때라는 것을 새삼 절감하곤 합니다.

4
화신불

불佛에는 삼신불이 있습니다. 첫째는 법신法身이요, 둘째는 보신報身이요, 셋째는 화신化身입니다.

이와같이 삼신불로 분류하여 설명하는 것은 다만 표현 방법일 뿐이지 불타의 몸이 셋 있는 것은 아닙니다.

법신은 사람 사람이 마음 본체를 지적한 것으로 석가의 본신을 나타낸 말입니다. 즉, 시간, 공간이 끊어진(우주가 생기기 전 면목) 이 우주의 핵심체를 법신이라고 합니다.

보신은 개개인의 뚜렷이 밝은 마음 광명입니다. 다시 말해서 법신 자리가 시·공이 끊어진 마음의 본체라면 그 마음의 본체가 드러날 때면 우주를 삼키고 남는 태양 광명보다 더 밝은 마음 광명이 나타나는 것을 보신이라고 합니다.

화신은 마음의 그림자입니다.

불타를 역사적인 인물로 볼 때 그 불타는 화신불을 뜻하며 흔히 석가의 대명사로 씁니다.

부처님의 탄신은 지금부터 2550년 전이니, 3002년 전이니

하는 등은 모두 화신의 영상에 집착해서 나온 말입니다. 법신이 석가의 본체라면 석가는 법신의 영상입니다.

앞에 든 삼신불을 달에 비유하여 설명합니다. 천상에 달이 하나라면 백천가지의 물그릇에는 백천가지의 달이 나타납니다. 그 물그릇에 비친 달의 영상이 화신이라면 우주에 가득찬 달광명은 보신이요, 천상에 본래 있는 달은 법신입니다.

불경의 내용으로 볼 때 8만대장경 전체가 화신의 소설所說이고 〈범망경梵網經〉만이 법신의 소설입니다. 그러므로 우주관에 있어서도 삼천대천세계가 화신의 우주관이며 이십중화장장엄二十重華藏莊嚴 세계가 법신의 우주관입니다.

이상의 삼신불을 기독교의 삼위일체와 연상해 보면 성부聖父는 법신이고, 성신聖神은 보신이요, 성자聖子는 화신이 됩니다.

따라서 불타가 이 세상에 태어났다고 본다면 물그릇에 비친 달을 보고 하는 말입니다. 백천가지 물그릇에 비친 달을 보면 참으로 달이 온 것이지만, 법신인 본래의 달은 온 것이 아니기 때문에 가는 것도 없고, 가고 오는 것이 없기 때문에 고금이 없고, 고금이 없기 때문에 피아가 없고, 피아가 없기 때문에 생사가 없습니다. 진리면에서 볼 때 불타가 이 세상에 왔다고 보는 사람은 물그릇에 비친 그림자 달을 보고서 진짜 달로 잘못 인식하는 것과 같은 어리석은 중생입니다.

3천년전 불타가 세상에 출현하여 설산에서 6년간 고행하고 중생을 제도하기 위해 49년간 횡야설수야설橫也設竪也設로 설법하신 후 결론적으로 말씀하시기를 처음 설법을 시작한 녹야원으로부터 최후로 설법을 끝마친 발제하跋提何에 이르기까지 49년 동안에 일찌기 한 글자도 설한 게 없다고 하신 뜻을 49년간의 설법요지가 시공이 끊어진 사람사람의 본래 갖춘 천진면목을 가르치신 것입니다.

만일 불탄佛誕의 본지를 삼천만 대중이 낱낱이 이해하고 체득한다면 정신무장은 이보다 더 강할 수가 없을 것입니다. 왜냐하면 시공이 없는데 피아와 생사가 있을 수 없기 때문입니다. 그러므로 왕양명선생은 출장입상出將入相을 했는데 전쟁때마다 한번도 패배해 본 적이 없다고 말한 것은 무아의 경지에서 하기 때문에 백전백승이라는 말을 자서전에서 했습니다.

나아가서 전 세계가 부처님의 정신에 계합한다면 천국이 따로 있는 것이 아니라 이 세계 그대로가 천국일 것이며, 극락을 따로 갈 것이 없이 이 세상 그대로가 극락화 할 것입니다.

그러므로 고苦가 곧 도道니 고를 싫어할 것이 없으며 집集이 곧 무생無生이니 무슨 망상이 따로 끊을게 있겠느냐고 한 화엄학의 중중무애법계해重重無碍法界海에 유의할 것입니다. 결국 부처님께서 사바세계에 오신 의의는 불타가 어느 처소든지 어느 시간이든지 출현하지 않음이 없는 진정한 세계가 되는 데에 있는 것입니다.

月下 (1915~2003)

1933년 경암스님을 은사로 득도
1975년 동국학원 이사장
영축총림 방장
제16대 조계종 총무원장
제9대 조계종 종정

1
육체보다는 마음의 가치

  육체라는 것은 지수화풍 4대로 형성된다고 합니다. 그것은 인연이 다하면 각각 흩어진다고 하지요. 사람이 죽으면 뼈는 흙에서 온 것이기 때문에 흙으로 간다고 합니다. 또 모든 액체인 소변이나 피, 고름은 물에서 왔기 때문에 물로 가고 또 체온은 자연물에서 온 것이기 때문에 그 자리로 돌아갑니다. 또 움직이는 동작은 풍에 속하는데 그것 역시 풍으로 돌아가고 네 가지가 각각 돌아가면 아무 것도 남는 것이 없는 것입니다. 그래서 육체가 허망하다고 하는 겁니다. 육체라는 것은 여러 가지가 섞여 형성되었기에 그것을 부정하게 보는 것입니다.

그러나 중생들은 육체처럼 깨끗한 것이 없고 육체처럼 더 좋은 것이 없다고 생각합니다. 심지어는 몸 밖에는 아무 물건도 없다 해서 몸이 제일이라고 위하는 것만 알고 몸이 조금이라도 상할까 봐 애를 쓰고 약이란 약은 다 먹고 몸에 도움된다고 하면 무엇이든 다 먹습니다.

그러나 육체란 시간이 흐르면 자연히 죽게 마련입니다. 이래서 그런 것을 무상하다 합니다.

옛날 등운봉 스님은 큰 절을 가지고 있었다고 합니다. 그 절에 밥 짓는 공양주가 있었는데 솥에다 불을 지피다 잘못해 옷에 불이 붙어 타서 죽었습니다. 그런데 죽는 순간 생각하기를 '내가 공양주를 안 했으면 타죽는 일이 없었을텐데 공양주를 해서 타죽는구나' 생각했습니다.

공양주는 죽는 순간 등운봉 스님을 원망했습니다. 그런 마음으로 공양주는 염라대왕의 앞에 서게 되었답니다. 염라대왕이

"너는 생전에 무엇을 했느냐?"

공양주는 불에 타 죽은 데 대해 기분 나쁘게 여기고 있던 터라

"등운봉 스님이 공양주를 억지로 시켜 밥을 짓다 옷에 불이 붙어 죽으니 마음이 편하지 않고 그 스님이 심히 원망스럽습니다. 그 스님을 잡아왔으면 좋겠습니다."

라고 했습니다. 공양주의 말을 듣고 염라대왕은 등운봉 스님을 데리고 오라고 저승사자를 보냈습니다. 절에 가면 가람신이

있는데 가람신은 도량 전체를 살피는 일을 합니다. 가람신이 저승사자에게 어딜 가느냐고 물었답니다.

등운봉 스님을 데리러 왔다고 했더니 '찾아보라고 하면서 내가 12년을 여기 있었어도 등운봉이란 스님은 본 적이 없다.' 하였답니다.

그래서 사자들이 찾아보니 어디에도 없어 그냥 돌아가서 염라대왕에게 보고하자 타서 죽은 공양주는 발을 구르면서 거기 가면 있는데 못찾아 왔다고 안타까워 했습니다. 염라대왕이 그럼 공양주에게 데리고 오라고 하여 절에 가보니 스님이 마당에 있더라는 것입니다.

공양주는 스님을 붙잡고 염라대왕에게 가자고 하니,

"무슨 이유로 나를 오라 하느냐?"

물으니 공양주는 자초지종을 이야기하고 자신의 불만을 털어 놓았습니다. 그 말을 들은 스님은

"사람이고 짐승이고 자기의 성품과 마음자리는 본래 그대로 가지고 있습니다. 그런데 그 자리라고 하는 것은 불로도 능히 태우지 못하고 물로도 능히 빠뜨리지 못하는 겁니다. 그러면 당신이 죽었으면 아무 것도 없을 텐데 내게 와서 이러는 거 보면 죽지 않은 것 아닙니까?"

라고 하였습니다. 그 말을 들은 공양주는 죽으면 아무 것도 없을 텐데 이 스님을 원망하는 것에 무언가 문제가 있다는 것

을 깨달았다고 합니다. 깨닫고 나니 스님을 원망한 것이 부질 없다는 것을 알았고 염라대왕에게 다시 갈 필요도 없는 것을 깨달았다고 합니다. 결국 자기 마음을 깨달으면 만사 해결되는 것을 알았다고 합니다.

물론 육체가 있어야 세상살이도 할 수 있고, 또 중생의 몸으로 자녀도 키워야 하고 사업도 해야 하고 자기 몸도 가꿔야 하고 좋은 것도 사서 발라야겠고 좋은 옷도 입어야겠지요. 이것이 중생의 본 모습 아니겠습니까. 그러나 천년만년 사는 것도 아니고 육체에 아무리 치중해 봐야 성불하는 것도 아닙니다. 그런데 그런 이치를 몰라 자꾸 거기에 치중하고 그 야단치다 인연이 다해 죽으면 그만인 것입니다.

무엇을 하더라도 다 소용없는 것입니다. 죽는 마당에 육체에 치중해 봐야 허망하고 허사라는 걸 깊이 깨닫고 나면 알뜰히 먹고 입으려 하지 않아도 됩니다. 자연히 그런 생각이 나게 되는 것입니다.

그저 굶지 않을 정도로 먹으면 그만이고 적당히 입으면 그만이지 좋은 것 갖는다고 달라지는 건 없습니다. 그래서 저절로 생활이 가벼워지고 그런 생각이 나기 전에는 부족감이 느껴지지만 그런 것은 사람을 용렬하게 만들고 오래 사는 것도 아닙니다. 불교 믿는 분들은 그것을 배워야 합니다.

2
화두란 무엇인가

 화두에 대하여 많은 말이 있지만 간단히 요약하면은 자기 마음하나 깨닫는데 필요한 도구일 뿐입니다. 부처님께서 많은 법을 설하신 것도 오로지 마음 하나 깨달으라고 한 방편에 지나지 않습니다. 누가 말하기를 해인사 장경각의 경판은 모두 마음 심心자 하나 해석하는데 불과하다고 했습니다.
 마음이란 이름은 들었지만 보기 어렵고 어느 곳에 있는지 잘 모릅니다. 혹 있다는 장소를 머리로 생각해도 안 되고 배에, 가슴에, 몸 전체에 있지도 않고 도저히 찾을 수 없습니다. 그저 떼어놓고 말로만 마음이라 합니다. 그러기에 깨달으려면 마음 있는 자리를 아는 것은 무수한 각고의 노력이 있어야 합니다.
 우리 신체는 온 세계를 둘러싸고도 남는 법계法界와 같다고 합니다. 인간의 이 작은 체구에서 그런 거대한 이치를 포함하고 있지만 깨닫기 전에는 모릅니다. 깨달은 후에는 마음 쓰는(가는) 범위가 이렇게 넓습니다. 이런 넓은 자리가 머리에, 배에, 가슴에 있다고 해도 맞지 않습니다. 왜 그러냐 하면 자기 몸 하나를 체험해 보더라도 아플 때나 가려울 때의 감각은 어디를 만져 봐도 느끼는 것은 같지 않습니다. 그러기에 어느 한 부분에 있다고 하면 맞지 않습니다. 어디고 다 통하기 때문입니다. 깨친분상에서 보면 범위가 온 세계를 둘러싸고도 남습니다.

부처님 당시에는 근기가 수승하여 마음이나 행동으로써 가르치면 다 알아들었는데, 차츰 차츰 내려오면서 근기가 하열하여 그렇게 해서는 모르고 알기도 어려워서 염불, 참선, 주력, 간경, 기도 등의 여러 가지 방편으로 깨달음으로 나아가게 되었습니다. 그 중에서도 가장 대표적으로 염불과 참선 두 가지를 이용했습니다.

옛날에 근기가 수승했을 때에는 따로 앉아서 하는 게 아니고, 일상생활을 통해 오고 가면서 깨닫고, 알고 했습니다. 그 후 근기가 약해져서, 그냥 앉아 있으니 그래도 잘 알기 어려워서 화두법이 생겼습니다.

'화두' 란 글자 그대로 말의 머리입니다. 누군가 요긴한 말을 하는데 이를테면 미리 이야기를 들어보면 그 요지가 어디에서 무엇에 촛점(마음 있는 데까지 들어가는 것)을 두고 말하는지 짐작이 갑니다. 그런데 아직까지 촛점이 나오기 전에 말을 딱 끊어 버렸다면은 듣는 사람이 얼마나 궁금해 하겠습니까. 무슨 말을 하다가 하지 않고 끊어 버리고 있는 게 바로 '화두' 입니다. 말을 하다가 딱 끊어 버리니까, 그 뒤에 무슨 말이 나올까 의심이 생깁니다. 이와같이 '화두'도 마찬가지입니다.

'화두'는 1,700여 가지나 되는 여러 가지가 있지만 말은 달라도 뜻은 같습니다. 예를 들면

"달마가 서쪽에서 온 뜻이 무엇입니까?"

"마당 앞에 잣나무니라."

'모든 중생은 모두 불성이 있다.'라고 해놓고 개 한 마리가 마당을 지나가기에

"저 개한테도 불성이 있습니까, 없습니까?" 그러자 "없다"라고 답한 것이나 아니면 "어떤 것이 부처입니까?"

하니 "마삼근"이라고 답한 것에서 보면은 이상하다 해도 이만저만이 아닌 것을 알 수 있습니다. 이것은 완전히 뚱딴지 같은 답입니다. 도저히 이해하지 못하는 이곳에 왜 그런 답을 했을까요? 하고 의심이 생기지 않겠습니까. 의심하는 것은 다른 게 아니고 다른 생각을 못하게 붙들어 매어 놓는 것입니다. 이런 엉뚱한 대답을 왜 했을까요? 하는 것에 마음을 붙들어 놓으면 됩니다.

'화두'에 의심을 걸어서 자꾸 의심만 하고 앉아 있으면 그것을 찾기 위해 딴 생각을 할 여지가 없습니다. 비록 처음에는 의심하다가 딴 생각을 하게 되지만 자꾸 의심을 챙겨서 조금씩 나아가면 어느 날 문득 자신의 주인공을 찾게 될 것입니다.

3
염불공덕 이야기

여러분들은 흔히 친지를 따라 절에 가서 염불을 하게 되는데, 몇 번 석가모니 부처님이나 보살님의 명호를 부르다가 절 밖을 나서면 곧 잊어버리고 맙니다. 그래가지고는 부처님의 위신력이나 가피력을 얻기가 어렵습니다.

염불이란 글자 그대로 일심으로 부처님과 보살님의 덕성德性을 생각하고 찬탄하면서 명호를 부르는 것입니다. 또한 시시각각으로 산란하고 안정되지 못한 마음을 한 생각으로 집중시켜서 안정되고 평온함을 갖기 위하여 불보살님의 명호, 즉 아미타불이나 관세음보살님의 이름을 염송하는 것입니다. 이렇게 하면 어떠한 환경에 처하더라도 마음이 흔들리지 않고 몸과 마음이 함께 평화로워지며 무한히 맑고 밝아져서 확고부동한 마음자리를 찾아 기쁨을 느끼게 됩니다.

또한 음성은 너무 크지도 않고, 적지도 않게 염송하되, 염송하는 일념一念의 뜻이 곧 그 음성 속에서 우러나와야 하며, 그 음성이 또한 일념 안에서 나와야 합니다. 흔히 우리는 염불이란 나이 많은 노인들이 죽은 뒤에 극락세계를 가기 위해서나 하는 것처럼 생각하기 쉽습니다만 이것은 잘못된 생각입니다.

염불과 참선은 일여一如 즉 하나라고 했습니다. 우리의 혼탁한 마음을 맑게 하고 정신을 통일하므로 공부하는 청소년에서부터 남녀노소를 불문하고 함께 해야 하는 마음공부입니다.

'나무아미타불' 이란 수명이 한량없이 영원한 부처님에게 귀의한다는 뜻으로 염송되고 있는데 이것은 부처님의 위신력에 의하여 서방정토 극락세계에 왕생하기를 바라는 것입니다. 그러나 극락세계라는 것도 내 마음 안에 있는 자성미타自性彌陀를 찾는 것입니다.

자기 마음속의 아미타불이란 본래 우리 인간의 마음은 나고 죽음이 없이 영원한 것이니, 곧 목숨이 한량이 없는 부처님 즉 무량수불이라는 뜻이요, 자기 마음속의 극락이라 함은, 본래 우리 인간의 마음이란 맑고, 밝은 것이어서 일체의 번뇌가 영원히 소멸된 자리이니 영생불멸 할 수 있는 안락국토 라고 할 수 있습니다.

그러므로 우선 염불하기 전에 이러한 근본적인 뜻을 이해한 다음 틈나는 대로 생각나는 대로 오로지 한 소리 한 마음으로 참구하면 반드시 염불삼매를 얻을 것입니다.

옛날에 고삼춘高三春이라는 사람이 부인과 함께 살았는데 이들 부부는 백발이 되도록 평생을 한 번 자리에 앉으면 해가 가는 줄 모르고 염불만 했다고 합니다. 얼마나 염불을 열심히 했냐하면 콩 한 섬을 갖다 놓고 남편이 염불 한 번 하고 콩 한 알을 부인에게 주면 부인도 염불 한마디 하고 나서 그 콩을 남편에게 주는데 그 콩 한 섬이 건너갔다가 건너오기를 계속하면서 염불을 했다 합니다.

이때 불심 깊은 중국의 황제가 아들이 없어 고민하는 것을 제석천왕께서 보시고 아들을 하나 점지해 주시려고 중국 천지를 다 둘러보았으나 왕자가 될 만한 복덕을 가진 사람이 없자 조선 땅을 살피게 되었는데 마침 제석천왕은 황제의 아들로 태어날 사람이 고삼춘 밖에 없다 생각하고 그를 데려갔습니다.

멀쩡하던 영감이 하루아침에 죽고 나자 홀로 남은 할멈은 쓸쓸하기 짝이 없었으나 두 부부가 평소에 함께 세웠던 서원을 생각하며,

"춘아, 춘아, 고삼춘아!
원두園頭 놓아 삼년공덕
다리 놓아서 삼년공덕
우물 파서 삼년공덕 하자더니…"

하며 슬피 울면서 넋두리를 하였는데 동네 아이들이 그 소리를 듣고 흉내 낸다고 따라 부르기 시작한 것이 그만 동요童謠가

되어 버렸습니다.

그 과부 할머니는 "춘아, 춘아, 고삼춘아, 하고 평소의 염불 대신에 그 소리만 하면서 세월을 보냈는데 그 소리를 하다 보니 어느 날 갑자기 아픈 사람이 있는 집에 가서 그 소리를 하면 아픈 사람의 병세가 거짓말처럼 나았다고 합니다. 그러한 소문이 사방에 퍼지자 곳곳에서 환자들이 구름처럼 몰려들었습니다.

이때 중국의 황제가 건강하고 총명한 왕자를 낳았는데 선천적으로 그 왕자의 손이 조막손이라 손바닥을 펼 수가 없었습니다.

그러자 중국의 이름 있는 의원들을 모두 동원하였으나 고칠 수가 없자 황실의 근심은 이만 저만이 아니었습니다.

마침 조선 땅에 병 고치는 노파가 있다는 소문이 황제의 귀에 들어가자, 귀가 번쩍하여 신하를 보내 그 늙은 여인을 데려오도록 특명을 내렸습니다.

얼떨결에 중국의 황궁으로 불려간 노파는 조막손 왕자 앞에서 몹시 두려운 마음으로 떨면서

"춘아, 춘아, 고삼춘아!"

하고 노래를 부르니 그 아이가

"고삼춘이 여기 있다!"

하고 조막손을 펴는데 그 아이의 손에 '고삼춘高三春'이라고 하는 글씨가 선명하게 쓰여 져 있었습니다. 이것을 본 천자 내외는 너무도 기뻐서 덩실 덩실 춤을 추웠다고 합니다. 그리고

월하 스님

그 노파를 극진히 모시고 함께 잘 살았다는 이야기가 있습니다.

또 어떤 부부가 있었는데, 부인은 열심히 염불을 잘 하는데 남편은 염불을 하고 싶어도 정신이 없어서 염불을 잘 하지 못하였습니다. 그러자 어느 날 영특한 부인은 문지방에다 방울을 하나 달아 놓고 소리가 날 때마다 염불을 하게 하였습니다. 그 날부터 문을 열고 나갈 때마다 상투에 방울이 걸려서 '떨그렁' 하면 '나무아미타불' 하고 염불을 하고, 또 방으로 들어오다 상투에 방울이 걸려서 '떨그렁' 하면 '나무아미타불' 하고는 염불을 하였습니다. 이렇게 여러 해가 지나도록 열심히 염불하던 노인은 어느 날 무상한 세월의 힘을 이기지 못하고 나이가 들어 죽게 되었습니다.

그는 염라대왕의 저승사자를 따라 요즘말로 유죄로 확정되지 않은 미결수들이 구금되는 감옥에 갇히게 되었습니다.

무섭게 생긴 옥졸들이 감옥을 순시하기 위해 커다란 쇠창을 짚고 그 앞을 왔다 갔다 하는데, 창에 달린 쇠고리에서 '떨그렁 떨그렁' 하고 소리가 나니까 옥안에서 누군가가 '나무아미타불 나무아미타불' 하고 큰소리로 염불하는 것이었습니다..

그 사람이 살았을 때 방울 소리를 듣고 염불하던 습관이 있어서 '나무아미타불' 하고 무심코 염불했던 것입니다.

갑자기 옥 안에서 누가 '나무아미타불' 하고 염불하는 소리가 들리니까 옥졸이 깜짝 놀라 눈이 휘둥그레지면서 큰소리로 외쳤습니다.

"누가 감히 여기에서 '나무아미타불' 하고 염불을 하였느냐? 염불한 죄수는 당장 앞으로 나오도록 하라"

그러나 불려나가면 고문을 당할까 두려워 아무도 나가는 사람이 없었습니다. 그러자 옥졸은 이 사실을 즉시 염라대왕에게 보고 하였습니다.

"대왕이시여, 지금 몇 호실 감옥에 갇힌 죄수 중에 '나무아미타불' 하고 큰소리로 염불하는 사람이 있습니다."

하고 고해 받치자, 염라대왕도 크게 놀라면서

"'나무아미타불'하고 염불하는 사람을 어찌 감옥에 둘 수 있느냐. 당장 데려오도록 하라."

하고 명령하였습니다. 옥졸은 다시 가서 조금 전에 염불한 죄수는 빨리 나오라고 다그쳤지만 죄수들은 모두 함구무언 일 뿐 아무도 나오는 사람이 없었습니다. 옥졸은 다시 염라대왕에게 사실대로 이야기 했더니 염라대왕이

"그럼 할 수 없지. 염불하는 사람을 그곳에 둘 수 없으니 그 옥에 갇힌 사람들을 모두 극락으로 보내라."

하고 특전을 내렸다고 합니다. 이렇게 한 사람이 염불한 공덕으로 많은 사람들이 함께 극락으로 갔다고 하니 정말 신기하고 불가사의한 가피력이라고 하겠습니다.

또 옛날 중국에 선경백이라는 사람이 큰 누명을 쓰고 관가에 잡혀가 사형을 당하게 되었습니다. 그런데 이 사람이 평소에 자기 집에 관세음보살 탱화를 모셔 놓고 열심히 기도를 해왔는데 어쩌다 그만 잡혀와 하룻밤을 지나면 죽게 되는 신세가 되었습니다. 그러나 그 사람은 죽는 순간까지 한 번이라도 더 관세음보살님을 부르기 위해 일심으로 염불을 했습니다.

이튿날 관가에서는 사형을 집행하기 위해 분주하였고 죄수는 형장으로 끌려가면서도, 날카로운 칼날이 목에 닿는 순간까지도 일심으로 염불을 하였습니다. 노련한 칼잡이가 무서운 힘으로 목을 내려치는 순간 어찌된 일인지 목은 떨어지지 않고 칼만 부러지고 말았습니다. 사형 집행수는 새로운 칼을 가지고 다시 목을 쳤지만 역시 칼만 부러졌습니다. 그러자 집행관은 마지막 한 자루 남은 칼을 가져다가 한 번, 두 번, 세 번을 내리쳤지만 칼만 또 다시 부러질 뿐, 선경백은 조금도 다치지 않았습니다. 사형집행관은 너무도 이상하고 두려운 생각이 들어 벌벌 떨면서

"어찌 된 일입니까? 당신은 분명 사람입니까? 아니면 귀신입니까? 이것은 인간의 힘으로는 상상 할 수 없는 일입니다."

하고 그에게 물었습니다.

"저도 무슨 일인지 모르겠습니다. 특별히 제가 다르다는 것은 다만 관음상을 모시고 일심으로 기도하는 것밖에 없습니다."

하고 대답하자 관가에서는 그를 무죄로 석방해 주었다고 합니다.

관세음보살의 위신력으로 다시 살아난 그가 가만히 생각해 보니 지난 밤 비몽사몽간에 집에 모셔둔 관세음보살님이 바다를 건너와서

"경백아! 경백아! 아무 걱정 말아라. 내일 아침 너는 아무 일 없이 집으로 가게 될 것이니라. 안심하고 있거라."

하던 말이 생각나 감사하고 고마워서 집으로 돌아오자마자, 관음상 앞에서 자꾸 절을 하다 보니 탱화의 반쪽이 젖어 있는 것을 보았다고 합니다. 그러니까 꿈에 나타나신 관세음보살님이 바다를 건너와 자기를 구해주시느라 탱화의 반쪽이 젖어 있었던 것입니다.

우리가 이 세상에 살고 있는 동안 우리들은 알게 모르게 부처님의 가피력을 입고 있다는 것을 알아야 합니다.

동쪽에서 밝은 태양이 떠오르면 어느 곳부터 비추겠습니까? 반드시 높은 산 높은 봉우리부터 비추기 시작해서 낮은 골짜기까지 골고루 비추지 않는 곳이 없듯이 부처님과 보살님께서는 한 중생도 빠짐없이 제도하신다는 것을 우리는 명심해야 합니다.

4
꿈을 깹시다

결제한지가 엊그제 같은데 어느덧 칠월보름날 해제가 되었습니다. 그러나 각자 자기가 공부해 놓은 것은 흔적도 없고 마음에 했다 싶은 것도 없습니다.

그런데 말 그대로 해제라고 하는 것은 '무엇을 묶고 무엇을 풀어 놓는다'는 말입니다. 그리고 결제라고 하는 것은 '묶어서 얽어 맨다'는 뜻인데 무슨 물품이나 형상이라면 끈으로 묶는다든지 푼다든지 하는 것이 가능하지만 이것은 그런 형상 있는 물질이 아니기 때문에 풀어도 풀게 없고, 얽어도 얽어맬게 없는 그런 것입니다.

그러나 무엇인가 얽어매는 그것이 있고 풀어내는 놈이 있습니다.

우리의 육안으로 보이지 않지만 부득이 그것을 불성佛性이라 할 수밖에 없고 진리라 할 수밖에 없습니다.

불성은 빛깔이나 형상도 아니오, 빛깔이나 형상을 여의지도 않는다고 합니다. 어떻게 보면 무슨 재담才談이나 괴변 같기도

하지만 그것은 실지 그렇습니다. 이것은 눈 밝은 사람이라야 그 실체를 살펴볼 수 있지, 눈이 어두운 이는 얽어맬 것도, 풀어낼 것도 없이 다만 어리둥절한 생각밖에 없습니다.

부처님 당시에 어떤 사람이 시각장애인들을 모아 놓고

"저 앞에 코끼리가 한 마리 있는데 여러분이 직접 코끼리를 만져보고 어떻게 생겼는지 말해 보시오"

라고 했습니다. 그러자 그 장애인들은 모두 몰려가서 코끼리를 만져보았습니다. 다리를 만져본 사람이 말하기를

"코끼리는 마치 큰 기둥과 같습니다."

라고 하였고, 배를 만져본 사람은

"코끼리는 볏짚으로 만든 큰 둥우리와 같습니다."

라고 말하였고, 코끼리의 꼬리를 만져본 사람은

"코끼리는 큰 동아줄 같이 생겼습니다."

그들은 자신이 만져본 코끼리의 각 부분을 이렇게 이야기 했습니다.

이처럼 우리가 생각하는 진리나 불성에 대한 견해도 이와 같이 다릅니다. 견해가 다르기 때문에 코끼리의 배를 만져보고 볏짚둥우리 같다고 하는 사람이나 다리를 만져보고 큰 기둥 같다고 하는 사람이나 자기가 만져본 것 이외의 것은 이야기 하지 못하는 것은 자신이 보는 견해가 그러니까 어쩔 수 없이 그것밖에 이야기하지 못합니다.

그래서 진리에 있어서도 각자의 견해가 이렇게 다를 수밖에 없기 때문에 진리를 바르게 알아 똑바로 가르쳐주기가 어려운 것입니다.

그러나 도道가 어려운 사람에게는 매우 어렵지만 눈 밝은 사람에게는 '자신의 코를 만지듯' 그렇게 쉬울 수가 없다고 합니다. 우리가 스스로 부지런히 화두를 들어서 무명無明을 밝혀 지혜의 눈을 가질 때 이렇게 되는 것이지 진리의 눈이 밝지 못하면 눈앞에 가져다 대주어도 모릅니다. 우리는 자신 안에 있는 것을 모르고 다른데 있는 줄 알고 늘 마음 밖에서만 찾으려 집착하고 있습니다.

그런 것을 비유해서 '달을 가리키는데 달은 쳐다보지 않고, 달을 가리키는 손가락만 쳐다본다' 는 선사들의 이야기가 있습니다.

흔히 눈으로 보이지 않고 손으로 만져지지도 않으니 공空이라고 말합니다. 그러나 무엇이 공했습니까? 말은 옳지만 무엇인가 뚜렷한 목표가 있어야 공한 것인지, 공하지 않은 것인지를 알 수가 있는 법입니다.

또한 법이라는 것도 스스로 공해서 자기 자체가 공한 것이지 누가 공 하려고 해서 공한 것이 아닙니다. 그런데 보이는 것도 아니고, 멸해서 없어지는 것도 아니니 정말 알쏭달쏭 하기만 합니다.

오로지 혜안慧眼이 밝은 사람이라야 요달 할 수 있으며, 그렇지 못한 사람은 날마다 들어도 무슨 소리인지 알지 못하고, 매일 보아도 눈에 보이지 않습니다.

누구나 눈동자를 가지고 있으면서도 스스로 자기 눈동자를 따로 보는 사람은 없습니다. 이와 같이 진리라는 것도 항상 자기 안에 있지만 듣지 못하고 보지 못합니다. 안 보이는 것이 아니라 못 보는 것입니다.

눈동자뿐만 아니라 전체가 자기의 불성이고 진리인데 그것이 그렇게 어렵다는 것입니다.

그래서 부처님 당시부터 오늘에 이르기까지 이 문제를 가지고 이러쿵저러쿵 말들을 하지만 그 소리를 들을 때뿐이고, 어떤 행위나 동작도 보이지만 그것도 그 때 뿐입니다.

우리가 해제라고 해서 이날 어떤 큰 변화가 있고, 좋은 소식이라도 있을까 기대하지만 오늘도 역시 싱겁기는 마찬가지입니다.

그러나 예전에는 선방에서 수좌들이 무엇을 알았다고 소리도 치고, 방바닥을 주먹으로 때리는 등 여러 가지 돌출 행동들을 보였습니다. 이런 현상은 자기 나름대로 무엇인가 깨닫고 느낀바가 있길래 그렇게 하는 것이겠지만 사실은 당치 않는 짓입니다. 그런데 요사이는 그나마도 그런 행동을 보이는 사람이 없으니 섭섭한 일입니다. 진짜 알아도 내놓기가 쑥스러워서 그런지, 아니면 묵묵부답하는 것이 옳다고 생각해서 그런지 도무지 알 수가 없습니다.

만약에 몸 밖을 향해서 달리 신통한 것, 별스러운 것을 본다고 합시다. 또는 참선을 오래 해서 무언가가 생겼다든지 알음알이가 있다든지, 그런 것을 이야기 하고 행동으로 보이고 싶어 하는 것이겠지요. 그러나 몸 밖에서 그런 것을 구하면 안 됩니다. 자기 몸 안에 있는 것이지 몸 밖에 있는 것이 아닙니다.

자기 마음으로서 정돈이 되고 자기 마음으로서 본 것이어야지, 달리 무슨 신비로운 현상을 구하려고 하면 안 됩니다.

어리석은 사람 앞에서는 꿈 이야기를 하지 말라고 하였습니다. 꿈이란 자다 꿈꾸는 것이 아니고 자기가 무엇을 알았다든지 어쨌다든지 그런 이야기를 하지 말라는 것입니다. 우리의 일체 행동과 언어가 모두 꿈속이라는 뜻입니다. 깨치기 전에는 다 꿈속이라 합니다. 자기가 확철대오한 사람은 꿈을 깬 사람이지만 그렇지 못한 사람은 모두 꿈속에서 행동하고 꿈속에서 말하는 것이며, 우리가 참선한다고 하는 것도 꿈속에서의 행동입니다.

1년에 두 번씩 결제 해제를 하지만 어떤 느낌이나 표적이 없다고 걱정할 필요가 없습니다. 이번 안거에 여러분이 나름대로 얻은 것이 있고, 보이지 않는 힘을 기른 것이 있겠지만 내놓으라 하면 내놓을게 없습니다. 내놓을게 없는 그것이 참으로 내놓는 것인지도 모릅니다. 만약 내놓을 것이 있다고 해도 그것을 거머쥐고 내보인다던지 하면 그것은 아닙니다. 그것은 더 멀고멀어 질 뿐입니다.

> 實相離言 眞理非動
> 心不是佛 智不是道
> 心若不在 隨處解脫
> 輕上生罪 侮下無親
> 言出如箭 不可輕發
> 一入人耳 有力難拔

진실한 모습은 말을 떠났고 진리는 움직이지 않느니라.
마음은 부처가 아니오, 지혜는 도가 아니니라.
마음이 만약 있지 않다면 가는 곳마다 해탈일지니라.
윗사람을 가벼이 여기면 죄가 생겨나고
아랫사람을 업신여기면 가까이 하는 이가 없도다.
입 밖으로 나온 말은 화살과 같나니
경솔하게 함부로 내뱉지 말지어다.
한 번 사람의 귀에 들어가고 나면
힘이 있다 하여도 빼내기 어렵나니

西庵 (1917~2003)

1935년 화산스님을 은사로 득도
1943년 심원사에서 화엄경 강의
1970년 봉암사 조실
1975년 조계종 총무원장
1991년 조계종 원로회의 의장
1993년 제8대 조계종 종정

1
출가의 길

 때로는 '출가하여 중이 된다면 얼마 안 되는 인생이 아깝지 않을까'라는 의문을 던질 수도 있습니다. 그리고 사람이 태어나 한평생을 살면서 할 수 있는 보람있는 일들도 많지 않는가. 중이 된다는 것, 과연 대장부 한 생애를 걸어 볼 만큼 가치 있는 일일까요?
 직업으로서의 승려 생활, 살아가기 위한 방편으로서의 승려 생활이라면 그보다 더 비생산적인 일도 없을 것입니다. 오늘날 우리 사회에서 일어나고 있는 종교의 모든 부정적인 현상의 뿌리도 여기에 있습니다. 그러나 삶과 죽음의 문제, 인간의 궁극적인 구원의 문제를 진지하게 추구하여 그 열망이 승려 생활로 이어진다면 그보다 더 가치 있는 삶도 없을 것입니다.

부처님의 가르침을 따르고 큰 각성을 얻기 위해서는 반드시 출가하여 승려가 되어야만 하는 것은 아닙니다. 그러나 출가하여 어려운 수행의 길을 걷는 것이 올바른 수행을 위한 가장 빠르고 좋은 길이며, 수행하여 얻은 것을 중생들에게 되돌려 주는 스승의 역할을 하기에도 적합한 것이 승려라는 신분입니다. 그러므로 모름지기 승려는 자신이 먼저 각성에 이르러야 하고, 어려운 수행을 통해 얻은 각성을 중생들에게 되돌려 주어야 하는 의무를 지닌 존재입니다. 그러기에 승려 생활은 여간 어려운 일이 아닙니다. 입산하는 사람 중에는 세상살이가 고달파서 찾는 사람이 있는가 하면, 석가모니 부처님이 그랬듯이 인생의 고통을 응시하여 그 실체를 구명하기 위해 산사를 찾아오는 사람도 있습니다. 전자의 경우라 하더라도 수행을 하는 과정에서 올바른 발심을 하여 새로운 용기를 얻는 사람이 있는가 하면, 후자의 경우라 하더라도 승려 생활의 일상 관습에 젖어 종단이나 교단 내부에서의 권력이나 재물을 탐하며 그럭저럭 살아가는 부류도 없지 않습니다.

그럭저럭 살기에는 절집이 편리한 장소일 수도 있습니다. 그러나 공부하지 않고 고통을 이겨내지 못하면 입산 출가한 본래의 목적에서는 아득히 멀어질 뿐입니다. 요즘은 정진 수행하여 큰 깨달음을 얻기보다는 절집 생활에 안주하여 그것을 직업으로 인식한 나머지 주지 하나라도 얻으면 그것으로 만족하여 살아가는 경우가 있습니다. 이처럼 승려가 직업화되면 불교는 발전하지 못하고 거꾸로 후퇴합니다. 우리 불교에 이런 현상이 만연되고 있으니 이 병폐를 먼저 고쳐야합니다.

 출가한 목적을 제대로 이루려면 발심부터 달라야 합니다. 중이 되어 무슨 특이한 공부를 해 보겠다거나, 종단의 권력을 잡아 보겠다거나, 돈을 많이 벌어 보겠다거나 하는 마음을 조금이라도 품었다면 그런 욕망은 산문 밖에서 누더기를 벗듯이 벗어 던지고 오직 깨끗하고 순수한 열정으로 산문에 들어서는 것이 좋습니다. 이런 어두운 마음으로 출가하면 자기 한 몸의 재앙에 그치지 않고 중생들에게 미치는 영향이 아주 큽니다. 그런 사람은 산문 안에 발을 들여놓지 말아야 합니다.
 요즘은 권세와 겉치레만 쫓는 추세라 신도들이 스님들을 판단하는 기준도 잘못 되었고, 스님들 자신도 뭔가 으스대야 잘 하는 것으로 잘못 알고 있는 경우가 있습니다. 석가모니 부처님은 출가 전에 얼마나 좋은 환경과 자격을 갖고 있었습니까? 지금 세상과 비교하면 자랑거리가 한두 가지가 아닙니다. 그런 배경만으로도 충분히 여유있게 살 수 있었을 텐데 왜 모든 것을 다 버리고 홀로 거렁뱅이 같은 생활을 하셨을까요? 자기 스스로 이 헛된 꿈을 깨고 자기 눈을 뜨지 않고는 중생을 교화하고 일깨울 수가 없었기 때문입니다. 눈 먼 장님이 장님을 데리고 길을 갈 수 없는 노릇인 것입니다.

일단 출가한 후에는 이론으로 배우려 해서는 안됩니다. 실제 행동으로 배워야 합니다. 이론이 아닌 실천으로, 진지한 마음으로 따르고 배우면 차츰 환희심이 생겨납니다. 운력과 심부름을 시켜도 단순히 시키는 것이 아니라 다 까닭이 있어 시키는 것이고, 그 모든 것이 살아 있는 공부입니다.

그런 후에 차츰 경전도 보고 기도도 하고 마침내 정진에 힘쓰면 날이 갈수록 자신감이 생기고 확신이 여물어 갑니다. 그리고 어느덧 인생이 바뀌게 됩니다. 세속에서 느끼지 못했던 우주와 인생의 오묘한 진리를 깨달아 혼자 미소짓게 됩니다.

산중 새벽잠에서 깨어나 목탁 소리와 종소리를 들을 때 말로 형언할 수 없는 느낌을 받게 됩니다. 이는 출가한 사람에게 주어진 가장 큰 선물의 하나입니다. 하루해가 저물어 먼 산봉우리에 노을질 때 청아한 염불 소리를 들으며 마음의 때를 닦아내면 생명의 밝은 이치가 절로 그 모습을 드러내지 않을 수 없습니다. 공기 좋은 곳에 가면 몸과 마음이 다 시원해지고, 시끄럽고 번잡한 곳에 가면 귀찮고 우울해지는 것이 상정입니다. 산사의 맑고 깊은 분위기, 자연과 생명의 본질에 더 가까이 근접한 분위기 속에서 한 걸음 한 걸음씩 앞으로 나아가면 믿음은 깊어지고 마음은 금강석처럼 여물어집니다.

　어느 정도 수련이 되면 스스로 뼈를 깎는 고행으로 공부해야 겠다고 느끼게 됩니다. 여기서 본격적인 수행의 길로 들어서게 되는데, 누가 시켜서 그런 일을 한다면 얼마 가지 않아 중도 하차하고 말겠지만, 스스로 큰 용기를 내어 택한 길이라면 끝까지 멈추지 않을 것입니다.

　마침내 본격적인 참선 수행에 들어가면 시간과 공간을 모두 잊어버리고 화두를 붙들고 참구하며 삼매에 빠지게 됩니다. 일체 망념을 버리고 삼매에 빠지면 그것만으로도 엄청난 열매를 얻을 수 있습니다. 여기서 좀더 나아가면 만물의 이치가 훤히 밝아지는 대자유, 대광명의 세계가 열립니다.

　그 다음에는 누구에게도, 어떤 상황에서도 흔들리지 않는 확고한 진리의 세계가 구축되는데 이것이 안심입명安心立命의 경지입니다.

　그 다음에는 무엇을 하든지, 무엇을 보든지 미혹하거나 흔들리지 않습니다. 그렇게 살아가다 보니 그 사람의 말과 행동이 남에게 피해를 주지 않는 것은 물론 오히려 무엇인가 깨우침을 주게 되는 것입니다. 중생을 돕고 구하는 일은 의도적이기보다는 저절로 이루어져야 합니다.

서암 스님

2
세상을 가장 열심히 사는 길

　물질문명이 고도로 발달하여 모든 것이 풍족하다는 오늘날의 선진 사회에서도 인간 사이의 갈등이나 범죄 문제는 해결되지 못하고 있는 것이 현실입니다. 그런 것을 보면 물질만으로는 행복한 삶을 이룰 수 없는 듯합니다. 현대인들이 진정한 행복을 이루려면 어떻게 해야 할지 생각해 볼 문제입니다.
　마음을 여의고 보면 아무것도 없습니다. 행복하다, 불행하다 하는 것도 마찬가지지요. 행복하다는 생각도 다 마음에서 일어나는 것이지, 육체에서 일어 나는 것은 아닙니다. 그런데도 사람들은 마음에 대한 각성은 없이 그저 육체에만 매달려 그 욕망을 따라가며 충족시킴으로써 행복을 얻으려고 하니, 벌써 근본 생각부터 어긋나 버립니다.
　사람의 욕망이란 끝이 없습니다. 아무리 육체를 중하게 여겨 그 욕망을 채워주고 보호해 준다 해도 욕망이란 만족되는 경우가 없습니다. 알고 보면 만족한다 안 한다는 생각도 마음이 하는 것이지 육신은 그저 끝없이 욕망을 일으킵니다.

하루 한 끼를 먹더라도 마음의 안정을 얻으면 그것이 행복인 줄 알아야 합니다. 정신에 결핍이 생기면 아무리 맛있는 음식을 배불리 먹는다 해도 마치 목마르다고 소금물 마시는 것과 같이 갈증만 더할 뿐 행복해질 수 없습니다. 욕락이란 것이 본래 정해진 한도가 있다면 그것을 다 채운 후면 모를까. 그런데 그 욕락이란 끝이 없습니다.

육신을 좇고 물질에 팔려서는 족함을 얻을 수 없습니다. 그런데 모두들 행복하자면서 물질에만 팔려있으니 근본 출발점부터 잘못된 것입니다.

그렇다고 물질을 부정하자는 것이 아닙니다. 물질과 정신을 병행해서 풍요롭게 할 때, 행복을 얻을 수 있는데 요사이에는 정신은 뒷전이고 감각적인 욕망에만 자꾸 사로잡혀 가다 보니 만족도 생기지 않고 행복은 멀어집니다. 그러니 이것이 다 병이지요. 무엇보다 정신이 풍요로워져야 합니다.

그러나 사람들은 이를 잘못 받아 들여 마치 불교가 물질을 배격하는 것이 아닌가 하고 의심을 품을 수 있습니다. 그래서 '불교에서 가르치는 대로 욕망도 다 버려 버리고 등한시한다면 어떻게 과학기술문명이 발달하고, 어떻게 사회가 발전할 수 있겠는가.' 라는 문제가 제기될 수도 있습니다.

불교에 물질을 무시하는 말은 절대 없습니다. 그야말로 이 세상 모든 물건은 터럭 하나도 함부로 하지 않는 것이 불교입니다. 그것을 우리가 정확하게 보고, 정확하게 생활하는 것이 중요합니다. '불사문중佛事門中에는 불사일법不捨一法이라', 불교에서는 한 법도 버리지 않습니다.

물질을 발전시킨다는 것은 사실 물질만 발전한다고 하여 이루어지는 게 아닙니다. 정신도 함께 발전해야 하는 것이지, 정신의 발전 없이 물질이 홀로 발전할 수 있겠습니까? 현실을 모두 무시한다면 그 사람 정신은 병든 것입니다. 정신이 충실할 때 현실 하나하나에 대해 다 설명할 수 있는 것이고, 현실 하나하나를 중요시하는 정신이 온전한 것이지, 이 현실을 무시한다면 병든 것이지요.

현실 위에서 바로 보라는 가르침이 불교입니다. 참으로 근본에서는 마음과 물질이 둘이 아닌 하나로서, 마음이 물질이고 물질이 바로 마음입니다. 우리가 그 하나에 대한 안목이 열리지 않고 바깥으로 헤매고 자기 초점을 잃어 버리기 때문에 모든 문제가 다 걸립니다. 자기 초점만 하나 바로잡으면 모든 문제가 다 해결됩니다.

요즈음에는 사람들이 더욱 자기 초점을 잃어 버리고 순전히 바깥 경계에 일방적으로 빠져드니 이것이 문제입니다. 그러니 물질 전체를 세밀하고 정확하게 파악하여 그에 흔들림이 없게 하자는 것입니다. '대경천차對境千差이나 심한일경心閑一境이라' 모든 천만상千萬相의 사물을 대하더라도 자기 중심을 잃지 않고 볼 때 착란이 없지, 자기 마음 중심이 흔들리면 모든 경계가 다 착란이 됩니다.

그래서 하나가 여럿이고─即多 여럿이 하나多即─라고 했습니다. 그렇기 때문에 이 세상 만물의 하나인 원리만 알면 다 되는 것입니다. 요새 사람들이 신경쇠약에 걸리고 노이로제에 걸리는 것도 모두 그 하나를 모르기 때문입니다. 하나의 원리만 알면 아무리 복잡한 것도 복잡해하지 않는데 자꾸 복잡한 데를 따라 가니까 정신이 감내를 못합니다. 이치는 하나이므로 그 하나의 중심만 잃지 않으면 종일 떠들고 종일 일해도 절대 정신에 착란이 오지 않습니다.

선문에서 말하는 '종일 웃어도 웃은 바 없고 종일 얘기해도 얘기한 바 없다.' 라는 소리도 다 같은 얘기입니다. 그러니까 초점을 잃어 버리면, 이게 다르고 저게 다르고 사사건건이 다른 것 같지만 초점만 안 잃어 버리고 중심을 잡고 있으면 만사가 다 다르지 않게 되고 착란이 안 일어 납니다. 마치 부채의 사북과 같아서 사북이 흔들리면 부채 전체가 다 흔들리고, 사북이 딱 중심이 되어 견고하면 폈다 오므렸다 하기가 자유롭듯이, 마음에 초점을 갖고 모든 사건을 대하는 안목이 불교지, 현실을 따로 보는 것이 불교가 아닙니다.

어떠한 현실이라도 바른 눈으로 볼 때는 다 정리가 되고 이해가 되지, 대치가 되는 것은 하나도 없습니다. 이치가 다 그렇지 않겠습니까? 그런 의미에서 모든 것이 마음 여의면 하나도 있을 수 없다는 것입니다. 마음을 없애 버리면 우주가 다 빈 껍데기 아닙니까? 바윗돌이 바깥에 있으니 내 마음 아닌 것 같지만 바윗돌도 다 내 마음입니다. 마음이 없으면 바윗돌의 좋은 점을 인식할 수 없지 않겠습니까?

이 마음은 한계가 없습니다. 빛깔이 있다든지 모양이 있다든지 냄새가 있다든지 하면 한계가 있는 것이지만, 마음은 그런 한계가 없으니 어떠한 것을 포용해도 조금도 구애받지 않습니다. 그러니까 어떤 복잡한 사건이라도 다 마음속에서 해결되는 것이지, 마음 따로 있고 현실 따로 있는 것은 아닙니다.

'욕심을 버리고 물질을 버려라.' 라고 얘기하다 보니 불교를 공부하고 수행하려면 세속을 떠나 산 속으로 들어 가서 해야 하고 바깥에서 일어 나는 경계를 무시해야 한다는 생각을 하게 될 것입니다.

따라서 그런 도를 닦는 것은 아무나 하는 것이 아니라 근기가 높은 사람만이 할 수 있다는 생각도 꽤 일반적인 것이지요. 그래서 한편으로는 '도를 닦는 것은 비인간적이다. 그러니 그렇게 인정 없이 사느니보다 욕심 갖고 인간적으로 사는 것이 낫지 않은가.' 라는 반론도 하는 사람이 있을 것입니다..

두 가지로 이해할 수 있습니다. 세상 사람들이 현실을 따라가며 살다가 내리는 결론이란 '욕심을 아무리 부려 봐야 언젠

가는 환멸을 느끼게 된다.'라는 것입니다. 그래서 세속에 달관하여 탐착하지 말라고 합니다. 그렇다고 그렇게 팔짱끼고 가만히 앉아 있는 소극적인 불교를 어디다 써먹겠습니까? 가령, 농사를 불교적으로 짓는다 하면, 다른 이보다 더 일찍 일어 나서 가꾸고 남보다 더 노력해서 수확을 많이 얻고자 하는 것이 불교이지, '먹으면 똥되는 그까짓 것 지으나 마나다.'라는 태도는 불교가 아닙니다. 장사를 하는 데 있어서도 불교인일수록 더 알뜰히 합니다. 또 공학도라면 기계공학을 배우는 데 있어 남보다 더 부지런히 하여 기술이 뛰어 나야 하고, 글을 배워도 남보다 눈을 더 크게 뜨고 공부하는 등 무엇이든 오히려 남보다 더 잘 하는 게 불교이지, 그저 세상을 무시하고 자포자기하는 그런 것이 불교가 아닙니다.

  그렇다고 불교가 자기 욕심만 채우는 종교는 절대 아닙니다. 자기 스스로 무한한 노력과 무한한 활동을 해서 남보다 몇 배의 수확을 거둔 것을 자기 혼자 쓰지 않고 모든 사람에게 베푸는 사상, 이것이 불교입니다.

  왜냐 하면 불교에서는 자기 개인만이 아니라 전체 생명이 다 자기와 동등한 입장에 서 있기 때문입니다. 모든 생명들이 필요로 하는 물건을 더 많이 잘 만드는 것은 분명히 행복의 조건이 됩니다. 그러나 대부분 사람들은 그것에 너무 집착해서 결국에는 그저 자기 자신의 욕망을 좇기에 바빠집니다.

시야를 넓혀 모든 인류를 한꺼번에 행복하게 하는 것, 이런 관점을 끝까지 지키는 것이 불교이기에 오히려 다른 누구보다 더 물질을 소중히 대합니다. 전체 인류를 나와 같이 보고 내가 최대한으로 내 정력을 바쳐서 좋은 것을 생산하여 많은 사람이 이익 되게 하려는 것이야말로 불교의 참 모습입니다.

따라서 세상을 허망한 것으로만 보고 게으름 피우는 것이 불교라고 본다면 불교를 곡해한 것이지요. 불교는 항상 영원한 생명을 바탕으로 살기 때문에 자연과 조화를 이루는 생산을 해야 합니다. 나태한 불교는 있을 수 없습니다.

이 몸도 부모에게 받고 사회의 여러 가지 은총을 입어 생긴 것이지, 개인 소유가 아닙니다. 우주의 한 일원으로서 나 한 사람이지, 절대적 자기 개인 것은 없다고 봅니다. 따라서 진정한 불교인이라면 오히려 남보다 노력을 더 하고 물건은 더 아끼고 종이 한 장이라도 함부로 쓰지 않습니다.

다시 말하지만 부처님께서는 '항상 게으르지 마라. 해태심 내지 마라.' 라고 하셨습니다, '무상하니 자포자기하라.' 라는 말은 경전 어디에도 없습니다.

하루를 살든지 열흘을 살든지 찰나찰나에 사는 태도가 중요합니다. 내가 한번 뜻을 세우고 좋은 사업만 해 왔다면, 혹 도중에 실패하더라도 그동안 노력한 만큼은 쌓여 있습니다. 반면에 내가 어떤 사업을 요행으로 어렵지 않게 성공했더라도 그동안의 내 노력이 정당하게 따라 가지 못했다면 결과가 아무리 훌륭해 보여도 그것은 진정한 의미의 성공이 못 됩니다.

자기가 충실히 산 그것에 가치가 있지, 혹 성공하면 금상첨화로 좋기는 하지만 그것에 기준을 두어서는 안 됩니다. 진정한 가치란 그 사람이 하루하루를 어떻게 귀중하게 살았는가에 달려 있습니다. 예를 들어, 우리가 어떤 물품을 만들었는데 그것이 불에 타 삽시간에 없어졌다 하더라도, 그것을 만드는 동안 하루하루를 충실하게 살아 오면서 자기 인생에 쌓아 올린 금자탑은 없어지지 않습니다. 그러니까 스스로 행한 노력 자체가 그대로 자신에게 남는 업이지, 노력한 결과물 자체가 내 업은 아닙니다. 모든 물질은 다 허무한 것이라, 애착하고 붙들고 매달릴 것은 못 된다는 그런 뜻이지요.

그런데 또 우리가 이 물질을 여의고 어떻게 살겠습니까? 이 몸도 물질인데 이를 무시할 수 없으니, 밥도 먹이고 몸도 닦아주고 아프면 약도 먹여주어 항상 몸의 노예 노릇을 안 할 수 없거든요. 몸이라는 것이 무너질 것임을 뻔히 알지만 속고 합니다. 하지만 이렇게 우리가 속으면서도 몸을 기르는 것이 살아가는 동안에 어떠한 목표를 달성하기 위해서 하는 것이지, 몸을 기르기 위해 기르는 것은 아니거든요.

그렇듯이 사업을 할 때도 그 태도가 중요합니다. 사업하는 태도를 중요시할 때, 발전하는 과정에서도 그 사회가 평화롭습니다.

우리들, 자신이 노동하여 얻어진 결과로서의 물질은 후에 내가 쓰든지 남이 쓰든지 물에 떠내려 가든지 그것이 별로 중요한 문제가 아니고, 정말 중요하게 여겨야 될 것은 물질을 만들기까지의 과정입니다. 마찬가지로 수행이라는 것도 깨달음으로 가기 위해 하루하루 정진해 가는 과정이 정말로 소중하다 할 수 있습니다.

그렇습니다. 가령 내가 남을 해치지 않고 게으름 안 피우고 열심히 정진한다면 거기서 벌써 내내 성과를 이룬 것입니다. 그렇게 열심히 정진하는 그 생각에 무슨 결함이 있을 수 있겠습니까? 이렇게 고뇌하고 노력하는 찰나찰나 도를 얻는 것이지, 꼭 다 얻어서만 얻는 것은 아니지요.

가령, 한 생각 선善을 일으키면 그 사람은 벌써 선한 사람이 되는 것입니다. 또 한 생각이 악한 생각을 일으켰다면 혹 행동으로 옮기지 않았더라도 그 사람은 악한 사람이 됩니다. 악한 생각을 낼 때 뭔가 잘못을 하게 되고 남에게 피해를 주게 되어, 그만큼 사회에 파장을 주거든요.

한 생각 한 생각 하는 그것이 도道지, 그것을 여의고 따로 뭘 묶어서 도가 있고, 다 이루어야 도가 아닙니다.

그런데 많은 사람들이 불교의 뜻을 잘 모르고 오해하여 잘못 신앙하는 부분이 있습니다. 예를 들어 인과因果 같은 경우가 그렇습니다. 흥부가 제비다리를 고쳐주고 복을 받았다 하니까 박에서 금괴가 쏟아지는 것을 복이라고 생각하거든요. 그런데 사실 아픈 제비다리를 고쳐주고 있는 과정, 그 순간이 그대로 평화롭고 행복한 것이라는 이치를 모르고 그 결과에만 마음을 쓰지요. 이런 오해 때문에 참선을 하면서도 깨달음이라는 복바가지가 떨어지는 것에만 매달려, 하나하나의 과정을 놓치게 되는 경우가 많습니다.

흥부가 제비의 다리를 고쳐주고 금은 보배 등 온갖 복을 받았다는 이야기는 사실 만든 말입니다. 사람들이 워낙 어리석으니까 과장하여 한 말이지, 만약 작은 선행 하나 하고 정말 금조각이 우르르 쏟아진다면 모두들 그런 요행수나 기다리게 될 테니 그것은 사람 버리게 하는 소리밖에 안 됩니다.

진리의 눈으로 보면, 어떠한 요행이 떨어지니까 선을 한다는 것은 말도 안 되는 것이지요. 사실 제비의 다친 다리를 보고 처량한 마음에 약 발라주고 처매어주는 그것에서 행복을 느끼면 결론이 다 나버린 것입니다. 얘기는 여기서 다 끝나 버린 것인데, 후에 '금은 보화 같은 것이 박에서 쏟아져 나왔다.' 라고 과장해서 덧붙인 것은 바로 세상 사람들이 워낙 욕심 속에서 사니까 그 욕심을 위해서라도 나쁜 짓 하지 말고 착한 일 하라는 권선징악勸善懲惡의 표본으로 말한 것이지요. 그 자체의 기쁨은 모르고 작은 선을 행하면서도 '이렇게 하면 뭔가 좋은 결과가 오겠지.' 라는 기대만 크면 자꾸 욕심만 키울 뿐 복이 될 수 없지요.

서암 스님

이렇게 조금 투자하고 크게 얻으려는 마음은 투자심리요, 도둑심리지, 도道와는 거리가 먼 것입니다. 도라는 것은 무아無我의 입장에서 끝까지 베풀고 또 그 속에서 행복을 느끼는 그 자체이지요. 내가 좋은 일 하면 내 마음이 편하고, 악한 일하면 내 마음이 벌써 괴롭잖습니까? 이것이 다 같은 이치입니다.

기복종교에 대해 비판적인 견해를 갖고 있는 사람도 이상하게 법당 부처님 앞에 서게 되면 자신도 모르게 "제 아이 잘 되게 해 주세요." 이런 기도를 하게 됩니다. 그러면서도 '이것이 욕심인가? 이 정도는 부처님도 받아주실 욕심이 아닌가.'라는 갈등도 있습니다. 아마 많은 불자들이 그런 갈등 속에서 기도하실 것입니다. 그러나 그것이 진리입니다. '내 아들을 사랑하고 내 가정이 잘 되게 해주고 내가 잘살 게, 복되게 살게 해주세요.'라는 것이 진리지 잘못된 것이 아닙니다.

'기복' 하면 무조건 그저 천시하지만 절대 그런 것은 아닙니다. 우리 인간이 복스러운 생각을 하는 바로 그것이 개개의 가정이나 개개인에게 모여서 한 국가가 발전하는 것입니다. 자기 집이 어지럽고 자기가 불안하면 정신이 없어집니다.

우리 아들 딸들이 잘 살아서 나한테 근심을 안 끼치고 내 가정이 모두 원만하게 되고 각각의 가정들이 모두 그렇게 되면 국가가 번성할 것 아니겠습니까? 가족이 모여 국가가 되고 개인이 모여 가족이 되니 개인이 선행적으로 잘 되게 해달라는 그것이 인지상정이고 진리지 잘못된 것이 아닙니다.

그러나 그런 기복에 그치고 그것을 목적으로 삼는 것이어서는 안 된다 그 말이지요. 더욱 차원을 높여 참다운 가족, 참다운 인생, 전 세계 전 국가가 한 가족이 되는 차원 높은 행복, 그런 행복한 삶을 살게 해달라고 기도하는 데 정신을 더 써야겠지요.

또한 사회봉사가 불교적 깨달음에 차지하는 의미는 무엇일까요?

좋은 일 한다는 것은 보시의 전 단계지요. 불교의 근본은 선善을 행하고 그 선을 초월하는 데까지 들어 가는 것입니다. 그래서 '제악막작諸惡莫作이요.' 모든 악을 버리고, '중선봉행衆善奉行하라.' 착한 것을 받들어 행하라고 하는 것입니다.

착하게 하는 게 곧 불교지 따로 뭐가 없습니다. 그리고 더 깊이 가서 '꿈을 깨라', 착한 사다리를 타고 가되 결국 목적은 착한 데 그치는 게 아니고 꿈을 깨기까지 하는 것이죠.

좋은 일을 자꾸 하다 보면 깨달아지는 거지, 나쁜 일을 하면서 깨달을 수는 없습니다. 아편 맞든지 술을 마시든지 악하고 고약한 행위를 하면 피가 혼탁해져서 깨달아지지 않거든요. 좋은 일 할 때 피가 맑아지고 깨달음에 가까워지는 것이니 선善은 도에 들어가는 사다리라 할 수 있습니다.

자비 속에는 없는 것이 없습니다. 자비심으로 볼 때 불교가

서암 스님

살아나는 것이고, 원결怨結과 중생심으로 살아갈 때 불교가 없어지는 것입니다. 불교가 뭐 따로 한 덩어리 있는 게 아닙니다. 사랑과 도움을 주는 것은 다 자비의 다른 말이지요. 잘하는 것이 모두 자비인데 안 통하는 것이 어디 있겠습니까? 자비나 박애나 동체대비나 말만 다르지 같은 말입니다.

3
생명의 실상

우리 인생이란 것이 백년인생 하나로 그치는 것이 아닙니다. 무시無始이래로 영원히 흘러가는 생명체의 인생입니다. 그렇게 흘러가는 이 세상 모든 생명체가 병이 나고 잘 살고 못사는 것은 전부 이 마음에 달린 것입니다.

예를 들어 모진 병이 들어 아무리 좋은 약을 먹는다고 해도 환자의 마음에 그 약을 먹고 낫지 않을 것이라는 의심이 가득하면 약효가 잘 안 납니다. 그런가 하면 약으로도 치료가 어렵다는 병에도 한 번 마음을 가다듬어 한 생각으로 낫는 이치도 있습니다.

지옥 중생은 '하루 동안 만 번을 삶과 죽음을 거듭한다'고 합니다. 그러면 만 번 죽고 만 번을 사는데 무슨 약이 필요할까요. 모두가 자기가 지은 업력으로 일일일야一日一夜에 만사만생萬死萬生합니다.

우리가 이 세상에 나는 것도 전생의 업력으로 일어나고 내 몸에 병이 생기는 것도 업에 따른 것입니다.

그러므로 그 업력에 끄달리는 마음을 바로 잡아서 이 병 일으킨 업력만 고쳐 버리면 병이 낫는 것이 당연합니다. 일체유심조一切唯尋造라 해서 마음먹기 달렸다는 말이 이 뜻입니다.

이것이 바로 신비하고 오묘한 생명의 실상입니다.

우리는 생명을 기계처럼 보아 몸 어딘가에 조금만 이상이 있다고 느껴도 병원에 좇아가면서도 자신의 정신세계를 돌아 볼 줄은 모릅니다.

그러나 우리의 마음이란 사실 모든 것에 작용되고 있습니다. 화가 났을 때를 한 번 생각해 봅시다. 아무리 둔한 사람일지라도 성을 낸 얼굴을 좋아하는 사람은 없을 것입니다. 성내는 얼굴을 보면 우리가 알 수 있습니다.

그럼 무엇이 화를 낸 것입니까?

빛도 모양도 냄새도 없는, 바로 이 마음에서 성이 난 것입니다. 그런데 성을 내면 얼굴이 붉으락 푸르락 하고 입술이 벌벌 떨리게 되는 것은 다 생각이 움직여서 그렇습니다. 이러한 생각이 움직여서 이 몸에 그만한 파도를 일으켰다는 것이 증명이 됐습니다.

가령 놀랬다고 합시다. 놀라면 눈이 동그래지고 눈썹이 뻗뻗해 집니다. 그럼 놀라면 왜 이런 현상이 일어날까요? 이것이 얼마나 신기합니까?

또 우리가 기쁜 생각을 하고 있어도 금방 표시가 나서 상대방이 먼저 알아챕니다.

"저 사람 무슨 좋은 일이 있는가 보다. 얼굴에 쓰여 있는 걸."

또 무슨 걱정이 있어 우수가 서려 있으면,

"자네, 요새 무슨 근심이 있는 모양이지?"

하면서 곧 알아챕니다.

이것이 모두 마음을 따라 일어나는 것이며 또한 그것을 몸에 도장塗裝치고 삽니다. 그렇게 과거 다생에 걸쳐 착한 마음을 쓴 사람이라면 그 얼굴에 유덕함이 보입니다. 그래서 초면에도 인상이 좋음을 대번에 느낄 수 있습니다.

반면에 악덕을 지은 사람은 독해 보이고 마주 대하기 조차 싫어집니다. 전생에 닦은 것이 몸에 도장을 쳐서 그 모습이 현재에 나타나기 때문입니다. 이런 것을 보더라도 우리의 위대한 마음의 작용이 얼마나 큰가가 증명이 됩니다.

중병에 걸려서 기도하는 도중에 관세음보살이 나타나 아픈 곳을 만지니 병이 다 나았다고 하는 사람들의 경우도 그 관세음보살이 갑자기 하늘에서 내려온 것이 아닙니다. 자기 자신 속의 관세음보살이 싹을 트고 나와 내 병을 고친 것이지, 다른 외부로 부터 온 것이 아닙니다.

이처럼 우리의 마음 속에는 시방세계가 함축되어 있습니다. 우리는 흔히 명산대찰을 찾아가서 기도를 해야 도를 깨친다고 생각들을 하는데 아주 모자라는 생각입니다.

  태양빛이 어디나 차별없이 고루 비치듯 불심이 충만한 곳은 다 수행도량이 됩니다. 부처님이 계시지 않는 곳이 어디 있는지 생각해 봅시다.

  부처님이 어디 다른 성지聖地에만 있다면 그 부처님을 어디에 쓰겠습니까. 이 세상에 부처님 안계신 곳은 하나도 없습니다. 우리 마음이 어두워서 못 보고 못 찾을 뿐입니다. 아무리 성지에 가 있더라도 마음이 그곳에 없이 떠다니면 그곳은 시장바닥이요, 복잡한 시장 바닥에서도 마음을 가다듬으면 그곳이 바로 청정한 도량이 되고 성지가 되는 것입니다.

  이러한 마음을 우리가 개척해서 쓰지 않고 사장시켜 버리고 있습니다. 이 법의 위대한 힘을 깨닫지 못하고 간직만 해 놓고 바깥으로 헤매어 몇 푼어치 안 되는 데에 매여 쩔쩔매는 삶이 또한 중생들의 세계입니다.

  그러나 이 세상 만법이 전부 마음 속에서 일어나는 원리를 알면 우리는 세상 천하의 갑부가 되는 것입니다.

  그래서 이 마음 하나를 잘 쓰자는 것이 참선수행의 목적입니다. 우리 삶이 그 마음을 잘 쓰지를 못해 늘 불안하고 불쾌한 것입니다. 이렇게 마음이 불안하고 불쾌하면 아무리 좋은 보약을 먹고 좋은 환경에서 백년을 산다해도 그 삶에는 사는 멋이 하나도 없습니다. 아무리 영양가 있는 음식도 마음이 괴로울

때 먹으면 살로 안 가고 오히려 독소로 변합니다.

그러나 우리가 마음 농사를 바로 지으면 설사 남이 세 끼 따뜻한 밥을 먹을 때 내가 하루 한 끼 죽을 먹더라도 가족끼리 서로 웃고 동조하며 화합하여 사는 진리가 그 삶에서 나옵니다. 이 마음이 그렇게 위대한 것입니다.

이렇듯 마음 따라 흘러가는 우리 인생에 있어서 행복의 기준은 어디에 있을까요?

김룡사라는 절에 살던 어느 봉사 부부의 이야기를 들려 드리겠습니다.

어느 비 오는 날, 남자 봉사가 비를 피하여 들어간 곳에 마침 여자 봉사도 들어오게 되어 그 인연으로 부부가 되었고 이들은 아들을 낳았는데 다행히 아들은 밝은 눈을 가졌습니다. 그래서 이들 가족이 거리를 다닐 때에 아버지는 어깨에 아이를 얹고, 어머니는 아버지의 지팡이를 잡고 뒤에서 쫓아갑니다.

아들은 위에서 "여기는 도랑이예요.", "여기로 가세요.", "저기로 가세요." 하며 부모의 눈이 되어 길을 갑니다.

그런데 한 일본사람이 밥을 얻으러 온 이들을 보고서 아들 욕심을 냈습니다. 그래서 아들을 주면 두 내외가 편안히 먹을 수 있는 재산을 많이 주겠다고 제의를 했습니다. 그러나 봉사 내외는 모두 고개를 살래살래 내저으며 안 된다고 했습니다.

호의호식하며 잘 사는 것만이 복이 아니며, 비록 문전걸식을

서암 스님

한다 해도 서로 의지하며 화목하게 살고 이 아이 하나 키우는 데에 행복이 있음을 알았기 때문입니다.

그럼 행복의 기준은 어디에다 두는 것이 좋을까요? 외부 조건이 좋다고 해서 그 사람이 행복하게 산다고 할 수 없습니다. 행복은 껍데기로 계산하려 한다면 어리석은 일입니다. 아무리 신체가 불완전하고 가난한 환경의 조건 속에서도 그 삶을 행복하게 사는 사람이 있고, 껍데기는 화려하고 행복하게 사는 것 같아도 불행하게 사는 사람도 있습니다.

행복은 자기 마음 속에서 현존하는 것이지요. 여기에서 마음의 위대성을 찾을 수 있습니다.

이런 생명의 실상을 잃어버리고 항상 외부의 물질계에서 헤매고 살기 때문에 불행을 자초하는 것입니다.

불교는 마음으로 참 행복을 건설하라고 합니다. 비록 금생에 좋은 조건에 있다 하더라도, 마음 하나 잘못 일으켜서 금방 눈 한번 감아 버리면 지옥이나 육도 중생계에 헤매게 되는 이치를 바로 알아야 합니다.

부처님은 참다운 인생을 사는 길을 분명히 밝히셨습니다. 이러한 이치를 우리가 24시간 반영反映하는 공부를 해야 됩니다. 그러니 우리는 그 가르침을 따라 위대한 생명의 실상을 살려서 밤낮으로 정진하며 살아야 합니다.

공부를 하면 어떠한 불행도 다 제거할 수 있습니다. 제일 좋은 방법은 참선입니다. 일념일좌一念一座로 앉아서 '이 뭣고?' 하는 그 자리에는 어떠한 생각도 침투해 오지 못합니다. 어떻게 똑같은 위치에 똑같은 물건을 놓을 수 있겠습니까? 어느 하나를 밀어내든가 포개어지지 않는 이상, 같은 위치에 똑같은 물건을 놓을 수 있겠느냐는 말입니다.

망상 번뇌가 점령한 그 자리에는 공부의 힘이 들어가지 못하고, 공부를 하고 있는 자리에는 번뇌 망상이 침범하지 못합니다. 이치가 그럴 것 아닙니까? 그들은 서로 대치를 합니다. 공부를 안 하면 마구니가 점령하고 공부하면 마구니가 달아나 버립니다. 그러니까 한 생각 돌이킨데서 내 인생이 근본적으로 달라진다는 것이 이 이론이 아니겠습니까?

공부를 놓치면 그 사람은 이미 생명이 끊어진 것과 다름이 없습니다. 왜 끊어지느냐 하면 지옥에 갈지 극락에 갈지 전혀 모르거든요. 공부를 하고 있으면 그 사람의 생명은 끊어진 것이 아닙니다. 죽어도 그 정신 가지고 가게 되니 끊어짐이 없습니다.

처음에는 공부가 잘되지 않고 끊기지만 계속 노력을 한다면 저절로 안 될래야 안 되어질 수 없습니다.

이처럼 계속 노력하여 이러한 법이 천하에 퍼진다면 모든 근심걱정 하나 없게 되어 그야말로 정토가 이룩됨을 알고 모두 일념정진 하시길 바랍니다.

서암 스님

4
선의 진수

우리는 일상생활을 하면서 천 가지 만 가지로 생각을 굴리고 그 끊임없는 생각을 쫓아 살아가기 바쁩니다. 그런데 그러한 상념想念을 모두 털어 버린 곳에 본래 빛나는 주인공이 항상 있음을 알아야 참된 인생이 될 것입니다.

바로 그 주인공을 찾는 것이 참선법입니다.

참선은 입 벌리기 전, 설명하기 전에 본래 이루어진 것입니다. 49년 동안 설법을 하셨으면서도 한 마디도 말한바 없다고 하신 부처님의 말씀도 근본자리는 언어와 상념으로 통하는 것이 아니라는 뜻입니다.

우리 중생들의 마음은 항시 생각이 흘러 잠시도 멈추지 않습니다. 항상 찰나찰나 흐르고 있는 마음은 우리가 상상할 수 없을 정도로 미세하게 흐르고 있습니다.

그래서 일념一念 동안에 9백 생멸한다는 걸로 그 미세한 흐름을 설명합니다만 사실 이런 말로는 제대로 설명될 수 없을 정도로 더 복잡하게 흐르고 있는 것이 중생의 마음입니다.

이렇게 강가에 물 흐르듯이 정처없이 자꾸 흘러가는 그 마음이 모든 희로애락과 길흉화복을 낳는 것이요, 이 일체 상념 속에서 헤매는 것을 몇 갈래로 구분하여 삼계육도 중생이라고 합니다. 따라서 그런 생각을 완전히 쉬어버리면 그 자리에 공공적적하고 불생불멸한 본래 마음자리가 빛나고 있습니다.

부처님께서 〈금강경〉에 말씀하셨듯이 과거심도 얻을 수 없고 현재심도 얻을 수 없고 미래심도 얻을 수 없는데, 우리 사바세계는 그 근거없는 생각을 통해서 무한히 죄를 짓고 과보를 받고 상념을 일으키고 희로애락을 느끼고 있습니다.

그것은 마치 우리가 꿈을 꾸는데 좋은 꿈, 괴로운 꿈 등 온갖 꿈을 밤새도록 꾸면서 하룻밤에 몇 해의 이야기를 꾸기도 하고, 단 몇 시간의 단잠에 몇 생을 거듭 사는 삶의 꿈을 꾸기도 하는 것과 같습니다. 그것이 모두 깨고 보면 한바탕 분명한 꿈인 것을 알 수 있습니다.

그러나 사실 우리가 꿈에서 깨고 보니까 나쁘고 좋은 온갖 경계가 다 한바탕 꿈인 줄 알았지, 꿈을 깨기 전까지는 그 경계에 사로 잡혀서 꿈의 구속을 받고 있습니다. 그래서 좋은 경계에는 웃고 언짢은 경계에는 괴로워하고 헤매고 당황해 합니다.

이렇게 꿈이라는 게 허무한 것이지만 그 꿈을 꾸었던 주인공은 허무한 것이 아니라 분명 있습니다. 그러니까 짧은 꿈, 긴 꿈, 좋은 꿈, 언짢은 그 꿈들의 주인공인 '나我'라는 것은 영원히 처리할 수는 없는 것이니 이것이 정말 문제입니다.

우리가 백 년 살면 그 백 년 인생이 다 꿈입니다. 또 백 년이란 꿈을 꾸며 살아도 그 역시 흘러가는 경계인지라 돌아보면 다 지나간 것입니다. 이렇게 평생을 살아오는 동안에 겪은 좋은 일이나 언짢은 일이나 슬픈 일이나 기쁜 일들이 모두 돌이켜 생각해 보면 한바탕 꿈입니다. 그런데 그것이 꿈이라면 그 꿈을 감지하는 그 놈은 변함없이 불생불멸이요, 항상 우리의 현재의 목전目前에 있는 그 한자리라는 점이 중요합니다.

불교는 바로 꿈 깨는 가르침입니다. 본래 여여부동如如不動한, 시간과 공간에 상관없이 항상 존재하는 자기 인생을 꿰뚫어 보라는 것이 부처님의 근본 가르침입니다. 절대자를 찾고 창조주니 조물주니 해서 인간 밖의 위대한 힘을 찾고 거기에 구원을 청하는 것과 같은 이치에 맞지 않는 신앙의 종교가 아닙니다.

부처님은 보리수 아래에서 긴 밤의 꿈을 깼습니다. 그렇게 꿈을 깨는 도리를 기록한 것이 팔만사천 법문이요, 꿈을 깨는 방법이 계戒 · 정定 · 혜慧 삼학인 것입니다.

우리가 상념想念이 일어나는 대로 오욕락을 따라가다 보면 술 취한 사람처럼 그 경계에 취해 자기의 본색이나 이성을 잃어버리고 온갖 경계에 사로잡히고 맙니다.

이런 우리 생활을 절제하여 안정시키는 것이 계행戒行입니다. 또 그렇게 절제하여 살다 보면 안정이 생기고 빛나는 지혜가 나타납니다. 그것을 비유해 보면, 파도가 일 때 그곳에 비친 일체 그림자가 짖어지고, 그 파도가 가라앉으면 모든 만물의 형상이 밝고 깨끗한 명경지수明鏡止水에 분명히 나타나는 것과 같습니다.

그러니까 마음의 파도를 가라앉게 하는 방법이 계행이요, 그런 계행을 지킴으로 해서 안정을 얻고, 그래서 영원한 자기의 본래 빛을 보게 된다는 말입니다.

모든 이론과 상념을 초월한 곳에 있는 참선법은 바로 그 자기 본래의 빛을 밝히는 것입니다. 우리가 평소에는 지나간 일을 생각하든 또는 앞으로 올 미래를 꿈꾸든지 결국 눈 앞에 보이는 경계에 팔려서 생각하게 됩니다.

흘러가는 생각이 생각을 하지 않을 때 자기 생각이 어디 있는지 살펴보는 것이 참선입니다.

우리가 잠을 자면 꿈 속에 돌아다니는 자기가 보이고 자기의 위치가 거기 있습니다. 또 현재도 눈 앞에 보고 듣고 있으니 자기 위치가 거기 있습니다. 그런데 꿈도 꾸며 깊이 잠이 들었을 때 과연 자기가 어디 있느냐고 하면 여러분들은 꽉 막힐 것입니다. 그 막힌다는 것은 우리가 모태母胎에 들었을 때나 모태 안에 들기 이전의 자기로 돌아가기 때문입니다. 꽉 막히면서도 빛나는 자기가 있다는 것을 감지할 수 있습니다.

그래서 참선은 배우고 듣고 가르쳐 주는 것이 아니라, 바로

서암 스님

스스로 은산철벽銀山鐵壁이 되어서 어떠한 문제 하나에 집중하는 것이요, 그렇게 할 수 있어야 깨달아지고 열려지는 것입니다.

참선하는 방법은 아주 간단하고 쉽습니다. 바닷가에 가서 모래알을 세듯이 복잡스런 경구經句라든지 학설들을 종합해서 일생 동안 헤매고 따지는 것이 참선이 아닙니다. 만약 그렇게 따지고 헤맨다면 그것은 중생놀음입니다. 철학이니 과학이니 하는 모든 것은 무엇을 종합분석 하며 풀이 하는 학설로써 결국 다람쥐 쳇바퀴 돌듯 상념의 세계를 벗어나지 못합니다.

우리는 누구나 앉으나 서나 항상 스스로 앉고 스스로 일어나는 자기의 부처를 항상 가지고 있습니다. 그 물건을 바로 응시해서 관찰한다면 어떻게 모를 리가 있겠습니까? 그래서 참선하기 보다 쉬운 것은 없다고 하는 것입니다.

바로 눈 앞에 있는 것이 어디 가겠습니까? 잠시도 여의지 않습니다. 부르면 대답하고 꼬집으면 아픈 줄 아는 그 소소영영한 자리 찾기가 뭐 어렵겠느냐 하는 말입니다.

그런데 우리는 다생多生에 익힌 습관에 얽매여 헤어나지 못하니까 화두법을 받아들여 수행하는데, 그렇게 방편지어진 것이 간화선看話禪입니다.

중요한 것은 꿈 같고, 허깨비 같고, 물거품 같고, 이슬 같고, 번개 같은 그 실다움 없는 속에 진실한 물건, 여기에 우리가 착안을 해야 합니다. 그래서 불교는 맹신하는 종교가 아니며, 또 누구를 따라 가고, 연구하는 종교가 아닙니다. 누가 부르면 '예' 하고 대답할 줄 알고 꼬집어 뜯으면 아픈 줄 아는 이 주인공을, 눈을 똑바로 정시해서 찾아내는 종교가 불교입니다.

옛날 스님들께서 참선은 '입만 벌리면 어긋난다' 고 하여, 몽둥이로 그저 후려친다든지 할을 한다든지 한 것 모두가 그 주인공을 바로 깨치도록 이끄시는 방법이었습니다.

참선은 어렵다면 한 없이 어렵고, 쉽다면 그 보다 쉬운 게 없습니다. '삼 서근이다', '뜰 앞의 잣나무다', 혹은 '똥 막대기다' 하는 1,700공안의 뜻이 단도직입적으로 부처의 세계를 일러준 것입니다. 그것은 아무 계제도 없고 차별도 없고 계급도 없습니다. 다만 한마디 일러주면 누구나 통하는 것이니 이보다 간단한 것이 어디 있겠습니까? 그 간단한 것을 모르고 항상 바깥으로 헤매는 것이 우리 중생입니다.

우리에게 가장 가까이 있는 자기의 눈은 안 보입니다. 그렇다고 눈은 안 보이니까 눈이 없다고 한다면 그 사람은 분명 어리석은 사람입니다. 우리의 마음도 마찬가지입니다. 가지고 있는 그 자리가 부처인데 그것을 두고 바깥으로 헤매면서 신앙하고 찾으려 하니 찾을수록 점점 멀어집니다.

본래의 마음자리를 찾는 화두법이란, '이것이 도대체 무엇이길래 앉고 서고, 가고 오고, 밥도 먹고 옷도 입고, 울기도 하고 웃기도 하고, 미워하기도 하고 사랑하기도 하고, 괴로워하기도

하고 즐거워하기도 하면서 온갖 분별을 다 하는 그 핵심된 주인공이 도대체 무엇인가' 하고 의심하는 것입니다.

남녀노소 존비귀천에 차별이 없이 누구나 평등한 자리, 그 의심 자리를 한번 응시해서 찾아낸다는 것이 아주 쉬운 일인데, 가장 가까운 곳에 있는 것을 모르고 바깥으로 찾아 헤매면서 허송세월 하는 것은 안타까운 일입니다.

참선을 하면 모든 경계에 흔들림이 없는 자기 인생을 살아갈 수 있는 힘이 생깁니다. 사람 사는 것이 복잡하기가 말할 수 없이 착잡하고 어지럽지만, 그 한 주인공은 절대 어지럽지 않고 항상 한가합니다. 그렇게 일체 경계에 흔들리지 않는 자기를 발견해서 사는 것이 해탈의 세계입니다.

본래의 자기를 잃어버리면 모든 경계에 얽매여 항상 공포나 초조와 불안 속에 헤매게 되니 그것이 그대로 지옥입니다. 참된 자기 모습을 발견하고 보면 어떠한 것에도 피해를 입지 않는 존재인데, 미혹한 중생은 스스로 고통을 일으키고 그 고통 속에서 살아갑니다.

우리의 마음은 빛깔도 없고 냄새도 없고 모양도 없이 일체가 끊어진 자리이니까, 누가 해칠 수도 없고 파괴할 수도 없습니다. 취할 수도 버릴 수도 없는 것이 허공과 같습니다. 허공은 끝도 모양도 한계도 없고, 아무리 칼로 베어도 상처를 입지 않으며, 아무리 불로 태우려 해도 불에 끄슬려지지 않고, 한계가 없어서 그릇에 담을 수도 없습니다.

이러한 본래의 마음은 크게 쓰면 무한히 크게 쓸 수 있습니다. 예를 들면 집안 대대로 내려오는 철천지 원수라고 할지라도 한 생각 넓게 쓰면 용서하고 포용할 수도 있습니다. 그러나 한 생각 옹졸하게 쓰면 아무리 친한 사이에도 조금 귀에 거슬리는 소리에 서로 칼부림이 일어나고 원수를 맺고, 내외간에도 이혼을 하는 등 모든 체계가 다 무너져 버립니다.

본 마음자리는 옹졸한 게 없는 것인데 스스로가 옹졸하게 써서 그런 것이니, 넓은 마음을 구애없이 쓰라는 것이 부처님의 가르침입니다.

우리는 항상 좁은 소견을 쓰기 때문에 백년인생을 여러 가지 불안에 떨며 살아가지만, 한 순간 이러한 한계없는 본래 자기 마음을 찾아 쓰게 되면, 이 세상을 전부 포용할 수도 있다는 것이 불교입니다. 다시 말하면 자기의 인생을 스스로 개척해서 누구의 지배도 없이 자기가 창조주이고 조물주이며, 누구에게도 얽매이지 않는 위대한 자기 인생을 발견해서 살라는 게 불교요, 참선의 목적입니다.

우리 마음이 항상 갈팡질팡 기멸起滅하는 파도가 일어나는 것은 마치 물이라는 것이 있기 때문에 파도가 일어나는 것과 같이, 마음이 있기 때문에 일어나는 것입니다. 선이란 바로 희로애락의 파도가 치지 않고 고요하고 평정하게 안정된 마음,

그러니까 마음의 기멸起滅없는 터를 닦는 것입니다.

　우리가 무명에 가려 스스로 깨닫지 못하고 착각 속에 살고 있기 때문에 본래 청정한 우리 마음에 중생세계인 지옥, 아귀, 수라 등 육도만행이 벌어진 것이지, 본시 기멸없는 마음자리는 때 묻지 않는 청정한 자리입니다.

　그 마음 자리란 분명히 있어서, 언제 어디서든 누구나 열심히 참구한다면 만법을 포용하는 자기의 생명을 회복할 수 있으니, 불자는 항상 이 참선수행을 힘써 생활화 해야겠습니다.

5
성냄과 인욕

　사람들은 탐냄과 성냄과 어리석음의 세 가지 독약에 의해 죽어 갑니다. 불보살의 세계로 들어가는 방법인 육바라밀도 바로 우리 중생들 속에 있는 탐·진·치 삼독심을 다스려서 없애기 위해 필요한 것입니다.
　우리가 일상생활에서 성을 안내고 산다는 것 하나만으로도 존경의 대상이 될 수 있습니다. 누구나 성을 안내고 살면 좋다는 것은 상식으로 알고 있습니다. 어쩌다 성내는 자신의 얼굴을 거울에 비춰보게 되면 자신도 그 모습이 아주 보기 싫을 것입니다. 아마도 성질이 여간 괴팍한 사람이 아니라면 성낸 얼굴을 좋아할 사람은 없을 것입니다.
　일반적으로 성냄의 해악은 인간뿐만 아니라 동물의 경우에서도 뚜렷이 보입니다. 예를 들어 닭을 보십시요. 그 닭이 아무리 싸움닭이라도 처음에 그냥 붙여 놓을 때는 싸우지 않습니다.
　그런데 곁에서 자꾸 성질을 돋우면 이 놈이 어리석어서 옆에서 화를 조정하는 사람은 잊고, 눈 앞에 있는 닭과 맞붙어 벼슬

서암 스님　153

에서 피가 나도록 싸웁니다. 또 일단 그렇게 싸울 때는 아무리 힘으로 떼어놓으려 해도 계속 싸우기 때문에 결국 둘 다 모두 크게 다치거나 죽게 됩니다. 이것이야말로 진심嗔心이라는 독약이라 할 수 있습니다.

밤이나 도토리를 먹고 사는 다람쥐의 경우를 봅시다. 자기들이 모아둔 밤이나 도토리 같은 것을 누군가가 치워버리면 다람쥐는 그만 화가 머리끝까지 치밀어 그 자리에서 파르르 떨다가 죽어버립니다.

탐심에 의해 성냄이 커져서 그런 것이지요. 사실 며칠 굶는다고 죽지는 않을텐데도 그랬습니다. 또 먹이를 찾아서 먹으면 될 텐데 탐심과 성냄 때문에 그런 생각을 못하고 어리석게 죽어 갑니다.

아마 사람의 경우에도 이런 일을 종종 보셨을 것입니다. 일제시대 때 어떤 경상도 사람이 일본군에서 일을 했습니다. 그런데 어느 날 그 사람이 군용트럭에 관목을 가득 싣고 부대로 운송 도중에 뜻밖에도 일본이 항복하여 광복이 되었다는 소식을 듣게 되었습니다. 그러자 그 사람은 방향을 바꾸어 곧장 자기 집으로 트럭을 몰고 갔습니다. 그래서 귀한 차가 한 대 생긴 것입니다. 마침 차를 살 사람이 나타나자 잘 되었다고 생각하여 자동차를 팔아 거금을 손에 쥐게 되었습니다.

그런데 문제는 차를 판지 얼마 안되어 차 값이 몇 배씩이나 올랐다는 것입니다. 억울해 하던 그 사람은 그만 화가 치밀어 울화병이 들어, 결국엔 그 병으로 죽어버린 웃지 못할 일이 있었습니다.

　이런 일들이 모두 탐심에 죽고, 성냄에 죽고, 어리석음에 죽는 것입니다. 탐심이 크면 성냄도 크고 성냄이 크면 어리석음도 커서 허망하게 자신을 죽음으로 몰고 가게 됩니다. 그래서 이것을 탐·진·치 삼독이라고 합니다. 가만히 살펴보면 크고 작은 차이는 있을지언정 탐·진·치 삼독이 우리 생활에 얼마나 많은 화(禍)와 해(害)를 주고 있는지를 알 수 있습니다.

　탐·진·치 삼독은 연쇄적으로 얽혀 해독을 낳는데, 우리가 만일 그 중 한 가지 성냄만 안 일으키고 살아도 수행은 저절로 된다고 할 수 있습니다. 또한 그럴 수만 있다면 건강에도 좋을 것입니다.

　성을 많이 내는 사람치고 건강한 사람은 없습니다. 화를 잘 내면 특히 간경화증이 생깁니다. 왜냐하면 성을 많이 내면 화낸 기운이 간을 스치게 되는데, 한 두번은 모르지만 오래 계속되면 간이 굳어지는 간경화증이 나타나게 됩니다. 성을 내지 않는 사람은 항상 봄바람 같이 편안하고 화평합니다.

　참선을 오랫동안 잘 했던 백운 선사에 대한 이야기 하나 하겠습니다. 스님은 여러 해 동안 참선을 익숙히 해서 화를 전혀 내지 않았습니다.

백운 스님은 이름이 있는 선지식이라 법회 때면 수백명의 신도들이 모이곤 했습니다. 그런데 하루는 신심이 돈독한 한 신도가 성난 얼굴로 갓난아기를 안고 와서는 스님께 욕설을 하면서 그 아이를 키우라며 맡기고 갔습니다. 신도들은 그 동안 계율을 잘 지키는 스님이라고 존경하고 있었는데 그 광경을 보고참 기가 막혔습니다. 신도들이 실망하고 의아해 하는데도 스님은 아무 변명도 없었고 표정도 담담했습니다.

그러자 대부분의 신도들은 그 동안의 신심이 싹 가셔서 침을 뱉고 돌아서 버리고 스님을 철저히 따르는 몇몇의 신도만 남았습니다. 그래도 스님은 얼굴 하나 찡그리지 않고 아기를 받아 안으셨고 배고파 우는 아기의 배를 채워주고자 손수 아기를 안고 마을을 돌아다니며 젖을 얻어 먹였습니다.

마을 사람들은 모두 스님을 고약하게 여겨 멸시하였지만, '아기야 무슨 잘못이 있는가' 하여 아기 기르는 엄마들은 젖을 물려주었습니다.

백운 스님께서는 그렇게 멸시 속에 젖동냥을 3년 동안 해서 그 아기를 키웠습니다. 그런데 그 아이는 어찌된 아이인가 하면, 바로 그 아기를 맡긴 신도의 딸이 낳은 아이였고, 아이 아버지는 같은 마을에 사는 총각이었습니다. 그런데 옛날에는 처녀가 아기를 낳는 일이 있으면 그 집안의 명예가 더러워진다고 해서 어떤 양반집에서는 산모를 죽이기도 했습니다. 그러니 그

딸의 생각에는 부모의 꾸중도 두렵고 아기의 안전도 걱정되어 부모가 가장 존경하는 스님께 맡기게 되면 우선은 화를 면할 듯해서 그런 얕은 생각을 하게 된 것입니다.

스님께서 3년을 그렇게 갖은 고생을 다 하면서 사방으로 돌아다니며 젖동냥으로 아기를 키우는 동안 그녀는 가만히 생각해 보니 참으로 자신이 몹쓸 짓을 했다 싶었습니다. 그리고 아기 아버지도 따로 있고 하니 평생을 그렇게 놓아둘 수가 없었습니다.

그래서 부모님께 사실대로 고백하자 이 사실을 알게 된 부모들은 기가 막혔습니다. 황급히 스님께 달려가 백배 사죄를 하고, 아기를 찾아가려 하니 이번에도 스님은 두 말 않고 아무 일도 없었던 듯 아이를 돌려주셨습니다. 욕먹고 아기를 맡게 될 때나, 절 받으며 아기를 돌려 줄때나 그 태도가 한결 같았습니다.

그것은 보통 사람에게는 참 어려운 일입니다. 그러나 참선을 해서 내 마음을 밝히면 그런 경계가 어렵지 않습니다. 칭찬과 비방은 허공의 빈 메아리와 같음을 알기 때문입니다. 불생불멸의 마음자리는 칭찬한다고 해서 더해지는 것도 아니고, 천하가 헐뜯는다고 해서 더렵혀지는 것이 아님을 분명히 알기 때문입니다.

참선을 하여 삼독심을 다스리면 이렇듯 흔들림이 없는 삶을 살게 됩니다. 이처럼 실제 생활에 도움을 주는 것이야말로 참선수행의 의미이니 불자는 꾸준히 익혀 무슨 일에든 맑은 정신을 갖고 대할 수 있어야 합니다.

서암 스님

京山 (1917~1979)

1936년 수암스님을 은사로 득도
1962년 동국학원 이사장
1966년 제3대 조계종 총무원장
1973년 제9대 총무원장

1
불교란 무엇인가?

 선禪은 부처님의 마음이고, 교敎는 부처님의 말씀이며, 율律은 부처님의 행동입니다.
 이것은 일찌기 서산西山대사께서 말씀하신 것입니다. 그래서 〈화엄경〉에 이르기를
 "마음과 부처와 중생은 아무런 차별이 없다."
 라고 하였습니다. 부처님의 마음이 우리 중생의 마음이란 말씀입니다. 중생의 마음이 부처님의 마음이라면 선은 부처님의 마음이고, 교는 부처님의 말씀이고, 율은 부처님의 행行입니다. 곧 선은 중생의 마음이며, 교는 중생의 말이며, 율은 중생

의 행동입니다.

　왜냐하면 부처님의 마음과 중생의 마음이 둘이 아니기 때문입니다. 부처님의 마음과 중생의 마음이 둘이 아니므로 부처님의 말씀과 행동, 중생의 말고 행동도 둘이 아닙니다.

　또한 부처님의 마음과 말씀과 행동은 하나입니다. 말씀과 행동은 마음의 광명이며 발로發露이며 표현이며 그림자이기 때문입니다.

　그러나 부처님이나 중생의 마음과 말과 행동에 차별은 있습니다. 어떠한 차별이냐 하면 부처님은 생멸의 모양이 없지만, 중생은 생멸의 모양이 있습니다. 부처님의 마음은 쓰임이 처음이나 끝이 털끝만한 빈틈도 없으시지만 중생은 그렇지 못합니다. 부처님은 큰 자비로서 일체 중생을 어질게 사랑하시지만 중생은 이 대자大慈가 없습니다. 부처님은 사선삼매四禪三昧로써 밤낮 없이 스스로 즐기시지만, 중생은 이 사선삼매가 없습니다. 부처님은 본래 여섯가지 불가사의한 신통력을 즐겨서 얻었지만, 중생은 이 신통력이 없습니다. 부처님은 사정四定으로서 법에 맞게 드러내 발표하시지만, 중생은 이 사정四定이 없습니다.

　그러나 부처님과 중생과는 이러한 엄청난 차별은 있으나 근본의 마음자리는 추호의 차별도 없습니다. 말과 행의 근본도 역시 추호의 차별도 없지만 다만 그 마음을 쓰는 것이나 말로 표현하는 것이나 행동으로 옮기는 것만이 차별이 있을 따름입니다. 그 말의 본체나 행의 본체는 추호도 다를 것이 없습니다. 이 마음과 말과 행의 본체는 차별이 없기 때문에 일체 중생이 다 성불한다고 하셨으니 반드시 성불할 수 있습니다.

다만 발심을 일찍 하느냐 늦게 하느냐의 차이 뿐입니다. 발심하면 곧 성불합니다.

마음과 말씀과 행동이 하나이기 때문에 선이나 교나 율도 하나인 것입니다. 그러므로 선·교·율도 어느 하나만 있어서는 안된다는 정의를 내릴 수 있습니다. 〈향유기명香乳記明〉에 "부처님께서 열반하신 후 백년까지는 선·교·율이 건전하게 병행하여 교단이 성실하게 발전하였으나 그 후에 초조初祖로부터 마하가섭존자, 제4조인 우바국다존자의 제자 다섯 스님들이 각각 견해를 달리하여 율장을 오부五部로 분류하면서 율이 약해졌다."

라고 기록하고 있습니다.

율이 약해지니 자연 교단도 흔들려서 약해지게 되었습니다. 교단이 약해지니까 수행하는 제자들이 힘쓰지 않아서 또한 약해졌습니다. 선이 약해지니 교학하는 제자들도 역시 힘쓰는 경향이 희박하게 되어 교도 또한 약해졌습니다.

중국의 남산종南山宗의 도선율사께서
"율을 힘써 일으키니 교단이 튼튼해지고, 교단이 튼튼해지니 선종이 일어나고 선종이 일어나니 교도 또한 따라서 일어났다."

고 하였습니다. 여기에서 우리 모든 불자들은 조용히 반성해 봐야하겠습니다. 불교를 어떻게 하면 신라 시대와 같은 불교로 되살려 선·교·율을 다시 일으키겠는가. 현재 대한불교조계종은 1천 6백년의 긴 역사와 전통을 가지고 있으나 조계종단은 불교정화운동으로 승계받은 23세의 젊은 종단입니다. 이팔청춘의 개구장이는 겨우 모면했지만, 아직도 스물 세살이란 젊은 종단입니다. 23년 동안 걸음마도 못하고 누워서 굴러가는 기형적인 종단입니다. 이제는 30대代가 되었으니 점잖을 줄도 아는 종단이 되어야 하겠습니다. 그럴 때 남을 도와줄 수도 있고, 체면을 차리고 양보할 수도 있고, 이해할 줄도 아는 종단이 될 것이고 또한 아무도 따를 수 없는 위치에 서게 될 것입니다.

한국 불교는 호국불교입니다. 민족이 중흥해야 불교도 따라서 중흥합니다. 우리 불교가 중흥한다는 것은 우리 민족의 문화도 중흥이 된다는 뜻과 같습니다. 우리 불자가 재가나 출가자나 다 나라와 민족을 위하고 세계인류를 위하는 대승적 마음으로 정진한다면 민족 문화의 중흥에 이바지 할 것이요, 따라서 민족의 통일도 이룩될 것이며, 세계 평화의 구현에 주체적 역할을 할 것을 믿어 의심치 않습니다.

"우러러 바라건대, 시방삼세 모든 부처님과 보살님께서는 자비를 베푸시옵소서. 한국 민족이 다생겁래로 지은 죄업이 다 소멸되게 하여 주옵소서. 나라와 민족이 총화단결하고 남북의 평화통일이 속히 이루어지고 세계평화도 따라서 이루어지게 하여 주옵소서. 우순풍조雨順風調해서 해마다 풍년이 들고, 법륜이 항상 굴러서 미래제가 다 하도록 하여 주옵소서. 그리하여 법계 모든 중생이 아미타부처님을 만나 한결같이 성불하게 하옵소서."

2
선과 교

　부처님께서는 선은 마하가섭에게 전하시고, 교敎는 아란존자에게 전하시었습니다. 그러나 가섭은 선만을 받고, 아란은 교敎만을 받으라고 하신 것은 아닙니다. 가섭의 근기가 선禪만을 받게 되었고, 아란은 교만 받을 근기였으며, 우바리는 율만 지킬 근기였습니다. 그리하여 부처님의 선·교·율 셋을 한 제자가 다 받을 수가 없었고, 다행히 이 세 제자라도 나와서 받았기에 오늘까지 전해 내려오고 있는 것입니다.
　아란존자의 기억력은 한번 들은 것은 한 글자 한 마디도 잊어버리는 일이 없었습니다. 그뿐 아니라 그가 출가하기 전에 모든 세속 학문을 다 받고 출가했기 때문에 교학에 대해서는 밝았습니다.
　가섭존자는 출가도 늦게 했습니다. 기사굴 산 중에서 혼자 머무르면서 대중들을 거느리고 정진하여 부처님의 곁을 떨어져 있었기 때문에 교敎는 아란존자에 비해 반절 밖에 듣지 못한 셈입니다. 부처님께서 열반에 드시려고 할 때, 아란존자가 대중을 대신하여 부처님께 여쭈었습니다.

"세존이시여 부처님께서 열반하신 뒤에 일대시교一代時敎를 누가 편집사師가 돼야 하겠습니까? 경전의 그 첫머리에는 무엇이라고 해야 하겠습니까? 그리고 부처님께서 계실 때에는 우리가 세존을 의지하였지만, 만약 부처님께서 열반하신 뒤에는 누구에게 의지하여야 합니까? 또한 부처님께서 열반하신 뒤에는 저 악성惡性 비구들을 어떻게 대처하여야 합니까?"

부처님께서 말씀하시기를

"내가 40년 동안 설한 경장과 논장과 율장을 하나도 남기지 말고 편집하되, 그 편집은 마하가섭을 시켜라. 경마다 그 첫머리에는 「여시아문如是我聞」이라 하라. 내가 세상에 있거나 없거나 내 제자로서 출가를 했든 재가하여 수행하든 내가 설해 놓은 계戒로써 스승을 삼고, 그 계에 의거하여 공부하라. 내가 세상에 있거나 없거나 내가 설해 놓은 율장대로 악성惡性 비구들을 조용히 물리쳐라"고 하셨습니다.

부처님말씀대로 마하가섭을 편집사로 모시고 필발라굴 속에 수많은 아라한(분당생사分段生死를 여읜 아라한 과果를 얻은 이)들이 모인 가운데서 가섭존자는 말하였습니다.

"아난존자는 번뇌가 다하지 못한 까닭으로 이 편집에 참여할 자격이 없다."

고 정식으로 공포하였습니다. 그러자 아난존자는

"가섭존자님, 부처님께서 49년 동안 8만 4천의 법문法門을 말씀하신 것 외에 또 무엇을 말씀하셨습니까?"

"문 앞의 찰간을 꺾어 버리라."

"가섭존자님, 그것이 무슨 뜻입니까?"

바로 그 때 가섭존자는 벽력같은 소리로

"이것도 모르면서"

하고, 장군죽비로 아난존자의 어깨를 사정없이 내리치려고 하였습니다. 아난존자는 겁에 질려 뛰어 달아나가다가 뒤를 돌아보니 가섭존자가 따라오지 않았습니다. 다시 굴 속으로 들어가려 했으나 문은 이미 잠겨 있었습니다. 아난존자는 필발라굴 속으로 들어갈 수도 없고, 또한 큰 충격을 받아 앞길이 막막하였습니다. 하염없이 걸어 강가 절벽에 다다라서 앉지도 눕지도 먹지도 자지도 않고 서서 두 발 뒷꿈치를 들고 합장合掌하여, 문앞의 찰간대를 꺾어 버리라.' 는 것이 무슨 뜻인가 하고 대용맹심, 대분심, 대의정으로 골똘히 생각하다가 보니, 7일 7야가 잠깐 사이에 지나갔습니다. 7일이 되던 새벽에 홀연히 크게 깨달았습니다.

아난 존자가 혼자 빙그레 웃고 천천히 걸어 필발라굴 속으로 들어가려 하니, 문이 스스로 열렸습니다. 굴 속으로 들어가 부처님께서 설법하시던 사자좌 옆에 아무 말없이 서 있었습니다. 모든 대중들은 다른 곳의 부처님이 오셨나, 아난존자가 성불하

였나 하여 조용히 쳐다 보고만 있었습니다. 이에 가섭존자가 일어나더니

"경전의 편집은 아난존자에게 전하겠다."

고 하였습니다. 그 때 아난존자는 사자좌에 올라

"이와 같이 나는 들었다如是我聞"

하고 부처님께서 설하신 경經을 외우니 대중들은 아난존자가 성불하셨구나 하고 기뻐하였습니다.

기억력의 천재인 아난존자는 부처님이 계실 때에는 부처님의 말씀을 기억하기에 사로잡혀 창고지기 노릇이나 하다가 가섭존자의 대비大悲로 추상같은 방망이에 얻어 맞고 긴 잠에서 깨어났습니다. 그야말로 '천년 묵은 복숭아 씨에서 푸른 매화 자람'이었습니다.

옛 성현이 말한 '한 때의 추위가 뼈에 사무치지 않으면 어찌 매화 향기가 코를 찌르랴.'고 함이 바로 이것입니다.

경산 스님

慧菴 (1920~2001)

1946년 해인사에서 인곡스님을 은사로 득도
오후불식과 장좌불와로 정진수행
1993년 해인총림 6대 방장
1994년 조계종 원로회의 의장
1999년 조계종 제10대 종정

1
어떻게 공부할 것인가

 요즘 황금만능 시대에 공부에 장애가 말할 수 없이 많은데 어떻게 공부를 해야 되겠습니까? 그 대답을 하자면 '오직 세상만사가 그 사람에게 있을 뿐이다' 라고 이야기 할 수 있습니다.
 공부하는 처소와 때가 따로 없는 것이니 언제 어디서든지 공부는 자기가 마음만 먹으면 할 수 있으며, 공부에는 승속이 따로 있을 수 없습니다. 이 몸이 있는 곳은 어디나 법당이고 선방이 되니 때와 장소를 가리지 말고 화두 공부를 하면 됩니다.
 세상일을 해도 하는 것 없이 하십시오. 세상일을 하지 말라고 하지는 않으나 하기는 하되 연극배우들같이 하는 것 없이 하십시오.

　돈이 없다고 걱정하지 말고, 돈이 없으면 공부하다가 거기서 죽어버린다고 생각하고 공부하십시오. 그러면 죽을 것 같아도 또 천우신조天佑神助로 다 살아날 일이 생깁니다.

　공부하다가 정 돈이 없고 배고프면 귀찮은 세상 더 살려고 하지 말고 거기서 공부하다가 세상을 떠나겠다는 굳은 마음을 가져 보십시오. 공부하다가 죽으면 수지맞을텐데 살림살이 걱정을 미리 할 필요가 없습니다.

　자장 율사는 공부하는 것은 그만두고, 하루라도 계행을 지키다 죽는 것이 무의미하게 백년 사는 것보다 낫다고 했습니다.

　그러니 한바탕 멋진 연극 생활하면서 공부를 아주 직업으로 삼고 하십시오. 또는 가나 서나 앉으나 누울때나 해탈하는 공부를 간절히 해야 합니다.

　공부하는 것이 힘들고 세상사는 것도 다 힘들지만 이 공부하면서 고생하는 것은 희망이 있는 고생이니까 이 고생을 싫어하면 안됩니다. 세상살이의 고생은 전부 지옥가는 일과 괴로운 일로 변하지만 도닦는 고생은 앞으로 영원한 행복을 가져다주는 희망이 있는 고생입니다. 그러니 희망있는 일을 해야 합니다.

　내 공부 내가 하는 것이지, 부처님이 내 공부 안 해줍니다. 이 부처님들이 이 세상에 올적에 우리를 제도시킬려고 온 것이 아니라, 깨쳐 가지고 보니까

"네가 나보다 부족하지 않는 부처다, 네가 공부를 해라. 남을 의지하지 말고 네 마음을 의지해라"

이런걸 가르쳐 주러 왔답니다.

고생스럽게 공부한 것이 모이고 모이게 되면 그것이 힘이 되고 뿌리가 되어 뭉쳐 가지고 전부 진짜 공부로만 되기 때문에 나중에는 성불을 안할래야 안 할 수가 없게 됩니다.

그래서 이것은 값이 비싼 공부이기 때문에 여기서 기도가 아닌 공부를 했지만은 우리가 나고 태어나는 곳마다 도움이 되는 훌륭한 기도가 된 것과 같습니다.

이 공부한 것이 태어나고 태어나는 곳에 따라 다니면서 나를 도와주고 있습니다. 인과적으로 봐서 여기서 끝나는 것이 아니고, 한 세상 받고 마는 것도 아니고, 이것이 싹수가 되어 가지고 크게 성불까지 할 밑천이 생가난다는 그 말 입니다.

큰 것과 작은 것이 따로 있는 것이 아니라 작은 이치가 큰 이치를 포함하고 있고, 큰 것이 작은 것에서 나왔다는 뜻에서 이것이 성불하는 시작이라고 할진대는 고생은 했지만 이것이 작은 공부가 아닙니다.

이런 것을 모르는 사람들은 남의 말만 믿고 용맹정진 참여해 가지고 고생만 죽게 하고 남는것이 하나도 없다할지 모르지만 절대 이것이 헛공부가 아니라는 것을 알아야 합니다.

2
자신을 지켜라

　명예와 이익을 쫓다가 조용한 여가도 없이 평생을 고뇌속에 지내는 것은 실로 어리석은 일입니다.
　재산이 많으면 자신을 지키는 방법을 모르게 됩니다. 재산에 집착하는 것은 아주 어리석은 소인들이 할 일이지 큰 사람은 자기 할 일에 신경쓰지 재산에 연연하지 않습니다.
　재산이 많으면 재산이 나를 지켜 주는 것이 아니라 재산의 노예가 되고 맙니다. 재산을 지키려다 오히려 재산이 나를 망쳐버리게 됩니다. 그 물질이 밝은 마음을 망쳐버립니다.
　그리고 사람들이 먹는 것에 그렇게 욕심을 부리는데 우리는 이 세상에 나올 때 자기가 먹을 것은 다 가지고 나온다고 합니다. 그걸 다 먹어야지 저 세상에 가게 됩니다. 먹을 것을 덜 먹었으면 그놈 다 먹을 때까지 염라국에서 잡아가질 않는다고 합니다. 그러니 내 밥을 내가 먹고 가는 것이니 구태여 더 먹으려고 욕심 낼 것 없습니다. 팔자에 없는 음식을 더 먹으면 배탈이 나고 몸에 병만 생깁니다.

그 밥도 그렇게 많이 있지만 부자라고 하루에 백 그릇을 먹습니까? 열그릇을 먹습니까? 딱 한 그릇 이상을 더 못먹게 만들어 놨으니 천지 이치가 묘하지 않습니까?

그것이 내 재산이라고 해서 내 것이 아니라는 증거입니다. 내가 임시로 보관하는 것 뿐이지 결국 다른사람의 입으로 들어갈 밥입니다. 내 몸뚱이도 내 것이 아니라 임시 보관하고 있는 것 뿐이지 진정으로 이 세상에는 내 것이라는 것이 있을 수 없습니다. 그러니 남부러워 할것이 없습니다. 인연 따라서 내 명대로 내 복대로 부지런히 살다가 갈 뿐입니다.

이렇게 재산이 우리 마음을 어둡게 만들고, 복잡하게 만들고, 일이 많게 만듭니다. 그러니 재산을 지키려다가 하늘 땅 보다도 그 귀중한 보물인 내 마음을 다 잃어버리고 삽니다.

영원한 재산이란 내 마음에서 나온 재산이라야 합니다. 내 마음에서 나온 것이 내 물건이지 남의 술 찌꺼기 같은 것, 똥닭게 같은 것을 부러워 할게 뭐 있습니까? 나한테서 나온 물건, 내 재산을 그렇게 이용한 사람이래야 산 사람입니다. 그러니 참선이 그렇게 귀중합니다. 참선하면 거기에서 내 살림살이에 쓸 재산이 막 나옵니다.

3

세상법이 무상하니 발심하라

　세월은 번갯불과 같고 우리 죽음이라는 것은 부싯돌 치는 것과 같은 사이에 있습니다. 숨한번 안 들어오고 나가지 않으면 죽는 것이니, 명이 숨 한번 쉬는 사이에 달려 있습니다.
　그런데도 미련하게 '나는 몇 살까지 살 것이다. 몇 년 내가 살 것이다' 그런 생각 계산하는 사람들은 어리석은 사람들입니다. 숨 한번 쉬는 차이로 이 세상과 저 세상이 갈라집니다.
　그렇다고 어떻게 살 것이라는 예산은 하지 말란 말은 아닙니다. 3년 계획, 5년 계획, 세우기는 세우되 그걸 꼭 믿고는 하지 말란 말입니다.
　오늘 저녁에 죽으면 그만인데, 그렇게 알고 세워야지 죽는 것도 마음대로 못하면서 꼭 그렇게 '아들 대학원 보내서 취직하는 날까지 살아야 겠다' '아들 딸 시집 장가 보내고 손자 볼때까지 살아야 겠다' 그런 결심해도 그것이 내 마음대로 안 됩니다.
　단풍구경 다니던 때가 엊그저께인데 어느덧 가을도 다 지나가버리고 오늘은 해인사에 겨울눈이 내렸습니다.

이것이 사람죽는다는 소식입니다. 가을이 오고, 봄이 오는 것이 내가 늙어졌다 그 소식이고, 죽는 정거장이 돌아왔다는 그 소식인데 눈만 온다고 마냥 좋아하고, 또 따뜻한 봄이 얼른 돌아와 버렸으면 좋겠다고 하니 사람이 그렇게 멍청합니다.

봄이 설사 돌아온다 하더라도, 봄이 돌아와 가지고 병들면 무슨 수지 맞겠습니까? 봄이 오고, 여름이 오고 그런 것이 다 늙는다는 소식이고, 오늘 하루해가 뜨고, 넘어가는 것이 벌써 우리가 이만치 썩었다는 소식입니다. 그러니 이런 이치를 아는 사람들은 그걸 좋아라고 하지 않습니다.

어제 피었던 꽃이 오늘 전부 낙화가 되어 앙상한 빈가지만 달렸습니다. 본래 없던 것이 피었으니까 떨어져서 본래 그 자리로 돌아가야 옳은 것 입니다.

이처럼 사람이 나면 죽을 줄을 알아야 됩니다. 갈 때가 되면 갈 줄을 알아야 하는데 중생들은 멍청하게 안 죽기를 바랍니다.

사람은 본래대로 돌아가는 죽음의 원칙을 알아야 합니다. 인연 따라서 바람 부는 대로 물결치는 대로 살아야지 내 마음대로 안 되는 세상일에 심장을 태우고 간을 태우면서까지 살필요가 없습니다. 그 애를 태우는 어리석을 마음이 죄입니다. 닥치는 대로 사십시오. 그저 도道 공부만 하다가 그냥 가십시오.

부귀영화나 이익을 받는 것은 재앙의 문이고 큰 불구덩이가 되니 이 욕심이나 이름을 구하는 그 불구덩이에 고금으로 몇 억만 사람들이 타서 죽었습니까?

이런 것 욕심내면 심장이 타고, 간이 타서 죽어버리지 않습니까? 독약 안 먹어도 욕심만 내보시오, 그러면 병납니다. 진심嗔心이 많은 사람들은 간이 나빠져서 간암이 됩니다.

이렇게 자기 몸이 타는 줄도 모르고 욕심을 내서 능히 부자도 되고, 또 권속이 많더라도 죽을 때는 홀로 가는데, 죽을 때는 모든 것이 허망한 가운데 허망치 않은 인과법因果法이 있어서 죄만 더 많이 따라 붙어 갑니다. 싫은 친구가 따라붙듯이, 허망한 세상에 허망치 않은 인과법이 따라옵니다.

콩 심으면 콩 나고 팥 심으면 팥 나는 것 같이, 나쁜 일하면 나쁜 일 하는 것이 이자 쳐 가지고 나한테 따라 오고, 좋은 일하면 좋은 일 하는 그림자가 이자 쳐 가지고 나한테 따라 옵니다. 조금 나쁜 일을 했지만은 이자가 새끼치듯 많이 쳐서, 작은 나쁜 일이 크게 되어 오는 것이 문젭니다. 부처님께서는

"하찮은 나쁜 일 이라도 범하지 말고, 조그마한 착한 일이라도 그렇게 버리지 마라"고 하셨습니다.

옛날 부처님 당시에 제자중에 눈 먼 봉사 스님이 있었는데, 바늘귀를 못 꿰니까 '누가 복 좀 지으시오'라고 소리치자 부처님께서 얼른 바늘귀를 끼워주었습니다.

그런 모습을 본 제자들이 물었습니다.

"부처님! 제자들이 많이 있는데 어찌하여 거룩하신 부처님께

서 직접 바늘귀를 꿰어줍니까?"

"나도 복을 좀 지으려고 그런다"

고 대답했습니다. 그러자 제자들이 다시 물었습니다.

"삼계대도사이신 세존께서 어찌하여 복을 짓는다고 말씀 하십니까?"

부처님께서 제자들의 질문을 받으시고 빙그레 웃으시면서 이렇게 대답하셨습니다.

"부처라도 복이 없으면 사바세계의 중생을 제도할 수 없나니라."

여러분의 아들딸이 말 안 듣는 것도 부모들이 복 없으니까 말 안 듣는 것입니다. 아들딸 보고만 나쁘다고 말하지 마십시오. 부인이 남편말을 안 듣고 어긋장을 내는 것도 내 복이 없어서 그러니 남의 허물을 볼 필요가 없습니다. 내가 내 복을 짓지 않으면 나를 도와줄 사람 누가 있겠습니까?

돈 많이 벌어도 염라국에 갈 때 노비도 못하고 그것 때문에 지옥갈 일만 생깁니다. 그 밤낮 지옥벌이들만 하면서 무슨 행복을 바랍니까? 죽을 때 이 몸뚱이는 안 따라가고 마음으로 지은 업만 따라가니 죄를 짓지 말고 살아 있을 때 복 많이 지어두십시오.

아무리 부귀영화를 누리고, 이렇게 권세를 부리고, 권속이 많더라도 죽어갈 때에는 홀로 가는데, 허망한 가운데 허망치 않는 인과가 따라오니까 그것이 큰일입니다.

性壽 (1923~현재)

1967년 조계종 교무부장
조계사 · 범어사 · 해인사 주지
1981년 조계종 총무원장
조계종 원로회의 의원
법수선원 조실

1
수행자에게

　도道를 닦자면 제일 먼저 발심發心이 중요합니다. 흔히 입으로는 발심하는 척 하나 행동은 엉뚱한 곳으로 흘러버리는 경향이 많습니다. 적어도 도를 닦자면 발심이 문제인데 발심이 무엇인지도 모르는 처지에 도를 닦는다니 나무와 돌이 비웃을 수밖에 없습니다. 수행자에게는 발심은 왜하며 도는 왜 닦아야 하는지 또 누구를 위해서 닦고 무엇때문에 도를 닦는지가 우선 문제점입니다.

　도道를 꼭 알고자 하는 마음이 있다면 왜 미루고 있을까요? 할것이냐 안할 것이냐 분명히 흑백을 가려서 하는 쪽으로 마음이 굳어지면 우물쭈물 하지 말고 '쇠뿔도 당김에 빼라'했듯이 하고자 하는 마음이 간절하다면 한걸음 옮기기 전에 해결지은 후 걸음을 옮겨야지 도를 모르고 걷는 걸음 밑에는 사지死地가 기다릴 뿐이니 어디로 옮겨놓을 것인지 막연합니다. 또한 숨 들이쉬고 내쉬기 전에 해결 짓겠다는 단호한 결심 아래 닦아야 하는데 우물쭈물 미루다보면 억만겁이 지나도 도道와의 거리는 십만팔천리가 됩니다.

부처님께서는 우리의 삶은 찰나간이며, 여반장如反掌이라 역설한 것은 이를 두고 하신 말씀입니다. 도라는 것은 익혀서 연습하는 것이 아니고, 이것이냐 저것이냐를 일도양단一刀兩斷하는 것이니 더 긴 이야기는 필요가 없습니다. 단 생사장야生死長夜의 꿈을 깨느냐 못깨느냐가 문제이니 옳바른 길을 선택해야합니다.

발심은 따로 생기는 것이 아니고 자신이 스스로 만들어야 합니다. 인생은 육십년으로 한정 되어 있는 것인데 이를 모르고 천지회말天地回末토록 살것이라고 생물체를 태산같이 믿고 기대를 거는 이를 미迷한 중생이라 하며, 이같은 어리석은 중생심을 돌파하여 꿈을 깬 이를 소위 발심한 사람이라 합니다.

60년이면 다 산것인 줄도 알고, 하면 되는 줄도 알면서 제발로 가지 않는데는 아무 소용이 없습니다. 말과 생각만으로 되는 것이 아니니 실지 생사가 고苦인줄 분명히 알아서 1초도 늦추지 말고 용기와 분심을 내어 수미산을 뛰어넘은 후에 비로소 도道 맛을 조금 알 수 있습니다. 때문에 발심이 중요한 동시에 도를 어떻게 닦느냐의 방법도 중요한 것이니 천하불자들은 도를 닦기전에 닦는 법을 배워야 합니다.

집을 지으려면 목수에게 배우고 글을 알려면 학자를 찾아야 하듯이 도를 닦으려면 우선 명안종사를 찾아야 합니다. 그 후 자기의 근기에 따라 화두를 받고 언하言下에 즉시 깨쳐 생사밖의 도리를 얻고 보면 49년 설하신 부처님의 교훈이 자기 손바닥 위에 있고 억겁의 부처와 조사가 내 눈안에 있노라고 사자후를 하게 될 것입니다. 도를 깨닫기도 어렵지만 선지식을 만나기는 더욱 어려우니 구도자는 대종사大宗師 만나기를 서원誓願하여 첫계단 부터 차근차근 밟아야 합니다. 밥도 급히 먹는 밥이 체하는 것처럼 계단을 건너뛰면 밑으로 구르게 마련입니다.

구도자들의 가장 큰 병은 도를 쉽게 얻으려는 것이니 진정으로 생사해탈의 도리를 알려면 천만리도 좋으니 눈밝은 선지식을 찾아서 53 선지식을 친견한 선재동자처럼 변함 없고 쇠함이 없는 보물을 얻어야 합니다. 요즘 흔히 보면 진정한 발심없이 자비의 집에 들어온 사람이 아무 뜻없이 받은 화두가 자다 먹는 떡과 같이 아무 맛을 모르고 좌복이나 지키며 세월만 보내니 행여 어느 부처가 도를 일러주겠습니까.

오호 애재라! 부처님도 49년 하신 말씀 마지막엔 한 말씀도

성수 스님

설한바 없다고 변명하기 바빴으며 염화미소 또한 잠꼬대라 하셨습니다. 참으로 알고 보면 교敎나 화두話頭라고 하는 것은 달을 가르킨 손가락에 불과한 것인데 달을 봐야지 손가락만 붙들고 있어봐야 아무 소용이 없습니다.

 손가락에 가리워진 달을 보지 못하니 한 평생 고민하고 퇴굴심에 병만 들어 일생을 망치는 사람이 얼마나 많은지 모릅니다. 이것이야 말로 일중에도 제일 큰 일입니다. 자기병도 제대로 모르는 선지식에게 화두 아닌 화두를 받아쥐고 일념병一念病에만 사로 잡혀있으니 일생은 고사하고 한없는 세월이 지나도록 구제할 길이 없습니다. 수도 하기전에 먼저 지기 마음속의 탐진치貪嗔痴를 제거해야 합니다.

 옛날에 부처님이 말씀 하시기를 '마음 그릇 비우고 와서 나의 법 배우라' 하셨고 과거의 모든 선지식들이 '쉬어가라' 했으며 '끝없는 세월동안 익혀온 나쁜버릇 고치면 된다' 하셨으니 우리도 나쁜 업을 녹이면 성인이 될 것입니다. 그런 다음에야 원효스님이 두릉박을 차고 방방곡곡 다니며 무애춤을 춘 참뜻을 알게 됩니다.

 부디 부탁하노니 자기의 금강반야의 칼날같은 지혜로써 탐진치를 여지없이 베어버리고 금강 보리좌에 올라 앉기 바랍니다.

 우리중생 그 누구가 본래 부처 아니었나

중생놀음 즐기다가 이 모양이 되었구료.
너희 세상 사람들아, 귀를 열고 눈을 뜨소.
듣는 모두 묘음이요, 보는 전부 부처로다.
성인들이 하신 말씀 부처만이 부처보고
도인만이 도인 안다. 이를두고 하신말씀
천하의 불자들아, 도를 닦아 알아보면
부는 바람 물결일고 오는 구름 비내리네.
우주만물 모두가 내것 아님 없건만은
찾고 찾는 나그네야 앉은자리 보인것을
몇생이나 찾았더냐. 이제보니 한바탕의
꿈을꾸고 있었구나.

대중은 이 산승의 말을 듣기 전에 법문을 하는지 설교를 하는지 또는 강연을 하는지의 구분을 분명히 할 줄 알아야 합니다. 법문이란 청중의 분에 맞도록 암시해 줌이 곧 법이되고 쉽게 이해할 수 있도록 풀어주는 것이 설교이며, 학술적으로 설명하는 것을 강연이라 합니다.

대중은 이 산승의 주장자를 보시오. 이 주장자가 바로 불보살의 실상이니 알겠습니까. 볼 수 없다면 들려 주리라.

대지만물 그대로가

진리 아님이 없나니라.

　보이는 주장자와 보는 대중이 조금도 다르지 않으나 이같은 이치를 알면 대지大地 만물이 둘이 아닌줄 알 것입니다. 또한 법을 알면 지척이요, 모르면 십만팔천 거리니 이것이 무엇인지 이해가 않된다면 하는 수 없이 설교를 하겠습니다. 법은 부처님것도 이 산승의 것도 아니요, 오직 눈을 뜨고 본 사람만이 가지고 쓰는 그것이 바로 법法입니다. 이 법이란 무엇일까요? 각자 생각해 봅시다.

　　　　　木上鳴鳥
　　　　　岩前牛行
　　　나무위에 새가 울고
　　　바위앞에 소가 간다.

　이것이 법이라 하여 야릇한 수가 있을 줄 알면 안됩니다. 대중 가운데 이 법을 아는 이는 피할수도 여읠수도 없이 자나깨나 가지고 있는 줄 시인 할 것입니다. 비유로 말하면 똥속에 사는 미충이 변을 알지 못하고 진리속에 사는 우리는 진리를 인식하지 못하는 것과 같습니다. 우리가 불자佛子라면 부처님 뜻을 알고 믿어야 되지 않겠습니까. 뜻을 모르고 믿는 천만명 보다 뜻을 알고 믿는 한사람이 부처님께는 더욱 소중한 것입니다.

내 아들이 팔형제라도 부모의 뜻을 모르면 내자식이 아닌것과 같습니다. 대중은 불전에 와서 무릎이 닳도록 절을 하며 지극정성으로 자손들의 행복을 비는 반면 집에 돌아가면 가족을 달달 볶아 화탕 지옥에 놓으니 절에서 복을 비는 모습과 실생활이 너무 동떨어진 감이 듭니다. 이웃사람이 어느집의 대문을 들어설 때 언쟁 소리가 나면 주인이 볼까 두려워 도망가듯이 복도 동네 어귀를 빙빙 돌면서 다투는 소리가 잦은 집은 곁눈도 뜨지 않고 화목한 집에만 찾아들게 됩니다.

그리고 이 절 저 절 많이 다녔다고 자랑하면서 일상 행동에는 불자다운 모습은 고사하고 인간다운 면이 하나도 없는 사람을 보면 세인들이 입을 모아 절에는 많이 다녔어도 지옥갈 사람은 저이 밖에 없다고 평하고 절 근처도 못갔으며 불자도 모르는 사람이지만 홍안 백발로 아랫목에 앉아 손자들이나 거두면서 집안에 더운 기운을 풍기고 있는 노인에게는 저 노인 제쳐놓고 극락 갈 사람은 아무도 없다고 칭송을 받는 이는 틀림없이 부처님 세계로 가게 될 것입니다.

성수 스님

2
무상한 인생

　염불하면 극락간다 했습니다. 염불이란 우리말로 부처님을 생각하는 뜻이니 왜 생각을 하느냐 하면 그것은 부처님을 바로 부른다는 뜻이며 만나 본다는 뜻입니다. 한번 두번 세번 불러 만나지 못하면 대신심 대분심 대용맹심을 내서 삼천 대천세계가 둘러 꺼지도록 불러서 만나보면 자성극락이 아미타불이라 만나보니 자기 성품이 극락이요 자기 마음이 부처라는 것을 알 것입니다. 현재 자기발로 걸어다닐 때 불러 찾아서 만나 봐야지 죽은 후에 극락세계 간다는 말은 서울 김서방 찾는 격이니 어렵고도 어려운 일입니다.
　흔히 염불 하면 극락가고 참선하면 성불한다고 쉽게 말하지만 시작도 않고 결론만 기대하니 이루지 못하는 것입니다. 적어도 대중이 극락을 원한다면 무슨 일을 어떻게 해야 하는지도 부처가 되려면 어디서 부터 어떻게 시작하는지를 묻고 배워야 하는데 극락이 어디있으며 가는 길은 어느 길인지 누가 갈 것인지도 모르고 있습니다. 중생이 부처가 되려면 어디부터 어떻게 해야 하는지 묻지도 않고 마음이 부처란 말만 앞세우니 병중에 큰 병입니다.

　사후死後의 극락을 원한다면 지금부터 극락백성이 되어 자나 깨나 가나 오나 일상생활 모두가 항상 그곳에 젖어 있어야 하는데 평소에는 갈팡질팡 온갖 허물을 짓고 좋은 곳을 바란다면 그것은 사후의 약방문에 불과하며 마음이 부처라 큰소리 치지만 부처님은 오백생五百生동안 32상과 80종호를 닦아서 원만히 부처에 이르신 것입니다. 그러나 우리는 게으른 정신과 비뚤어진 마음으로 심술궂은 용심은 조금도 쉬지 않고 언행을 사나운 개와 같이 거칠게 하면서도 마음이 부처라는 말만 놀려대니 몸과 마음에 고질병이 들어 천불千佛이 나와도 제도할 수 없습니다.

　이런 사람은 열반당涅槃堂 도깨비라 말합니다. 불자는 바로 법왕法王의 아들이니 어버이 보다 아들이 더 뛰어나려면 불자다운 불자가 되어야 하겠습니다. 극락과 부처는 고사하고라도 부처님 몸에 피를 내지 않고 욕되게 하지 않아야 합니다. 우리는 과거에 부처님께 물 한 모금이라도 드린 인연으로 불전에 공손히 예를 올리게 되었으니 이 좋은 인연을 계기로 더욱 깊은 인연을 만들어 더 이상 내리막을 향한 업은 짓지 않기로 두 손모아 발원하여 맹세 해야 합니다.

　대중은 배가 고프면 밥이나 먹고, 졸리면 잠이나 자지 정말 도를 알고픈 마음이 있다면 공양목탁 소리를 무엇보다 싫게 들고 대소변 보러 갈시간도 아까워하며, 앉으면 일어설 여가 없고, 서면 앉을 여가 없어야 하느니 그렇게 되면 옆에 둔 밥이 쉬여 썩고 대소변은 타서 마를 지경이 되어야 비로소 앉고 서는 철이 조금 난다고 할 수 있습니다. 만약 도 닦는이가 먹고 입는데 생각을 둔다면 이는 승도 속도 아니며 시주자에게 죄만 지을 뿐입니다. 요즘 수도인들은 배우지도 아니하고 닦기 먼저 한다니 참으로 우습습니다. 알지 못하고 닦는 것은 천만년 닦아도 남의 다리만 긁는 격이며, 수박 겉 핥기와 같습니다. 그러나 선지식을 만나 도를 바로 배우면 언하言下에 즉각 생사를 초월하게 됩니다. 비유컨데 돈을 벌기전에 쓰는 연구부터 하듯이 도를 배워 닦지는 않고 걸핏하면 생사없는 도리나 말하며 인과를 쓸어 함께 버리니 그 죄는 천지의 넓음으로도 용납 할 수 없습니다.

박쥐는 해를 모르고 사람은 죄를 모르네.
자기것을 외면하니 어허 세상 우습구려.

대중은 하루 한번 결제하고 한시간에 한번 결제하고 그래도 안되면 호흡지간에 결제하여 다투어 용맹심이 우뢰같이 솟아야 그때 비로소 수미산을 뛰어 넘어가면 바로 진여세계인데 화두나 쥐고 마냥 앉아서 시간과 날이나 달을 채워 안거수료증이

나 얻어서 산문밖을 나오면 산천초목과 사천왕의 비웃음을 못 면할 것입니다. 대중은 생 밖의 도道는 그만 두고 차나 마시고 쉬어가십시오.

억조창생 불자들아 세세생생 지은 복도
한 생각에 무너지고 인간칠십 허망하니
정신차려 살아가세 세상만사 좋은 일도
생사고生死苦는 도리없어 제불보살 하신일은
고해苦海바다 건느려고 무량겁을 애썼는데
우리범부 노력없이 고해바다 어이할고.
윗 사람이 되려해도 밤잠을 다 못자는데
생사고통 급한 이가 낮잠이란 웬말인가
굿을 보고 떡을 먹는 남의 일을 보듯하네.
허송세월 일삼다가 생사고통 흐흡지간
이런 변을 면하려면 생사장애 꿈을 깨소.

성수 스님

僧讚 (1924~1996)

1947년 칠불암에서 효봉스님을 은사로 득도
미래사·송광사 주지
1968년 인도·태국에서 3년간 유학
1990년 조계종 원로회의 의원
1984년 송광사 제3대 조계총림 방장

1
이 도리가 어떠한 도리입니까?

    다못 자존심을 가지지 않는 것이 참 공덕이요, 큰 돈을 들여서 절을 짓고 또 많은 힘을 들여서 여러 가지 불사를 하고 머리를 짜서 일을 잘했다 하더라도 자존심만 있으면 다 공덕이 아닙니다.

    오늘 우리가 사시巳時에 대중공양을 했습니다. 여러분이 보셨듯이 죽은 스님의 시체가 들어와서 같이 공양에 참석했습니다. 그리고 오늘 공양을 올린 단월이 저 황천길을 한 번 돌아보고 다시 고향으로 돌아왔습니다.

    이 도리가 어떠한 도리입니까?

우리 나라의 선방 참선은 옛날부터 전통을 이어받은 그런 참선입니다. 신라·고려 그 옛날부터 이어받은 참선법입니다. 물론 우리가 잘 아는 화두 참선법입니다. 이 전통을 이어가는 화두 참선법이 지금 중국·한국·일본 이런 대승국가에 퍼져 있습니다만 그 가운데서도 우리 한국이 명맥을 이어 오고 있습니다.

옛날 화두 참선의 그 본연자세를 이어 오고 있습니다. 그런데 근래에 와서 무엇인가 이 명맥이 잘 보존되어 전통을 이어갈 수 있느냐 걱정거리가 돼서 오늘 화두 참선에 대해서 전통을 이어받는 이야기를 해야겠습니다. 물론 스님들 뿐만 아니라 불자 누구를 막론하고 화두 참선을 해야 빨리 깨칠 수 있습니다. 그렇기 때문에 화두 참선을 중요시 합니다.

마치 활줄과 같고 직선으로 가는 것이며 또 선·악을 막론하고 꼭 같이 할 수 있으며 선한 사람은 잘되고 악한 사람은 잘못되고 이런 것이 아닙니다. 이러한 특수한 내용을 가지고 있는 것이 화두 참선입니다.

그래, 지금 읊은 뒷게송

今日屍僧參供養하니
黃泉檀越還故鄕이라
오늘 사시에 죽은 스님이 공양을 하니
그 공양을 낸 신도가 황천에 갔다가 고향으로 돌아왔다.

이게 바로 화두니 무슨 도리인지 알기만 하면 됩니다. 어째서 그 도리를 생각을 안 할 수가 있겠습니까. 오늘 낮에 우리가 공양한 것은 확실하고, 우리 대중이 모두 공양하면서 누군가는 봤을지 몰라도 못본 사람이 많이 있을 것입니다.

죽은 시체가 우리와 함께 공양을 했다고 했으니, 아니 어째서 보지 못했는데 공양을 했다고 할 것이며 또 봤으면 어떻게 봤느냐, 또 신도도 오늘 공양을 올렸는데 오늘 공양 올린 신도가 황천에 갔다 왔다고 하니 못다녀올 것인데 어떻게 다녀왔겠습니까?

이것을 알아봐야 되는데…. 알아보는 것은 순간입니다. 오래 걸리는게 아닙니다. 그 순간이 그만 다른 길로 들어간다면 그것은 영영불매靈靈不昧가 안되니, 바로 옳은 길로 들어 간다면 매昧하지 않는 것입니다.

만법의 원인은 일체로 돌아가며 삼승의 묘한 모양은 본래 같은 것입니다.

화두란 누가 만들어 낸 것이 아닙니다. 인연 따라 이곳저곳에 나타난 것이고 본래 천지가 생기기 이전부터 있는 것이며, 지금도 도처에 있으며 미래겁이 다하도록 없어지지 않는 것이니, 비록 화두하는 사람이 없더라도 화두 자체에야 무슨 상관이 있겠습니까.

2
안심입명 安心立命

自由平和是犬食
安心立命亦復然
誰能安居庚午夏
今日消息汝父亡

자유평화란 개나 먹는 밥이요
안심입명이란 것도 또한 그와 같다.
누가 능히 경오년여름에 결제안거를 할 수 있단 말인가?
오늘 소식을 들어 보니 그대들의 아버지가 죽었다 하더라.

이 세상에가 가장 좋은 것이 자유평화요, 또 우리 부처님 문중에서 지상목표로 삼는 것이 안심입명이 아닙니까? 하지만 이 가장 좋은 것, 또 지상목표도 한낱 개밥에 불과합니다. 개밥이란 우리가 먹고 난 나머지 또는 찌꺼기를 말함이니 어찌한 연고입니까.

사람들이 그저 좋은 것만 찾아 하려고 하고 죄다 편안한 것만 바라는 것이 참으로 우스꽝스러운 일이기 때문입니다. 그러므로 마땅히 알아야 합니다. 좋은 것이란 어떠한 것이며 편안한 것이란 어떠한 것인지…. 또 진정眞正에는 좋은 것이 있을 리 없고 사실에는 편안한 것도 없는 것입니다.

좋든가 궂든가 평안하거나 불안하거나 간에 그저 진정으로 그저 사실대로 살아가는 것이 부처님 뜻이 아니겠습니까.

모든 대중들이여! 누가 능히 이 여름 한철을 이와 같이 살아갈 수 있다고 자신하겠습니까? 만약에 자신하지 못하면 오늘 그대들의 아버지는 죽어버린 것입니다.

어찌하겠습니까! 아버지는 돌아가셔서 그대들을 먹여 주고 입혀 줄 사람은 없어졌고 그대들은 천애고아가 되어 버렸습니다.

앞으로 나아가는 사람이 앞을 보면서 걸어가게 마련이지만 그래서야 제몫만 챙기는 사람이지 그에 따른 주위환경에는 맹인 노릇을 하게 되지 않겠습니까.

우리는 뒤꼭지에 눈이 있는 것도 아니요, 코가 있는 것도 아닌데, 어찌 뒤를 볼수 있단 말이가 하겠지만 마음은 뒤에도 있고 옆에도 있는 것이니 생각 따라 모든 것은 이루어집니다.

그러므로 옛사람이 이르기를

"마음이 여기에 없으면 봐도 보는 것이 아니요, 들어도 듣는 것이 아니요, 먹어도 그 맛을 모르나리⋯."

하였습니다. 마음에야 어찌 앞뒤가 있겠습니까? 그래서 모든 사물을 볼 때 앞을 봐도 뒤까지 보이고 뒤를 봐도 앞이 자연히 나타나게 마련입니다.

단정하게 앉는다 하는 말은 궁둥이가 반듯하게 앉아 있는 것을 일컬음이 아니요, 자신의 마음이 비틀어지지 않음을 말함이니 이와 같이 함에 있어 무슨 일정한 자리를 찾아야 하겠습니까?

"우뚝하니 솟아 높이 서 있어 신령스럽고 신령스러워 혼미하지 않는다. 마치 새가 공중을 날아가기는 하지만 항상 공중 속에 있는 것과 같고 고기가 물속에서 놀 때에 물 때문에 물에 걸리지 않는 것과 같음이라. 언제부터인가 알 수 없는 오래 전부터 한 번도 생기지 않고 또한 없어지지도 않았다."

바로 이것이 우리의 마음, 참 마음인 것입니다. 고기가 물을 이용하고 물을 사용하여 얼마나 재미있고, 멋드러지게 놀고 있습니까?

우리가 이와 같이 우리의 마음을 사용하는 것이 걸림이 없는 마음의 씀이요, 몸과 마음이 둘이 아니라는 것입니다. 이는 몸도 없고 마음도 없어졌을 때 하는 말입니다.

또 새가 공중을 날아가고 있으면 즉 움직이고 있는 것이 아닙니까? 온 전신을 움직이고 있기는 하지만 항상 공중에 머물러 있지 다른 데로 가는 것이 아니므로 머물러 있는 것과 같은 것이 되니 말하자면 가면서도 머물러 있는 것이 되고 머물러 있으면서도 가는 것이 되는 즉, 가는 것과 머물러 있는 것이 다르지 않고 같은 것이라는 뜻입니다.

이러한 이치가 신령스럽게 알아져 잊어 버려지지만 않는다면 몸과 마음은 아무리 찾아보려고 해도 찾아 볼 수가 없는 것입니다.

대중들이여! 정신을 바짝 차리고 그대들의 마음을 찾아보시오. 어느 곳에 어떠한 상태로 있습니까?

또 그대들의 몸을 살펴보시오. 육신은 눈으로 볼 수도 있고 손으로 만져볼 수도 있을 것입니다. 하지만 그 볼 수 있고 만져볼 수도 있는 것도 마치 날아가는 새가 공중에서 다른 날아가는 새를 보는 것과 다름이 없는 격입니다. 어느 장소에서 보았으며 또 어느 장소에 있는 것을 보았습니까?

날아가는 새에게서는 어느 장소라고 가리킬 수 없는 일입니다. 그와 마찬가지로 우리의 육신은 한시 일분도 머무르지 않고 변천해 나가는 것이니, 마치 공중을 날아가는 새가 장소를 가지고 있지 않듯이 일정한 몸을 가지고 있지 못하고 새가 날아다니듯 물이 흘러가듯 끊임없이 변천하는 몸일 뿐입니다.

승찬 스님

그러므로 가상의 육신이지 진실의 몸은 아니라는 것입니다. 만약에 이 끊임없이 변천하는 몸 자체를 내 몸이라고 할진대, 이 몸이 죽어서 한줌의 재가 되더라도 내 몸이라고 해야 될 것입니다.

그러므로 마땅히 알아야 합니다. 우리의 이 육신은 실재의 몸이 아니라는 것을…. 이와같이 마음을 찾아볼 길이 없고 몸도 실지로 존재하는 것이 아니라면 몸도 없고 마음도 없는 것이 되어 버립니다. 이 없는 것을 가지고 언제 생겼다고 할 것이며, 언제 없어진다고 할 것입니까? 그래서 나지도 않고 없어지지도 않는 것이 우리의 몸과 마음입니다.

3
하안거 법문

我以死生 汝生死 生中有死 死中生
生也終末 只爲死 死也終末 還是生

나는 죽음으로써 이 세상을 살아가고 그대는 삶으로서
이 세상을 죽어간다. 삶 속에 죽음이 있고, 죽음 속에 삶이 있도다.
삶이란 끝내 오직 죽음이 됨이요
죽음이란 끝내는 다시 삶이 되나니라!

　사람들이 다 같이 죽고 살고 하지만 서로 하늘과 땅의 차이가 있나니, 고요하고 번거로움의 차이요, 평안하고 괴로움의 차이요, 한가하고 분주함의 차이요, 길고 짧음의 차이요, 여의如意하고 불여의不如意의 차이 등 그 차이점이란 한정이 없습니다.
　그런데 아무리 크고 많은 차이점이 있다고 하지만 길고 짧은 것이 한덩어리요, 평안하고 괴로움이 한덩어리요, 고요하고 분주함이 한덩어리요, 여의如意와 불여의不如意가 한덩어리인 마음

자리에는 조금도 차이가 없습니다.

오늘 대중은 이 차이점이 있게 살아가든가 없게 살아가든가 각각 소원대로 하십시오.

어떤 사람이 '나는 괴롭다' 하더라도 그에겐 괴롭지 않음이 있고, '나는 즐겁다' 하더라도 즐겁지 않음이 절대 있는 것입니다. 알겠습니까?

죽음으로서 살아가는 사람에게는 어찌 슬픔이 있을 것이며 삶으로서 죽어가는 사람이 어찌 기쁨을 맛보겠습니까?

어찌된 까닭이냐 하면 이미 죽음의 고요함으로 활동하고 있으면 그 활동에는 아무런 공포가 따르지 않고 어떠한 슬픔도 없음이요, 또 살겠다는 생각에서 피할 수 없는 죽음에 부딪칠 때는 기쁨은 생기지 않기 때문입니다. 그러므로 마땅히 알아야 합니다. 죽음의 고요함이 보배라는 것을. 이 보배는 갑甲도 가지고 있고, 을乙도 가지고 있고, 김씨도, 이씨도, 산도, 바다도. 기쁨도 악도, 부도 가난도, 남자도 여자도, 승도 속도 다 똑같이 가지고 있는 것 아닙니까? 보배를 다만 써먹으면서 사는 사람은 나하고 같이 있는 사람이요, 근심 걱정 없는 사람이요, 일할 수 있는 사람입니다. 가만히 돌이켜 보면 온 세상이 다 이런 일을 하고 있는 것입니다.

今日急水灘頭月 曹溪山下 無底川

点頭喚出 扶桑日 一口吹散 滿天星

오늘밤 급하게 흘러내려 가는 여울물에 비치는 달은,
조계산 아래 있는 밑바닥 없는 시냇물에 반짝반짝하고,
고개를 끄덕끄덕 앞으로 흔들어 서쪽으로 지는 해를 불러내며,
밤하늘에 가득 찬 그 많은 별들을
한 입으로 훅 불어서 깨끗이 날려 버린다.

이것이 무슨 도리 입니까?
 여울물에 비친 달, 그것은 부서진 달입니다. 둥그런 달은 아닙니다. 한데 그 부서진 달빛을 보고 둥그런 달을 알아내면 된다는 말입니다. 어떻게 하면 될까요?
 그 부서진 달을 아무리 뜯어 맞추려고 해도 그것은 불가능한 일입니다. 세상 사람들이 하는 일입니다. 안타까운 딱한 일로 보이지 않을 수 없습니다. 쉽게 고개를 쳐들어 하늘을 쳐다보면 될 것을….
 이 달이 비치는 여울물은 조계산 밑으로 흘러내려 가는데 그 밑바닥이 없단 말이요. 밑바닥이 없는 개울물에 어떻게 물이 흘러내려 가겠습니까? 밑바닥이 없어야 이 개울은 변하지 않는 것이요, 만약 밑바닥이 있으면 이리 패이고 저리 패이고…. 10년이면 강산이 변한다고 했는데 - 변함없는 영원의 길에는

온정의 물, 청량의 물이 철철 넘치는 법입니다. 왜냐하면 모든 사람이 의지하고 믿어 주기 때문입니다.

그리고 고개를 끄덕해서 서산에 지는 해를 불러낸다는 말은 캄캄해져 가는 저문 날을 어둡지 않게 한다는 것인데, 바꾸어 말하면 자기 정신이 잠에 떨어져 밤과 같이 되는 때 이 잠을 이겨내어 맑은 정신으로 돌아가되 고개를 끄덕하는 것과 조금도 다름없이 한다는 것입니다.

졸음이 퍼부어 올 때 내 맑은 정신을 완전히 되찾는다 그 말입니다. 어찌 우리가 그것쯤의 노력이야 못하겠습니까. 또 하늘에 가득 찬 별처럼 사람들의 머리 속엔 무수한 생각들이 죽 끓듯 하는 것이니 이것을 일시에 쉬는 것쯤 왜 못하겠습니까!

자기 머리에서 자기가 생각을 아니하는 것이니 하늘의 별을 다 날려 버리는 것이 됩니다. 대장부가 하는 일입니다.

오! 시원하여라.

法傳 (1926~현재)

1935년 해인사에서 설재스님을 은사로 득도
1982년 조계종 총무원장
1996년 해인총림 방장
2000년 조계종 원로회의 의장
현 제11대 · 12대 조계종 종정

1
산도 좋고 물도 좋다

客見長沙陌路同하니
令人依約探家風하노라.
須彌萬仞磨古今한댄
折草量天枉用空일세.

객이 장사를 찾아가는데 길가는 사람 함께하니
남을 시켜 약속에 의해 그 가풍을 탐색했네.
만길 수미산은 고금을 통해 연마되었는데
풀을 꺾어 하늘을 재려함은 공연한 헛수고일세.

장사경잠長沙岑 선사가 어떤 스님을 시켜 여회如會 스님께 법을 묻도록 하였습니다.

"화상께서는 남전 스님을 만나기 전에는 어떠하였습니까?"

하고 물으니 여회 화상이 양구良久를 하였습니다. 그래서 다시 묻되,

"만난 이후엔 어떠했습니까?" 라고 하니

"별다른 것이 있을 수 없나니라."

고 대답하는 것이었습니다.

여회 화상으로부터 돌아온 그 스님은 경잠 선사에게 고하니 선사께서는

百尺竿頭坐人이 雖然得入未爲眞이라.
白尺竿頭進一步하야사 十方世界是全身이니라.

백척장대 끝에 앉은이가
깨달아 들기는 했으나 참이 아니다.
백척장대 끝에서 한 걸음 나아가야
시방세계가 온통 한 몸이라.

고 송하시는 것이었습니다.
그러자 그 스님이 다시 물었습니다.

백척장대 끝에서 어떻게 한 걸음 더 나아 갑니까?"
하니 선사 대답하기를
"낭주郎州의 산이요 풍주灃州의 물이니라."
고 하였습니다. 그 스님이
"모르겠습니다."
라고 하니 선사께서는 다시
"사해四海와 오호五湖가 왕의 덕화德化속에 있느니라."고 하였습니다.

경잠 스님이 이 법문에 대하여 승천종承天宗 스님은 주장자를 들어올리면서
"백척장대 끝이 여기에 있으니 앞으로 나아가도 뛰어넘을 수 없고 나아가지 않는다 하여도 뛰어넘을 수 없으리라. 설사 석불石佛이 주장자를 꺾어 버리더라도 뛰어넘을 수 없으리라. 어째서 그런가? 여러분이 아는 곳은 석불이 모두 알지만 석불이 아는 곳은 여러분이 모르기 때문이다. 마지막 구절에 말하기를 '시방세계가 온통 몸'이라 하여도 역시 뛰어넘지 못하리니 일곱 군데 뚫리고 여덟 구멍이 있는 안목이 없는 이는 장사長沙의 굴속에 떨어짐을 면치 못할 것이라."
고 평창評唱을 하였던 것입니다.

사회결제대중들이여!

옛 선지식들의 이러한 이야기가 기특하지 않는 것은 아닙니다. 그러나 점검해 보건대 물을 건널 줄만 알았지 물이 흐르는 줄을 모르는 격입니다. 그리고 시방세계가 온통 그의 몸이라고 하였는데 백척장대를 도대체 어디에다 꽂겠다는 것입니까?

누가 그 자리를 찾아내겠습니까? 찾아내기만 한다면 당장에 모든 걸 던져 버리고 집에 돌아가서 편안히 앉았겠지만 만일 찾지 못했다면 짊어지고 다녀야 할 것입니다.

白尺竿頭에 誰不到오.
霧捲雲收하니 日果果로다.
南北遊人이 歸去來하니
澧郞州中에는 山水好로다.

백척장대 끝에 누군들 이르지 못하랴.
안개와 구름이 걷히니 햇빛이 밝구나.
남북으로 오가는 이 집으로 돌아오니
예주땅과 낭주땅에는 산도 좋고 물도 좋다.

2
누구있는가? 누구 있는가?

조주 선사께서 해제 때 만행을 하다가 어떤 암자에서 문을 두드리며 말하였습니다.

"누구 있는가? 누구 있는가?"

암주가 문을 열면서 즉시 주먹을 내미니 선사가 말하였습니다.

"물이 얕아서 배를 댈 수가 없구나."

그리고는 바로 그 암자를 떠났습니다. 또 다른 암자에 가서 문을 두드렸습니다.

"누구 있는가? 누구 있는가?"

이 암주도 역시 주먹을 내밀거늘 선사가 말하였습니다.

"잡을 줄도 알고 놓을 줄도 알며, 죽일 줄도 알고 살릴 줄도 아는구나."

그리고 그 암주에게 절을 한 후 선사는 바로 그 암자를 떠났습니다.

조주 선사께서 두 암주에게 '있느냐?'고 물었고 암주 모두는 주먹을 내밀었습니다. '암주가 있느냐'는 말은 문안의 인사말이 아니라 본래 모습인 주인공을 상실하지 않고 자유자재한 경지에서 살고 있는가 하고 묻는 말입니다.

두 암주가 주먹을 드러낸 것은 불법의 경지에 대한 자기의 안목을 드러내 보인 것입니다. 그런데 두 사람의 암주가 똑같이 주먹을 쥔 손을 내밀었는데, 조주 선사께서는 한 쪽은 인정하고 다른 한쪽은 인정하지 않았습니다. 그 까닭이 무엇입니까? 똑같은 질문에 똑같은 대답을 하였는데 도대체 무엇 때문에 이렇게 된 것입니까?

만약 해제 납자들이 두 암주의 우열이 있다고 생각한다면 아직 참선 수행의 안목이 없는 것입니다. 그렇다고 해서 만약 두 암주가 우열 없이 동등하다고 할지라도 그 역시 참선수행의 안목이 없는 것입니다. 따라서 이 화두에 대하여 꼭 들어맞는 올바른 한마디를 할 수 있는 사람이라면 곧바로 조주 선사의 자유자재한 법문을 체득하여 지혜의 작용을 일으키기도 하고 번뇌 망념을 떨쳐버릴 수 있는 대자유를 얻을 것입니다.

금일 해제대중은 한 철 동안 지은 살림살이로 여기에 대하여 분명한 한 마디를 할 수 있어야 할 것입니다.

만약 한철 살림살이로 제대로 된 한마디를 할 수 없는 납자라면 만행길에 이 화두도 함께 걸망 속에 짊어지고서 같이 다녀야 할 것입니다.

佛祖命脈이요
列聖鉗鎚로다.
換斗移星이요
經天緯地로다.

불조의 명맥이요
많은 선지식들의 쇠망치질이로다
북두가 옮겨가고 별자리마저 바뀌니
하늘을 거머쥐고 땅을 주름잡는구나.

靈波

만공스님을 은사로 득도
불기 2538년 마곡사
태화선원 조실

이 뭣꼬?

一棒에 大地가 震動하고
一喝에 虛空이 粉碎로다.

한방에 대지가 진동하고
일갈에 허공이 분쇄되도다.

의상 조사 법성게 중에 한 티끌 속에 시방세계가 있고 한없는 세월이 찰나의 한 생각과 같다는 게송이 있는데 이 이치를 증득은 못하였을지라도 이해하고 확실한 믿음이라도 가진 자를 드물게 봅니다.

우리들이 근대의 위대한 물리학자가 나오기 이전에는 태양이 지구를 순회하는 줄만 알았고 시간과 공간이 본래 절대적으로 존재하는 줄만 인식하고 믿고 있었듯이 현재도 우리 중생들은 일수사견一水四見'이라는 말과 같이 또 꿈에 사물을 보듯이 실상, 즉 진리를 올바로 보지 못하고 있는 것입니다.

모든 것을 올바르게 실상을 보고 깨닫는 것이 견성이요, 성불인 것입니다. 우리가 목적하는 이 '견성성불'이 우리들에게 무슨 이익이 있는 것일까요? 일체의 고액을 도탈하여 최상의 행복을 수용하는 것이지요.

우리 인류의 모든 학문・예술・경제・정치・종교・도덕・철학・과학・문학의 이상으로 하는 바 목적은 또한 무엇일까요?

또 우리들이 참선염불과 자비보살행과 예불・불공・기도 등을 하는 것도 역시 무엇을 목적하는 것일까요? 일언지하에 이 고득락離苦得樂 즉 최상의 행복이 아니고 무엇이겠습니까?

그러나 인간이 가는 모든 길이 다 같이 행복에의 길로 가고 있지마는 참된 행복의 길은 생로병사 일체고를 여의고 상락아정常樂我淨의 열반의 길을 밝힌 불법밖에는 없습니다.

견성성불의 결과가 괴로움이라면 누가 성불을 하려고 하겠습니까.

그런데 견성과 자비의 덕행과는 무슨 관계가 있는 것일까요? 견성의 지혜와 자비의 덕행은 '체體'와 '용用'으로서 한 물건의 표리와 같이 둘이면서 하나인 것입니다.

견성에는 반드시 이타의 덕행 자비가 있는 것입니다. 〈열반경〉에서 "대자비가 여래요, 성불이라"고 부처님께서 말씀하셨습니다.

참선하여 지혜를 닦는 것과 자비의 행을 닦는 것은 둘이 아닌 것입니다. 우리가 왕왕 참선 염불하는 수도인이 무종교인보다 화합할 줄 모르고 거만하고 신경질적이고 이기적이고 관용하지 못하고 욕심이 많은 것을 봅니다. 이는 참선염불을 잘못한 것입니다.

'일념정심一念淨心이 성정각成正覺'이라 하지 아니하셨습니까? 참선염불을 하면 할수록 대자대비한 부처님 마음에 가까워지고 같아지는 것이니까요.

호리유차毫釐有差하면 천지현격天地懸隔이로다.

庭前有月인데 松無影하고
欄外無風인데 竹有聲이로다.

뜰앞에 달이 있는데 소나무에 그림자 없고
난간 밖에 바람이 없는데 대나무 소리가 있도다.

세존이 도솔천을 여의지 아니하고 왕궁에 내려오시고 모태에서 출생하기 이전에 중생들을 제도해 마치셨습니다.

≪열반경≫에 이르기를 도솔천에 계신 보살께서 변화해서 흰코끼리를 타시고 마야 부인에게 입태해서 룸비니 동산에 출생하시니 제석천 이하 많은 선신들이 옹호하셨을 뿐만 아니라 사문유관을 통해서 무상함을 깨달아 출가하사 마군중을 항복받고, 견명성 오도하시고 5비구를 제도, 초전법륜을 굴리시고 중생들을 위해서 8만장경을 49년 설하시다 사라쌍수에서 열반에 드셨습니다.

이렇게 보는 것은 깨치지 못한 중생들이나 성문, 연각들이 보는 삿된 소견입니다. 이렇게 ≪열반경≫에서 말씀하시고 다음 말씀이 보살은 도솔천에서 내려온 일도 없고, 마야 부인의 태에 입태한 일도 없고, 출생한 일도없고 내지 마군을 항복해 성불한 일도 없고 중생을 제도한 일도 없습니다.

이렇게 보는 것이 보살의 올바른 소견입니다. 부처님께서 성도 후에 말씀하시기를

"참으로 기이하고 기이한 일이다. 정여무정情與無情이 실개성불이니라."

어떤 수행자가 이 말을 듣고 본래 성불 같으면 어째서 제불제조諸佛諸祖가 난행 고행하시겠습니까? 골똘히 의심을 하다가 천동여정 선사께 참문하니, 선사 이르기를

三世諸佛이 不知有하고
狸奴白牧가 却知有로다.

삼세제불이 있음을 알지 못하는데
삵괭이, 여우, 너구리 같은 것들이 도리어 있음을 안다.

라는 말씀을 듣고 즉시 크게 깨달았다고 합니다.

迷中에는 明明六趣라가
覺後에는 空復無大天이로다

미한 가운데는 육도세계가 분명히 있었건만은
깨달은 후에는 비고 비어서 육도니 육취가 전혀 없도다.

圓潭 (1926~현재)

1933년 수덕사에서 경선스님을 은사로 득도
제5·7·8대 중앙종회의원 수덕사 주지
1989년 수덕사 덕숭총림 방장
조계종 원로회의 의원

1
그물 법문

　무더운 삼복 더위 중에도 대중들이 애써서 정진하는데, 나는 대중들에게 무엇을 보여 주어야 할 지 모르겠습니다.
　예전에 만공노스님께서 법문하실 적에 이런 말씀을 하신 적이 있습니다.
　"대중들은 모두 정진하느라고 애를 쓰고, 운력運力하느라고 애를 쓰고, 모두 각자 수고들을 하는데 이 늙은 중은 아무것도 한 일이 없어 장난삼아 그물을 하나 얽어 놓았노라. 그물을 하나 얽어 놨는데 그 그물로 인천人天의 큰 고기를 한 번 낚기 위해서 잘 쳐놨는데 여기에 큰 고기가 한 마리 걸렸다. 이 고기를

원담 스님　217

어떻게 해야 그물 바깥에다 방생을 할 수가 있겠느냐?"

이렇게 대중에게 물으신 일이 있습니다.

대중 가운데에서 혹자는 양구良久하는 사람, 혹자는 할喝하는 사람, 혹자는 게송을 짓는 사람, 대중이 제가끔 각양각색으로 모두 만공스님의 쳐놓은 그물에 걸린 고기를 방생하기 위해서 한 마디씩 했지만 만공스님은

"그 고기를 그만하면 네 재주로 놓아줄 수 있겠다."

이런 말씀을 하시는 것이 아니고, 누가 무슨 말을 하든간에 당신 무릎을 한 번 치시며

"옳다. 또 한마리 걸렸구나!"

해가지고서 만공 스님이 벌려 놓은 그물에 다 걸려 들었습니다.

만공스님께서는 당신이 그물을 펼쳐 놓은 데 고기가 한 마리 걸렸으니 이걸 어떻게 방생을 하느냐고 물어보셨는데 오늘 나는 대중한테 조금 달리 물어보겠습니다. 그러면 만공 스님이 쳐놓은 그물이 과거 석가세존께서 친 그물이요, 달마조사께서 친 그물이요, 육조스님께서 친 그물이요, 경허·만공 스님이 친 그물인데 그 그물은 피할 수도 없고 취할래야 취할 수도 없는 그물입니다.

그러면 어떻게 해야 금일 대중은 그 그물에 걸려 들지 않겠습니까?

덕숭산 가풍은 가장 쉽고 가장 어렵습니다.

우리가 다 이와 같이 복잡한 세상을 버리고 모든 망상을 다 쉬고, 정진한다는 것은 내 심성을 밝혀서 무상대도를 깨닫기 위해서 입니다.

어떻게 해야 위없는 대도를 깨닫고 내 심성을 밝힐 수 있겠습니까? 귀로 스쳐 지나가는 소리는 모두 다 도道를 깨치는 소리가 될 것이요, 저 새가 울고 가는 소리나, 강아지가 짓는 소리나, 파리가 앵앵거리고 날아다니는 소리나, 귀에 스쳐가는 일체 소리는 모두가 도를 깨달을 수 있는 소리니 그렇게 명백한 소리를 듣고서도 도道를 깨닫지 못한다면 그건 참 안타까운 일입니다.

눈으로 삼라만상의 모든 빛깔을 우리가 다 볼 수 있습니다. 눈으로 비치는 모든 빛을 내 근본 마음자리를 밝힐 수 있는 빛입니다. 귀로 들리는 소리를 통하여 모두 도道를 깨칠 수 있음이요, 눈으로 보이는 빛은 다 내 마음을 밝힐 수 있는 빛입니다.

이러한 도리가 만약 말로 표현한다면 석가여래나 미륵부처님이 아무리 법력을 가지고 설법을 하더라도 이 도리는 미치지 못할 것입니다. 문수·유마거사가 용신부지用身不知라! 그래서 가장 쉽고 가장 어려운 것이 덕숭산 가풍인 동시에 우리 수행자들의 본심입니다.

천고만고千古萬古에 만공스님이 낚던 고기를 낚기 위해서 저 위음왕불의 때로부터 지금까지, 미래에 까지 그 고기를 낚기

원담 스님 219

위해서 무수한 납자들이 그 아름다운 꽃 정자에서 낚시를 드리우고서 앉았다는 말입니다.

수행자들이 "이 뭣고" 찾는 것이 낚시를 드리우고 고기를 찾는 것입니다. 안개 구름이 자욱한테 그 아름다운 강산에 앉아서 고기를 못 낚는 사람의 근심이 한스럽습니다.

대중들이 여기에서 만공 스님이 만들어 놓은 그물에 능히 사무쳐 걸리든가, 그 그물을 한 입에 집어 삼켜서 그물을 없애든가 둘 중에 하나로 까닭을 내야 됩니다. 그 그물에 능히 걸렸다면 그물을 먹을 수도 있고, 능히 그물을 먹을 수 있다면 이것은 바로 생사가 어디 있으며, 미혹이 어디 있으며, 여기에 부처와 범부가 있을 수가 없습니다.

말을 많이 할수록 공부에는 도움이 못 되고, 공부를 사량으로 따져서 하려는 잘못된 습성이 있기 때문에 긴 말은 하지 않겠습니다. 옛날에 마조馬祖스님이라는 큰 선지식이 있어 이와 같이 대중들을 모아놓고 주장자로 동그란 원상圓相을 마당에 그려놓고

"이 원 안에 누구든지 들어가도 때릴 것이요, 들어가지 않아도 때릴 것이니라."

라고 했습니다.

마조스님의 원상圓相 법문과 만공스님의 그물법문이 흡사합니다. 이것을 잘 살피면 좋은 고기를 잡을 수도 있을 것입니다.

2
하루는 길다

　결제는 생사를 끊기 위하여 새로운 발심을 하고 새로운 각오를 세워 내 일생에 두 번 다시 돌아오지 않는 가장 중요한 결심이요, 행사라고 생각해야 합니다.
　이 공부는 잘 안되는 것이 원칙입니다. 잘된다고 하면 공부할 사람이 어디 있겠습니까?
　평소 잘되고 잘하던 것은 자꾸 지워 버리고 아무리 해도 잘 안되는 것을 잘되게 하려고 하는 것이 결제입니다.
　이것은 내 습관 내 몸뚱이를 조복받는 것이요, 저절로 되는 것이 아니기 때문에 시간을 정해 놓고 결제, 해제를 결행하며 입선과 방선을 하는 것입니다.
　이 공부는 자기 속으로 깊은 발심이 아니고서는 안 됩니다. 참으로 발심한 사람은 자기도 모르고 남도 모르게 공부에 진보가 있는 것입니다.
　죽는다는 이 엄연한 사실이 있는데, 이 죽음은 허송세월로 문득 코앞에 닥쳐옵니다.

한 시간인들 그냥 공짜로, 망상으로, 졸음으로, 해태로 보낼 수가 없습니다.

만공 스님께서는 짤깍짤깍하는 시계소리가 내 생명을 뺏으러 오는 무상살귀의 발자국 소리라고 하셨습니다. 나를 잡으러 오는 발자국 소리가 계속 들리는데 멍청히 잡히도록 놓아둘 수가 있겠습니까?

이 공부는 복잡한 것이 아닙니다. 단 몇 초 동안이라도 망상을 비우려면 비울 수가 있습니다. 이 비어진 상태에서 내가 드는 화두가 성성하게 들리면 됩니다.

화두가 성성하면 그것이 선禪이요, 망상이 고요하면 그것이 좌座입니다.

지극히 고요해지면 좌座요, 의심이 성성하면 선禪입니다. 이 좌선은 행주좌와, 어묵동정이 따로 있을 수 없습니다.

성성한 것이 고요하고, 고요한 것이 성성하여, 아주 한 몸뚱이가 되어 성적惺寂이 등지等持하면 하루 날이 가지 않아 뜻을 성취한다고 했습니다.

의심하는 화두를 재주로 맞추려고 해서는 안 됩니다. 엄금해야 할 일입니다.

참선은 깨닫는 것이지 아는 것이 아닙니다.

고요함과 성성함이 일치되면 1일, 2일 내지 7일 동안만 그렇게 나가면 견성 못할 사람이 없습니다.

남자 여자, 어른 아이, 영리한 사람 미련한 사람 모두 다 견성할 수 있다고 옛 도인이 말씀하셨습니다. 눈뜨고 숨쉬면 죽지 않고 살았구나, 참으로 다행하다는 생각으로 즉하에 바로 화두를 들어야 합니다. 오늘이 다하기 전에 참학사필을 해야겠다고 시작하되 이틀도 정하지 말아야 합니다.

하루도 깁니다. 하루는 짧은 시간이 아닙니다.

방선 죽비 치기 전에 망상은 고요하고 화두는 성성하게 한번 해봅시다. 내가 화두를 일념으로 들었을 적에 이 화두가 풀어지기 전에 까닭이 나야 합니다. 이렇게 아주 가깝게 조여 들어가면 공부가 안 될 리가 있겠습니까?

앉아 있는 것이 공부라고 속아서는 큰일납니다. 형식적으로 앉아 있으면 일년이 지나도 십년이 지나도 여생이 다 지나도 될 리가 없습니다. 안 해서 안 됩니다. 발심해서 하면 반드시 됩니다.

3
무릎에다 망건쓰다

　결제란 무엇입니까? 생사영단과 대도견성 성불을 위해서 결사의 결심으로 오늘 이 자리에 모여 그 일을 착수하여 시작하는 날이 결제입니다.
　우리가 법문을 들을 때 어떤 사람은 그냥 이야기 소리로 듣고 마는 사람이 있는데, 뼈와 힘줄까지 사무쳐야 이 덕숭산 봄바람을 맞이하는 사람이라고 할 수 있습니다.
　우리가 발심을 해서 선방에 와서 결제를 해서 화두를 드는데 첫째로 마음이 진실해야 합니다. 남이 장에 가니까 무릎에다 망건 쓰는 격으로 흉내만 내서는 안 됩니다. 철두철미 해야 합니다.
　우리의 마음 가운데 본래로 구족해 가지고 있는 본질 자성은 억만 부처님이라도 더 만들어 줄 수 없는 것이고 억만 마구니가 파괴시키려 해도 이 자성자리는 파괴할 수 없는 것입니다.
　부처님이 이 세상에 출현하시기 전에 우리의 자성자리는 원래 구족해 있고 원만하게 다 갖춰져 있어서 우리는 그 자리를 찾기 위해서 결사의 결심으로 오늘 결제를 하는 것입니다.

우리가 공부를 할 때 화두는 애를 써도 안 되고 망상은 안 하려고 해도 저절로 일어나는 것은 늘 하던 습기 때문입니다.

화두는 전생에 그런 공부를 안 했기 때문에 생소해서 그런 것이니까 생소하고 선 것은 자꾸 하다가 보면 친근해지고 익숙해지는 것입니다.

화두가 처음에는 이해가 안 되고 잘될 리가 없지만 안 된다고만 하지 말고 억지로 해야 합니다. 자고로 억지로 하지 않는 불조佛祖가 한 분도 없었습니다.

처음에는 다 억지로 했습니다. 안 되는 것을 억지로 노력했습니다. 망상은 나를 해롭게 하고 나를 망치는 것이니 망상은 일도양단하고 화두의 그 의심 일념에다가 정신을 집중해야 합니다. 물론 처음에는 집중이 안 되는 것이지요. 그러나 안 되는 것을 되게 해야 합니다.

처음부터 잘되면 부처되기 어렵다고 하겠습니까? 자꾸하다 보면 익어지고 익어지면 저절로 되는 때가 옵니다. 진의眞意가 돈발頓發하는 때가 옵니다. 저절로 되는 의심처를 계속 애써서 들면 의단이 몰록 드러나서 성성하게 됩니다.

의심이 성성하게 드러나면 망상은 저절로 쉬어집니다. 의심이 없으니까 망상이 생기는 것이지 의심이 붙으면 망상은 없어집니다.

깜깜한 방에 불을 켜면 깜깜한 것이 없어집니다. 해도 떨어지고 달도 떨어졌을 적에 불을 켜면 어두운 것이 없어지든지, 등불이 없어지든지 둘중에 하나이지 둘이 같이 있을 수는 없습니다.

화두 의심이 깊어지면 망상은 고요하고 성성한 화두가 오직 하나뿐입니다. 이때는 망상을 일부러 낼래야 나질 않습니다. 한 번 생각한 것이 일념 만념이 돼 가지고서 저절로 화두가 들어지는 것이 샘물 흐르는 것 같아서 먼저 흘러간 물과 뒤에 흘러오는 물이 서로 끊어지지 않듯이 간절한 심심이 마음 가운데에 연속이 되도록 계속 반복해서 애를 써보십시오. 안 되는 공부는 없습니다.

성성한 화두와 한 몸이 되면 내 성성한 의심이나 망상이 둘이 아니라 한 몸뚱이가 되어 버립니다. 그래서 성적등지惺寂等持가 되면 하루가 못 가서 견성성불 한다고 했습니다.

만약 이렇게 되지 않는다면 나는 대중을 속인 죄로 세세생생에 호랑이에게 물려 죽을 것이고, 대중이 내 말을 듣지 않으면 세세생생에 무간지옥에 떨어질 것이라고 했습니다. 이것은 옛사람이 믿으라고 강요한 수단이 아닙니다. 이것은 사실입니다.

공부가 바로 들어가면 그 한 생각 바로 들어갈 때가 참으로 일이 됩니다. 범부의 껍데기가 벗겨져 버리는 것입니다. 그렇게 한번 해 보십시오. 공연히 앉아서 시주밥만 죽이면 이게 무슨 꼴입니까?

  우리 대중은 이번 하안거 결제에 생명을 떼어놓고 한 번 용맹정진을 해 봅시다. 이 덕숭산 가풍에는 무문無門이 있어서 누구나 들어올 수 있고 누구나 나갈 수 있으되 들어오려면 들어올 틈이 없고 나가려고 해도 나갈 수 있는 바늘구멍의 틈도 없습니다. 이것이 덕숭산의 무문가풍입니다. 여기에는 다 각자 근기가 있어서 능히 들어가는 사람이 있는가 하면 능히 나가는 사람이 있습니다. 이 문은 일찍이 닫아 놓은 적이 없어 활짝 열어 놓았지만 들어오지 못하고, 또 나가지 못하는 것이 다 각자 업장에 걸려 있기 때문입니다.

  무문無門이 본래로 정도程途가 없는데 알지 못하겠도다. 어느 곳을 향하여 내 안심처를 찾을고?

崇山 (1927~2004)

1947년 고봉스님을 은사로 득도
불교신문 발행인 겸 편집인
화계사 주지
조계종 원로회의 의원0세계 32개국 120 홍법원을 개설함
2004년 화계사에서 입적

1
12인연의 비유

무명이란 밝지 못한 마음, 가려진 마음입니다. 밝지 못한 마음이 나면 본래 밝고 깨끗한 자기를 잊어버리고 바깥 경계에 동요하게 됩니다.

어떤 처녀가 한 농군을 보았습니다. 인물이 훤칠하게 잘 생겼고 직분도 좋고 가문도 좋았습니다. 남이 알까 모르게 사랑하고 싶은 충동이 일어났습니다.

"아, 저런 사람이라면 얼마나 좋을까?"

그래서 남몰래 편지를 썼습니다.

'나는 당신을 사랑합니다. 죽을 때까지 함께 살고 싶습니다.

나의 모든 것을 다 바치고 싶습니다."

상대방도 그 편지를 받고 알아들었습니다.

"좋습니다. 당신이 그렇게 나를 좋아한다면 언제 한 번 만납시다."

그렇게 해서 만나고 나니 마음이 더욱 통하기 시작하였습니다. 그리하여 저 사람을 어떻게 내 애인을 만들까 하는 생각에서 눈·귀·코·혀·몸 뜻을 지속적으로 접촉하였습니다. 받아들이는 것이 따뜻하였으며 물론 그 가운데서는 좋지 않은 점도 없지 않았습니다.

그러나 좋지 않은 것은 다 버리고 좋은점만 사랑하였습니다. 사랑하다보니 통째로 갖고 싶었습니다. 그래서 결혼이라는 것을 하였습니다. 그랬더니 뜻밖에 거기서 아이를 배더니 아이가 태어났습니다. 어찌나 기쁘던지 '어허둥둥 내 사랑아' 하고 먼저 사랑하던 애인 이상으로 그것들을 사랑하고 기쁘게 길렀습니다.

그랬더니 나이가 점점 들자 노쇠해지더니 병이 들고 갖가지 고통거리가 생겨 슬픈 정경을 바라보다가 그만 죽고 말았습니다.

"괜히 왔다 가는구먼 …."

그때사 깨달았습니다.

"낳아도 안 낳아도 상관없는 것. 내 가슴만 이렇게 찢고 간다."

고 후회하였습니다.

이것이 12인연입니다. 최초의 일념 남자와 여자를 보는 최초의 일념, 그것이 무명입니다. 남자라는 것을 보지 않았으면 그 다음일은 일어나지 않았습니다.

그런데 남자를 보았기 때문에 그 최초의 한 생각에 의해서 편지를 쓰는 행行이 이루어지고, 피차가 서로 알게 되는 식識이 이루어졌으며, 여기에 좋아한다는 명색名色이 붙고, 눈·귀·코·혀·몸·뜻六入으로 접촉하여 그 좋은 것을 받아들여受, 사랑하고愛, 사랑하다보니 아주 자기 것을 만들어取, 한 살림을 차리고有, 한 살림을 차려 살다 보니 아이를 낳았습니다.生

난 것이 어느새 늙어老, 병들고病, 갖가지 고통사를 연출하다가 그만 죽어버리니死 그것이 인생이었습니다.

'차라리 한 생각을 일으키지 아니하였다면 이런 결과는 없었을 것' 하고 후회를 하여도 그때는 이미 소용이 없었습니다.

어떤가? 인생이란 이런 것입니다. 어디 인생뿐입니까? 이 세상 모든 것이 이렇게 되어 성成·주住·괴壞·공空하고 생生·주住·이異·멸滅하는 것입니다.

그러면 아무 생각도 하지 말고 그냥 바보처럼 살라는 말입니까? 그건 아닙니다. 무명에 의해서 일으키는 결과는 이렇지만 명明에 대한 일은 이런 결과가 없습니다.

밝고 밝은 마음에는 취하고 버리는 것도 없고 예쁘고 미운 것도 없고 나고 죽는 것도 없으므로 그 속에서 일어나는 만 가

숭산 스님

지 행사는 생사와는 관계가 없습니다.

그러므로 불교의 생활은 명明의 생활이요, 지혜의 생활입니다. 명·지혜가 없는 생활은 고통의 생활입니다. 명에 의한 삶은 설사 고통이 온다 하더라도 그것이 고통으로 받아들여지지 않으므로 늙든지, 죽든지, 병들든지 상관이 없습니다.

늙으면 늙어서 좋고 병들면 병들어서 좋은데 공부하고 죽으면 죽어서 교훈을 남깁니다. 제불보살들이 죽어서 좋은 이름을 남긴다 하는 것은 바로 이것을 의미한 것입니다.

그러면 그 무명이라고 하는 것이 어떻게 생기는 것입니까? 갑자기 바람처럼 생기는 것이므로 '홀연무명忽然無明 · 무명풍無明風'이라 말하는 것입니다.

바람이 불면 파도가 생깁니다. 한 파도가 새기면 만 파도가 생깁니다. 그래서 일파자동만파수一波磁動萬波隨라고 하지 않습니까? 누가 시켜서가 아닙니다.

그런데 꼭 시키는 것과 같거든, 그것은 신이 시키고 귀신이 장난한 것이 아니고 전생에 맺었던 인연력因緣力이 통한 것이고, 욕심이 동한 것입니다. 똑같은 사람을 보는데도 좋은 사람이 있고 싫은 사람이 있거든, 다 이것도 인연 때문입니다.

그래서 불교학자들은 이 12인연을 시간적으로 3세에 배대하여 무·명·행·식은 과거의 업력에 의해서 일어난 것이요, 명색·육입·촉·수·애·취·유까지는 금생에 맺어 일어난 인연이며, 생·노·사·우·비·고·뇌는 미래의 결과라고 합니다.

이렇게 하여 삼세양중인과三世兩重因果를 조직하였습니다.

그리고 또 어떤 사람은 심리학적인 측면에서 무명을 맹목적인 삶에 비유하여 목적없이 눈에 띄이는 대로 집착된 생활을 한 결과를 이 12인연으로 설명하는 이도 있고, 하나의 인생을 생리학적인 면에서 설명하여 놓은 사람도 있습니다.

예컨대, 부모님들의 맹목적인 사랑은 무명·행·식이요, 어머니 태에 들어가 자리를 잡고 정신과 육체가 분리되고, 눈·귀·코·혀·몸·뜻이 생겨 세상에 태어나는 것은 명색名色·6입六入·촉觸이며, 태어나서 온갖 것을 받아들이고 사랑하고, 취하여 자기의 소유를 만드는 것은 수·애·취·유며, 다시 제2의 생명을 낳아 늙고 병들어 죽게한 것은 생·노·사·우·비·고·뇌이다 라고 설명한 이도 있습니다.

어쨌든 12인연은 이 세상 만물이 시간 속에서 어떻게 성·주·괴·공하고 생·주·이·멸하느냐 하는 문제를 제기한 것입니다. 그러니까 그 만드는 것은 자기의 마음입니다. 콩을 갖다가 두부를 만들 때 갈아서 간수를 치고 엉기게 하여 순두부를 만들어 놓고 형틀을 들이대는데, 그 틀을 둥글게 할 것이냐 모나게 할 것이냐 하는 것은 만드는 사람의 마음 여하에 달린 것이다.

만들어 놓고 나면 사람들이 그것을 보고 예쁘다·밉다·잘 생겼다·못 생겼다 하지만 결국 그 놈을 뚝배기 속에 들어가 보글보글 끓다가 입 속에 들어가면 진국만 다 빨리고 나머지는 똥이 되어 화장실에 배설됩니다.

　허망한 일입니다. 그러니 무상하다고 않겠습니까? 그러나 그 무상 속에서 이 세상은 이루어집니다.

　그러니 그것도 우습게 생각하니까 우습지 멋있게 생각하면 또 멋있습니다. 그러니까 모든 것이 생각이고 마음입니다. 마음에 속지 않으려면 무명심을 일으키지 말아야 합니다.

2
마음이 곧 부처

　옛날 중국의 어떤 스님이 마조스님에게 묻기를 어떤 것이 부처냐고 하니 '마음이 부처요 부처가 마음이니라' 하고 말씀하셨습니다. 〈반야심경〉을 볼 것 같으면 '색즉시공色卽是空 공즉시색空卽時色'이라 하여 있는 것이 없는 것이요, 없는 것이 있는 것이라 하였습니다. 이 세계를 우리는 상대적 세계라 합니다. 생각이 일어나면 법이 일어나고, 법이 일어나면 모양과 이름이 일어나고, 모양과 이름이 일어나면 좋다, 나쁘다, 옳다, 그르다, 산다, 죽는다, 행복하다, 고통스러다 하는 모든 것이 다 일어납니다. 그러므로 산이 물이 되고, 물이 산이 된다는 소식입니다."

　쿵!

　"이 소식은 산도 공했고 물도 공한 것입니다. 산도 공하고 물도 공할 것 같으면 말이 끊어진 자리입니다. 그렇기 때문에 〈반야심경〉에 '무지역무득無智亦無得 이무소득고以無所得故'라 하여 지혜도 없고 얻을 것도 없고 얻을 바도 없다 하였습니다. 얻을 바도 없다면 무엇 때문에 말을 할까요? 그러므로 보리살타는 반야바라밀다에 의지하여 열반에 들었고, 반야바라밀다는 생각이 끊어진 자리이기 때문에 산도 공했고 물도 공했다는 것입니다."

쿵!

"이 소식은 '산은 산이요, 물은 물이다'라는 소식입니다. 성철스님이 종정에 취임할 때 말씀하시기를 '산은 산이요, 물은 물이다' 하셨는데 이것은 '당신은 당신이고 나는 나, 네 것은 네 것이고 내 것은 내 것,' 그런 뜻이 아니라 내마음이 생각이 일어나지 않아 텅 빌 것 같으면, 즉 절대적 세계에 들어갈 것 같으면 맑은 거울과 같다는 것입니다.
　옛날 조사 스님이 말씀하시기를 '네가 만약 부처님의 경계를 알고자 한다면 깨끗한 그 마음까지 텅 비워라. 네 안에서 일어나는 망상을 다 멀리 하라' 하였습니다."
　천주교 신부들도 우리와 같이 염불을 하는 것이 있는데 하나님이란 분은 텅 비고 깨끗한 자리입니다. 그 속에서 삼라만상 모든 것이 탄생합니다. 그것이 본성품이 됐고 밝고 어두운 것,

고요하고 시끄러운 것을 만듭니다.

　깨끗하고 텅 빈 자리가 하나님의 자리요, 깨끗하고 허공과 같이 텅 빈 자리가 우리 부처님의 자리라 했습니다. 말이 다르지 같은 점입니다. 그 같은 점을 대원경에서 크고 맑은 거울 같다고 합니다. 그 거울은 산을 보면 산이 비치고, 물을 보면 물이 보이고, 모든 것을 다 비치니 그것을 대혜大慧스님은 〈서장〉이라는 책에서 오랑캐 사람이 오면 오랑캐를 비치고, 한나라 사람이 오면 한나라 사람을 그대로 비치고, 산은 산대로, 물은 물대로, 남자는 남자대로, 여자는 여자대로 비치는 자리를 완전한 세계라 하였습니다.

　그러면 세 가지가 나왔는데 산은 물이고 물은 산이라는 '색즉시공 공즉시색'이라는 상대적 세계, 그 다음은 산도 공空 했고 물도 공했다는 부처도 없고 나도 없고 너도 없다는 열반의 세계, 다같이 시간·공간을 초월한 세계, 그것을 절대적 세계라 합니다.

　본 대로 들은 대로 다 비치는 대로 비치면서 산은 산이요, 물은 물입니다. 〈반야심경〉의 '고득아뇩다라삼먁삼보리'라는 말들을 외우고 있는데, '아뇩…삼보리'가 도대체 무엇입니까?

　내 마음이 텅 비면 보고 듣는 것이 다 아뇩다라삼먁삼보리입니다. 산은 산대로 물은 물대로, 닭 우는 소리는 닭 우는 소리대로, 개 짖는 소리는 개 소리대로 다 아뇩다라삼먁삼보리 아닌

숭산 스님　237

것이 없습니다. 그 경계에 갈 것 같으면 닭 우는 소리, 개 짖는 소리가 다 팔만대장경보다 낫습니다. 그것을 완전한 세계라 합니다.

세 가지 세계를 말했는데 어떤 것이 옳은 세계입니까? 어떤 것이 참말로 좋은 세계이며 옳은 세계입니까? 청산유수靑山流水라. 산은 푸르고 물은 흘러간다고 말하겠습니다. 산은 푸르고 물은 흘러간다는 세계는 찰나의 세계입니다. 우리 인간은 찰나의 세계에 태어나서 찰나에 가고 맙니다. 그런고로 〈반야심경〉에 '시대신주是大神呪…능일체고能一切苦…아제아제 바라승아제 모지사하바' 할 뿐, 좌선을 할 뿐, 진언을 외울 뿐이지 다른 생각을 하지 말라 이것입니다.

우리 불교는 '할 뿐' 인 세계를 가리키는 것이며 팔만대장경에는 글자가 굉장히 많지만 마음 '심心' 자 하나로 새겨집니다. 그러면 심자心字가 무엇입니까? 심자가 변해서 마음이 일어나면 상대적 세계, 마음이 꺼지면 절대적 세계, 마음이 그대로 거울과 같이 된다면 그것을 진리의 세계, 실상의 세계라고 합니다.

3
선이란 무엇인가?

　우리의 삶의 출발점은 욕망에서부터 시작됩니다. 그러나 인생이란 본래가 자유스럽지 못합니다. 세계 인구 65억 중에서 누구 한 사람 자기가 원하는 바에 따라 세상에 태어난 사람은 아무도 없습니다.
　과거 현재 미래의 어떠한 연쇄적인 인연으로 말미암아 부모의 혈육을 통하여 탄생하게 되었으니, 이 세상과 이별할 때도 또한 자기 마음대로 떠나고 싶어서 가는 사람은 없을 것입니다. 본래 그 자체가 자신의 뜻대로 이루어진 것이 아니므로 출생에서 죽음에 이르는 인생의 일상사가 뜻대로 된다고 할 수 없습니다. 설사 성취되었다하더라도 제행무상인데 그 행복함이 얼마나 지속되겠습니까.
　누구나 소원하는 바를 이루지 못하고, 성취한 것이 무너질 때 고통과 절망을 느끼게 되고 허무감에 사로잡히게 됩니다. 그러므로 이 세상을 욕계欲界라 하며 고해라고도 합니다.
　인생의 괴로움을 여덟 가지로 크게 나눌 수 있습니다. 즉 생고生苦, 병고病苦, 사고死苦, 애별이고愛別離苦, 구부득고求不得苦, 원증회고怨憎會苦, 오음성고五陰盛苦가 그것이며, 이를 통칭하여 인생의 여덟가지 고苦라고 합니다.

그러나 괴로움이란 다른 쪽으로 생각해 보면 우리 인생에게 불행만 주는 것이 아니고 때로는 향상의 길을 열어주기도 합니다.

괴로움을 여의려는 강렬한 마음을 내적으로나 외적으로, 혹은 학문적으로나 실천적으로 연구해 나감으로써 사회의 발달은 물론 우리 인간의 지혜를 개발하고 향상하는 길을 열어 주기도 합니다.

그럼 선이란 무엇인가, 하고 물으면 그 범위가 너무나 광범위하고 그 뜻이 깊어 한마디로 간단히 정의할 수 없지만 '선禪이란 무엇인가?' 하고 추궁하는 바로 그 심리 자체라고 하겠습니다.

그러므로 우리가 선이라는 것을 명확히 알고자 하면 먼저 심리 그 자체부터 알아야 하겠습니다. 그 심리자체를 우리는 보편적으로 마음이니, 정신이니, 영혼이니, 혹은 일념一念이니 생각이니 하고 부르며, 나아가 불성이니, 진성이니, 법성이니, 진여眞如니 여래如來 등의 대명사로 부르기도 합니다. 그 이름이 무엇이든지 간에 우리 인간이 이 세상에 존재하는 한 인식하는 바가 없다면 목석이나 다름없을 것입니다.

우리는 그 인식체가 있음으로써 사고하고 사량하고 분별하여 자신에 합당하면 좋아하고 부당하면 싫어하는 우리 생활의 주체, 그것을 마음이라고 부릅니다. 그러면 이 마음이란 대체 어떠한 것일까요? 우선 이것부터 밝혀야만 우리는 선禪이라는 것을 알 수 있습니다.

일반적으로 마음이라면 물질과 분류하여 논하고 있으나 여기에서 말하고자 하는 마음이라는 것은 우리 정신과 물질, 즉 영체靈體와 육체의 공동작용을 통하여 나의 대상인 일체사물을 인식하는 그 본체, 즉 우리 인생의 근본체를 의미합니다. 그러므로 이 마음은 정신과 물질을 포함하는 동시에 정신도 아니요 물질도 아닐 것입니다. 이러한 마음이 인생의 근본체라 하였으니 그것이 어떠한 것인가 살펴 봅시다.

예를 들어 여기에 과자를 만드는 원료가 한 통 있다고 합시다. 과자를 만드는 기술자는 이 원료로 여러 가지 모양의 과자를 만듭니다. 사람, 비행기, 자동차, 산, 꽃, 개, 닭 등 가지 각색의 비스킷을 만들어 파는 것입니다. 여기에 있어서 그 과자 모양은 모두 각각이며, 따라서 그 이름도 모두 다르나 그 본성질, 즉 단 맛은 그 원료와 조금도 다름이 없을 것입니다.

이상과 같은 이론을 우리 인생과 대우주에 결부시켜 생각해 볼 수도 있습니다. 그러나 아직 우리는 이 우주의 근본체를 알지 못하니 우선 이를 X성性이라고 해봅시다. 그러면 이 우주속에 존재하는 해와 달과 별, 산과 강과 대지, 사람과 축생과 미물 등 삼라만상은 각기 이름과 형태는 다르나 그 본성품은 동일하여 모두 X성性으로 구성되었다고 말할 수 있습니다.

그러므로 나 자신은 물론, 내 자신이 살고 있는 집이나 눈앞에 보이는 이 종이와 글 등 일체 사물이 모두 그 X성性으로 되었으며, 우리가 분별하는 선악시비, 천지 등도 전부 이 X성性으로 되었다고 할 수 있을 것입니다.

상대성원리로 유명한 아인슈타인 박사는 이 세계가 모두 상대적 원리로서 창조되었다고 말하였습니다. 철학자 칼 마르크스는 우주와 인생의 근본은 물질로써 되었다고 논하여 유물철학을 주장하였고, 스콜라 철학은 신과 영靈을 중심으로 하는 유신론有神論을 제창하였으며, 칸트는 인식론을 내세웠고, 피타고라스학파는 우주는 힘, 즉 에너지로 구성되었다고 설하였습니다.

이렇게 모두는 우주와 인생의 근본을 말하였으나 서로 같지 아니함은 어떤 이유일까요? 어떠한 모순이 있지 않다면 이들 모두 각자 일방적인 학설만을 주장하였기 때문일 것입니다. 그러므로 우리는 이 모순됨과 일방적인 학설을 해소하기 위하여 그 근본체에 이름을 붙이지 말고 그냥 X성性이라고 가정하고 살펴 봅시다.

이 X성性은 앞에서 말한 바와 같이 우주의 근본체요, 따라서 이 우주간에 존재하는 일체사물은 그 명상名相과 형태는 각기 다르나 그 본체, 즉 X성性은 상대를 여읜 절대적인 것이며, 또한 상대적인 모든 사물을 포함하고 있습니다.

법성게에 '법성원융무이상法性圓融無二相 제법부동본래적諸法不動本來寂'이라 하였는데, 법성이란 X성性의 대명사라 할 수 있습니다. 즉 X성은 원융하여 고체가 액체도 되고 액체가 기체도 되고 기체가 액체도 되고 액체가 고체도 되어 변화가 무애無碍하다는 것입니다. 그리하여 상相이 둘이 없습니다. 즉 X성性은 절대적입니다. 또한 그 X성性은 우주에 충만하여 빈 것도 같고 가득 차 있는 것 같기도 하여 부동不動하다는 것입니다.

'무명무상절일체無名無相絶一切 증지소지비여경證知所知非餘境'이라, 그러므로 X성性은 '이름도 없고 형상도 없어서 일체의 상대적인 것을 끊은 본체이므로, 지혜로써 증득하여 아는 바의 남은 경계가 아니다.'라고 하셨는데, 이는 곧 사량분별로써는 도저히 그 X성을 알 수 없다는 것입니다.

우리들이 진실하게 수행을 하여 분별을 여읜 참 지혜를 얻음으로써만 증득할 수 있다는 것입니다. 이상과 같이 법성게는 그 X성性인 우주의 본체를 설파하였습니다.

이처럼 근본체는 본래 무이상無二相이며, 본래적本來的이며, 무명무상無名無相한 것인데 서양철학자들은 공연히 명名과 상相

숭산 스님 243

을 붙여서 대상을 만들고, 그것을 절대적인 진리라고 주장하고 있으니, 이 어찌 무지의 소치라고 아니할 수 있겠습니까?

그러므로 온갖 모순성을 가져오는 동시에 일방적인 학설이라 아니할 수 없으며, 그로 말미암아 세상은 오늘 날과 같은 사회의 혼돈과 인류자멸의 길을 걷게 되었습니다.

이런 비유가 있습니다. 맹인 네 사람이 동물원에 코끼리 구경을 갔는데 갑이라는 맹인은 다리를 만져보고 코끼리는 기둥 같다고 하고, 을이라는 맹인은 배를 만져보고 벽 같다고 하고, 병이라는 맹인은 코를 만져보고 구렁이 같다고 하고, 정이라는 맹인은 꼬리를 만져보고 빗자루 같다고 각각 자기가 만져본 바만 믿고 주장하다 언쟁이 벌어졌습니다. 그리하여 마을에 돌아와 각기 자기 친지들에게 선전하고 주장하여 지원을 받아 패를 이루어 서로 싸우더라는 것입니다.

맹인인 까닭에 전체를 눈으로 보지 못하고 부분, 즉 일부만을 일방적으로 손으로만 만져본 것을 진리처럼 주장한 탓에 이와 같은 어리석고 딱한 사태가 연출된 것입니다. 오늘날 이 세기世紀의 흐림이 이 맹인극과 조금도 다를 바 없이, 자기자신부터 깨닫지 못하고, 상대물체에서 구하여 유물주의唯物主義니 공산주의니 민주주의니 민족주의 등을 내걸고 투쟁하고 있으니, 어찌 한심한 일이 아니겠습니까?

이 모두 절대적인 진리를 모르는 까닭에 생긴 일입니다. 절대적인 진리를 자기 밖의 상대적인 대상물 속에서 구하므로 이러한 일방적인 학설이 나오고, 시대의 변천에 따라 그 학설조차 변하여 투쟁이 벌어지고 인류자멸의 길을 걷게 된 것입니다.

절대적인 진리는 내 자체인 그 속에 있으며, 우주와 나와 동일한 X성性을 발견할 때 자아自我를 깨달으며 우주의 절대적인 진리를 증득하게 될 것입니다. 내가 그대로 X성性이요 X성性 그대로가 우주이며 우주 그대로가 절대적인 진리인 것입니다.

아침이면 해가 동산에 오르고 저녁이면 서산에 지며, 봄이면 꽃이 피고, 여름이면 잎이 무성해지고, 가을이면 열매를 맺으며, 겨울이 되면 모두 동면冬眠하니, 이 모두 그대로의 절대적인 진리가 아니고 무엇이겠습니까? 그러므로 우리는 자신의 생활 속에서부터 진리를 발견해야만 합니다. 자신의 마음 가운데 사량분별이 없을 때 우리는 절대적인 진리인 X성性과 동일체가 될 것이요, 선악시비를 분별하게 되면 X성性과는 천지현격의 차이가 생기어 상대적 세계로 떨어질 것입니다.

앞에서 '선이란 무엇인가?' 라는 질문에 대하여 선이란 '선이란 무엇인가?' 하고 추궁하는 그 심리자체라고 답하였습니다.

그러면 그 심리자체, 즉 마음이란 무엇입니까? 이는 곧 사량분별이 없는 순수한 X성性일 것이며, 이 X성性은 우주와 동일체가 되며, 바로 그것 그대로가 절대적인 진리입니다. 이를 통해 우리는 자기완성에 이를 수 있으니, 불완전한 인간에서 완전한 인간으로, 불완전한 사회에서 완전한 사회로 나아가는 것도 이 마음을 통해서 입니다.

그러므로 선은 '상구보리上求菩提 하화중생下化衆生'이라 하겠습니다. 상구보리는 곧 자기완성을 의미함이요, 하화중생은 곧 국토미화 불국세계를 건설하는 것입니다.

옛날 중국 형주 땅의 남악회양南嶽懷讓 선사는 경학에 조예가 탁월하였으나 정법을 증득하지는 못하였습니다. 당시에 남쪽 광동땅 소주에서 선풍을 드날리며 '불립문자不立文字 직지인심直指人心'의 법을 가지고 가르치는 육조혜능 대사께 구법하기 위하여 북쪽 수백 리 밖 형주 숭산崇山에서부터 불원천리하고 찾아갔습니다. 원거리 여행의 피로함에도 굴하지 않고 육조 스님이 계신 조실방으로 안내를 받아 오체투지하여 인사를 마치고 공손히 '소승은 법을 배우러 왔습니다. 원컨대 법을 설하여 주옵소서.' 하고 여쭈었습니다.

그러자 육조 스님께서는 '그런가, 어데서 왔는고?' 하며 반문을 하였습니다. 회양 선사는 '네, 형주 땅 숭산이라는 데서 왔습니다.' 하고 대답했습니다. 육조 스님께서는 '심마물甚麼物이 임마래恁麼來오(어떠한 물건이 이와 같이 왔는고?)' 하고 다시 물었습니다. 회양 선사는 말문이 꽉 막혀 답변할 바를 몰라 망연히 있다가 벌떡 일어나 조실방을 나왔습니다. 그리하여 곧장 먼저 있던 남악산으로 돌아와 매일 어묵동정語默動靜 일체시에 언어도단言語道斷하고 심행처멸心行處滅한 그 의단을 가지고 '시심마是甚麽 이것이 무엇인고?' 하고 정진하여 나아갔습니다.

하루 이틀, 한 달 두 달, 무상한 시간은 쉬지 않고 흘러 갔습니다. 여러 가지 번뇌와 마장이 생기나 생사를 결단하고 하루한날같이 정진에 정진을 거듭하여 나아갔습니다. 1년, 2년, 3년 있는 힘을 다 경주하여 용맹정진하여 드디어 8년 만에 한 생각이 궁굴러 대우주와 둘이 아닌 자기의 본래면목本來面目을 깨쳐 환희에 넘쳐 법열삼매 속에서 곧장 육조 스님을 찾아가 뵈었습니다.

육조 스님께서는 전날과 다름없이 '심마물甚麽物이 임마래恁麽來오? 어떠한 물건이 이와 같이 왔는고?' 하고 물으셨습니다.

회양 선사는 서슴치 않고 '설사 일물一物이라 할지라도 맞지 않습니다.' 하고 답하였습니다. 육조 스님께서는 벌써 공부가 다 되었음을 살피어 인가印可하시니 이로써 육조 스님의 적자嫡子가 되셨다 합니다.

'시심마是甚麽?' 하는, 당장 이 글을 보고 있는 그 물건이 바로 선이라고 하겠습니다. 나의 본래면목本來面目을 찾는 것, 그리하여 시간과 공간과 명상名相을 초월하여 절대적인 적멸처寂滅處로 돌아가, 함이 없는 즉 무위행無爲行 속에서 역력히 적백고하赤白高下, 선악시비善惡是非를 분명히 가리어 일체에 무애한 자

숭산 스님 247

유자재한 것이 선禪이라고 믿습니다.

현대 중국의 저명한 학자 호적胡適은 '선은 상식이다.' 라고 평했는데 참으로 의미있는 평이라 하겠습니다. 호적이 선禪은 상식이라고 관찰하여 평한 것은 일반인이 선이란 신비하고 그 무언가 오묘한 불가사의의 진리가 있는 줄 아는 것과는 큰 차이가 있다고 보겠습니다.

선이란 상식을 초월한 것 같으나 실은 상식 그대로가 선이라 하겠습니다. 우리가 너무나 선입견을 가지고 선이란 너무 어려워 보통 사람은 도저히 하지 못하는 것이라 단정을 내리고, 한편 선을 참구한다는 지금의 선사들이 너무나 고답적이고 불가사이한 것을 강조하여 지도하기 때문에 초인간적이요 초사회적인 것으로 보며, 나아가 관심조차 없어지게 된 것입니다.

여기에 반하여 중국의 호적胡適은 '선은 상식이다.' 하였으니 이 얼마나 흥미있고 또 경쾌한 느낌을 주는 대답입니까? 호적은 선의 근원지인 중국사람이며 중국철학사와 중국불교사 연구에서 나아가 선에 대한 깊은 조예가 있었기 때문에 그 관점이 보통 사람보다 기발한 데가 있습니다.

상식이란 참으로 사량분별을 붙일 곳이 없는 것이 아닙니까? 백성은 나라에 충성을 다하고, 자녀는 부모에게 효도하고, 벗은 서로 믿고, 부부는 서로 사랑하고……, 여기에는 다른 이론이 필요 없습니다. '제악막작諸惡莫作하고 중선봉행衆善奉行하라', 모든 악을 짓지 말고 모든 선을 받들어 행하라. 선행을 하면 복이 오고 악행을 하면 죄를 받는 것은 가장 상식적이며 또한 불교의 본지本旨인 동시에 선禪이라 아니할 수 없습니다.

이것은 너무나도 당연하므로 생각할 여지가 없는 최상의 공도公道요 우주의 법이며, 진여眞如요 법성이요 목전의 사실입니다. 기거동정起居動靜 행주좌와行住坐臥가 그냥 그대로 행하여 만사에 여념없이 무애의 행을 한다면 '자정기의自淨其意 시제불교是諸佛敎'라 스스로 그 뜻이 조촐하게 되나니, 이것이 곧 불교요 선인 것입니다.

당나라의 대문장가인 백낙천白樂天이 당시의 고승 도림道林 선사께 묻기를 '어떠한 것이 불법의 큰 뜻입니까? 하니 선사가 대답하기를 '제악막작諸惡莫作하고 중선봉행衆善奉行하라.' 백낙천이 크게 웃으며 '그런 것은 세 살 먹은 아이라도 아는 일일세.' 하며 냉소하였습니다. 그러자 선사께서는 '세 살 먹은 아이라도 아는 일이나 팔십 먹은 노인이라도 행하기는 어려운 일일세.'라고 답했습니다. 이에 백낙천이 크게 감화되어 선사께 귀의하여 공부하였다는 유명한 일화가 있습니다.

諸惡莫作 衆善奉行
自淨其意 是諸佛敎

위 게송은 석가모니불 이전 과거칠불께서 설하였기 때문에 칠불통계七佛通誡의 게偈라고 이름합니다. 아무튼 상식적인 것이나, 상식적인 이것을 실천에 옮기는 데에서 참다운 가치가 나타나며 이로써 선禪도 이루어지고 견성성불도 하게 됩니다.

천지우주와 동일한 하나의 본성을 알면서도 행하지 않으면 오히려 알지 못하는 것만 같지 못 한 것입니다. 세속의 학문도 성심성의를 다하면 하늘의 뜻을 안다는 말이 있습니다. 천지우주와 한 덩이가 된다는 것은 성심성의, 즉 사량분별이 없는 절대적인 X성性이라 하겠습니다. 그러므로 X성性은 천지우주의 본체라 아니할 수 없습니다. '성심誠心은 선禪의 극치'라는 말도 여기에서 나왔으리라 생각합니다.

핵심은 일체처一切處 일체시一切時에 우주와 일여一如한 생활 행동을 하여 실증체득하려면 분별심이 없는 대자대비심을 내어 보살행을 닦는 동시에 일체행을 성심성의껏 하는 데 있다고 보겠습니다. 이로써 우리는 선이란 무엇인가를 비로소 맛보게 될 것이며, 따라서 우리는 선禪을 먼 곳에서, 또는 다른 곳에서 찾지 말고 우리 생활 속에서 발견하여 선이 곧 생활이고, 생활이 곧 선이 되어 선즉불禪卽佛, 불즉심佛卽心이라는 문구의 대의를 증득함에 선의 의의意義가 있다고 하겠습니다.

4
좌선의 방법

 선이라 하면 누구나 다 묵연히 단좌하고 참선하는 좌선상을 연상하게 됩니다. 이 좌선으로 말미암아 깨닫게 되는 것을 선의 안목眼目이라고 하겠습니다. 선은 일체의 언어와 이론과 사량분별을 초월한 절대적인 것이므로 실에 있어서는 하등의 해석이나 설명을 붙일 것이 없는 것입니다.
 참으로 좌선을 하여 깨달음의 참 맛을 얻으려면 선원을 찾아서 선지식을 친견하고 직접 눈으로 보고 귀로 듣고 몸소 실행하는 것만이 가장 정확하며 최고로 빠른 길이라고 하겠습니다.
 좌선이란 생사대사를 판명하는 기본이라 하겠습니다. 따라서 이 좌선의 좌법, 즉 앉는 법에도 여러 가지가 있으며, 일정한 의칙儀則에 의하여 손과 발과 몸을 가지는 자세에 있어서 결가부좌, 반가부좌, 또는 항마좌, 길상좌 등 각종의 명칭을 붙여서 구별하고 있습니다.
 그 중에서도 좌선이란 결가부좌를 말하는 것이며, 가跏는 '도사리고 앉을 가', 부趺는 '책상다리 할 부'라는 글자로, 결가부좌라 함은 곧 책상다리를 하고 앉는 것을 말합니다.

  먼저 이 결가부좌하는 법을 설명하겠습니다. 맨 처음 오른쪽 다리를 구부려서 왼쪽 무릎 위에 갖다 놓고 다음에 왼쪽 다리를 구부려서 오른쪽 무릎 위로 갖다 놓으면, 양쪽 발꿈치가 바로 배꼽 중심점에서 교차되며 왼쪽 발꿈치가 위로 놓이게 될 것입니다. 다음에는 그 왼쪽 발 위에 오른손을 펴서 손바닥을 위로 향하여 놓고, 그 위에 왼손을 또한 펴서 똑같이 겹치게 놓은 후, 양손 엄지손가락을 맞세워 양끝을 약간 닿게 하여 동그라미를 만듭니다. 양어깨는 뒤로 재끼지도 말고 앞으로 숙이지도 말며, 팔은 평상시와 같이 편안히 늘어뜨려 양옆구리에 밀착하지 말고 어디까지나 자연스럽게 하여 힘을 주어서는 안 됩니다. 척추는 곧게 하고 턱은 앞으로 내밀지도 말며 목으로 당기지도 말고, 머리는 약간 앞으로 기운 것 같은 느낌으로 천장을 찌를 듯한 기상을 가지고 자연스럽게 앉으면, 양귀는 양어깨에, 코는 배꼽에 수직이 될 것입니다.

  보통 정좌명상靜坐瞑想이라 하면 눈을 감지만, 좌선에 있어서는 눈을 감지 않고 항상 뜨고 있어야만 합니다. 그러나 너무 크게 뜨면 외경外境에 쏠리어 마음이 산란해지기 쉽고, 그렇다고 감으면 잠이 오기 쉽거나 또는 망상이 더욱더 치성하여 혼침하기가 쉽습니다. 이 혼침과 산란의 두 가지 병을 막기 위하여 좌선에서는 대체로 눈은 반개반폐半開半閉하고, 시점은 눈앞 약 8

척尺에다 놓은 것이 일반적인 방법입니다.

또한 면벽이라고 하여 벽을 향하여 앉는 것도 산란한 마음을 제어하기 위한 것입니다. 그리고 입은 단정히 닫을 것이며 혀는 입천장에 붙이고, 아래윗니는 밀착시키되 결코 힘을 주어서는 안 됩니다. 오직 모든 것을 자연스럽게 취해야만 합니다.

이상과 같은 것이 결가부좌의 자세이며, 먼저 흠기일식欠氣一息이라 하여 입을 열고 기氣를 힘껏 쉬어 토吐하는 동시에, 좌우로 몸을 약간 요동하여 몸 전체의 중심을 잡아 좌정坐定합니다. 흠기일식이 끝나면 입은 앞서 설명한 바와 같은 요령으로 다물고 숨을 쉬되, 아주 서서히 자기의 귀로도 들리지 않을 정도로 쉬어야 합니다. 마치 코앞에 가벼운 털을 갖다 대어도 그 털끝이 조금도 움직이지 않을 정도로 쉬되, 마음껏 들이쉬어서 그 기운을 하복부에 있는 단전丹田까지 내려 약간 힘을 주었다가 먼저와 같이 서서히 숨을 반대로 내쉬어야 합니다.

이와 같이 그대로 반복하여 호흡하되 그 숨과 숨 사이의 장단長短에는 일정한 규정이 있을 수 없는 것이므로 각자 자기의 생리상태에 적합하게, 자연스럽고 무리가 되지 않는 편안한 호흡을 하면 되는 것입니다. 오직 서서히 가늘고 길게 호흡하는 것만 명심하면 된다고 하겠습니다.

좌선이란 마음을 구명究明하는 것이므로 무엇보다도 마음이라는 그 자체가 가장 중요한 것입니다. 그러므로 여기에는 필수적인 요건으로 첫째, 조신調身이 필요하고 다음은 조식調息이 필요하며, 그 실제 수행하는 데 있어서 조신과 조식이 조심調心으로 하여금 일체가 되어 분별이 없는 평상으로 돌아가야만 되는 것입니다.

　이상은 결가부좌의 요령이며, 반가부좌라 하는 것은 다만 오른쪽 다리만 구부려서 왼쪽 무릎 위에 올려놓고 왼쪽 다리는 오른쪽 무릎 밑에 구부린 채로 그대로 놓는 것만 다를 뿐 기타는 모두 동일합니다.

　이 반가부좌는 흔히 처음 시작하는 참선자가 단정한 결가부좌가 잘 되지 않으므로 편법으로 앉는다고 하나, 요즘에는 대부분 반가부좌로서 많이 수행하고 있습니다. 그러나 좌선의 기본형은 결가부좌라고 할 수 있습니다.

　항마좌降魔坐와 길상좌吉祥坐는 예부터 이설異說이 있어서 확실치는 않으나 결가부좌에서 먼저 오른쪽 다리를 구부리는데 반하여 왼쪽 다리부터 구부리며, 양손을 겹쳐놓는데도 왼손부터 놓는 것이 길상좌라고 하며, 이와 반대로 먼저 말한 결가부좌를 항마좌라고도 말하고 있습니다.

　일반적으로 통용되는 설에 의하면 달마정전達磨正傳의 좌선법은 이 항마좌라고 하며, 당송唐宋 시대의 총림에서는 모두 이 좌선법으로 수행하였다고 합니다.

　요컨대 결가부좌와 반가부좌의 그 모양이야 서로 다를지라도, 오직 조신調身, 조식調息, 조심調心하여 밖으로의 산란과 안으로의 혼침을 방지 제거하여, 태산과 같이 흔들림 없이 안주하는 자세에는 조금도 다른 점이 없습니다.

선의 참구가 좌선에 의해서만 가능한 것은 아닙니다. 또 참선이 불교도에게만 국한된 것도 아닙니다. 선은 어떠한 종교, 직업, 성별을 막론하고 그들이 자기 자신에 도전하여 자신을 파악하고 인간혁명을 이루고자 한다면 그 길을 열어줍니다.

그러므로 선을 참구하는데 가장 중요한 것은 가장 절실한 대의단大疑團에 의한 발심입니다. 따라서 선은 기성질서에 의한 어떠한 전제도 거부합니다. 오직 필요한 것은 '진아眞我'에 대한 도전입니다. 우리는 옛 선사들에게서 그들이 어떻게 도전해 왔는가를 알 수 있습니다.

여하튼 중요한 사실은 선의 참구법으로서의 좌선은 선의 기본형이요, 실참실구實參實究하여 나가는 데 있어서 가장 장애가 적으며, 심신心身을 타성일편打成一片하는데 더 이상 없는 쉽고 빠른 방도라는 것입니다.

그러나 좌선이 제아무리 좋다고 하여도 목석같이 가만히 앉아만 있으면 되느냐 하면 그것은 설령 백천겁을 지난다 하여도 절대로 성공하지 못할 것이며, 아무런 소용도 없는 것입니다.

참선이란 문자 그대로 인간혁명입니다. 그러므로 여기에 무엇보다도 가장 필요불가결한 것은 발심發心입니다. 간절한 발심, 즉 '자기가 사람이면서 사람 자체인 자기자신을 모르니 이러한 참괴함이 어디 있겠습니까?' 하여 돈독히 의단疑團이 일어남과 동시에 '나'라는 자체를 알아보려는 분연한 마음이 진실로 발하였다면, 어찌 반드시 좌선함으로써만 견성 대오를 하겠습니까?

기독교인도 회교인도 철학자도 상인도 농부도 군인도 학생도 모두 각자 자기에게 맞는 직업전선에서 활약하면서 자나깨나 언제 어디서나 자기자신을 깨쳐 보겠다는 자신을 믿는 신심만 있다면 누구나 다 '참다운 나'를 발견하는 동시에 우주만유의 근본진리를 증득할 것입니다. 설사 그렇지못하다 하더라도 종교적 신앙으로 위안이나 은혜만을 기원하고 있을 수는 없을 것입니다.

선이란 신앙을 요구하는 종교가 아니요 '깨달음', 즉 자기자신이 무엇인가 각성하는 법의 문門입니다. 그러므로 깨닫기 위한 수행참구법의 하나인 이 참선은 아무런 종교적 의례도 필요없고 모든 형식과 온갖 법칙에서 벗어난 가장 자유자재하고 대도무문大道無門 그대로의 무한무변한 밝은 길입니다.

만일 학생이 학생 자신을 모르고, 군인이 군인 자신을 모르고, 종교인이 종교인 자신을 모른다면, 학생인지 군인인지 종교인지 분별치 못할 것이며, 따라서 학생의 직분, 군인의 직책,

종교인의 본분을 어찌 알겠습니까? 학생은 학업에 열중하고 군인은 국가민족을 위하여 멸사봉공하고 종교인은 미혹한 사람들을 선도함으로써 자신들의 사명을 다할 것입니다.

참으로 인간이 인간 자신을 모른다면 인간으로써 마땅히 할 일을 모를 것이며 나아가 참 인간의 행위를 할 수 없을 것입니다. 일반적으로 '인간은 인간이지 무엇이냐'고 가볍게 말하지만, 문제는 그 인간이 도대체 어떤 존재냐 하는 것입니다. '인간' '사람' '나' 등 인간에 대해 객관적 학술적 이론으로 논할 것이 아니라, 좀 더 주관적인 실재인 나의 이 존재가 도대체 어떤 존재인가에 의문을 품어야만 합니다. '나라는 존재는 그저 나다.' 하면 되겠지만, 그러나 '나' 라는 내가 내 자신을 고찰해 볼 때 '유有냐, 무無냐?' 하는 것이 문제가 됩니다. 만약 유有라 하면 부정모혈父精母血로써 생겨났다고 하겠으나, 이 몸이 세상에 탄생하기 이전에는 아무런 존재도 없을 것이며, 또한 장차 이 몸이 노쇠하여 무너져서 무無가 되어 공으로 돌아갈 것이니, 유有라고는 할 수 없을 것입니다. 그렇다고 만약 무無라 하면 당장 이 글을 보고 있는 이 엄연한 존재의 실체를 부인할 수 없을 것이니, 이 갈등을 어떻게 해결해야 되겠습니까?

혹 어떤 사람은 이렇게 말합니다.

"우리의 사대육신四大六身이라는 것은 수십 종의 원소가 합하여 생성된 세포의 조직과 발달로 인하여 생존하다가 그 원소가 흩어져 본연으로 돌아갈 때 세포도 따라서 괴멸되나니, 그 근본물질은 새로 생하는 것도 아니요 또한 없어지는 것도 아니다. 다만 자연법칙에 의하여 물질에 몇 가지 원소가 합하여 잠깐 이 몸을 이룬 것뿐이다. 그러므로 이 사대육신이 나는 아니다. 나라는 것은 불생불멸하는 영원한 것이다."

그러면 그 마음, 즉 정신은 어디서 왔으며 모양은 어떻게 생겼으며 빛깔은 어떠하며, 이 몸이 장차 없어지면 마음은 어디로 가겠습니까? 그보다도 지금 당장 그 마음이란 것은 대체 어디에 있습니까? 이것이 문제입니다. 만약 이것을 모른다면 마음, 즉 정신을 모를 것이요, 따라서 '나'라는 것도 모를 것입니다. 여하튼 앞에서 애기한 문제는 차치하더라도, 우선 마음이라는 것이 '있는가, 없는가?' 영혼이라는 것이 '있는가, 없는가?' 하는 것부터가 선결하지 않으면 안 될 문제입니다.

만일 마음이 없다면 현재 실존하는 '나'와 모순이 될 것이니, 더 말할 여지가 없을 것이며, 만일 있다면 그 실체를 알아보아야만 인간 그 자체를 깨닫게 되며, 따라서 인간으로서 할 일을 알게 될 것이요 또한 올바른 삶의 길을 걷게 될 것이 아니겠습니까?

그러므로 참선이라는 것은 죽어서 천당이나 지옥으로 가는 것보다도 살아서 밥 먹고 잠자고 움직이는 바로 이 물건을 구명究明하려는 것이며, 나아가 이것을 구명하면 자연적으로 자신의 갈 길을 명확히 깨닫게 되는 것입니다. 그리하여 천당이나 지옥을 가되 마치 어린아이가 엄마한테 이끌려서 시장에 가는 것과 같이 맹목적으로 가는 것이 아니라, 가는 그 자체를 앎으로써 누가 보내주어서 가고 보내주지 않아서 못 가는 것이 아니라는 것입니다.

　이와 같이 참선이란 완전한 자기자신을 깨닫는 동시에 인생의 대도大道, 즉 우주만유와 절대적인 진리를 증득하여 완전무구한 최상의 인격을 구비한 일체 무애인이 되는 것이 그 구경의 목적이며, 나아가서 사바세계의 중생을 깨우쳐 극락국토를 건설하는 것이 최대의 사명인 것입니다.

光德 (1927~1999)

1950년 동산스님을 은사로 득도
조계종 총무부장
1974년 조계종 종회 부의장
대각회 이사장
1975년 불광법회 창립
동국학원 이사

1
"놓아라"

어떤 사람이 장님을 업고 길을 갑니다. 가다 말고 장님에게 나뭇가지 하나를 잡혀주면서 "나뭇가지를 잘 붙잡고 있거라. 잠깐 용변을 보고 와야겠다. 그런데 조심해라. 발 밑은 천길이고 독사가 우글거린다. 절대로 나뭇가지를 놓아서는 안 된다." 그리고 그 옆에 과실나무에서 과실을 한 개 따서 입에 물려주면서 "시장하면 이것을 따서 먹어라."하고는 사라졌습니다.

조금 있자니까 팔이 아픕니다. 그러나 나뭇가지를 놓으면 천길에 독사가 우글거린다 하니까 팔이 아파도 매달려 있었습니다. 너무 아파서 그 사람의 이름을 불러 봐도 대답이 없습니다.

하는 수 없이 나무에 매달려서 고달픈 생활을 하고 삽니다. 그런데 하루는 지나가던 사람이 "왜 나뭇가지에 매달려서 고생을 합니까? 어서 내려오시오." 하지만 소용이 없습니다.

"어떻게 내려온단 말입니까? 발 밑이 천길만길 낭떠러지로 독사가 우글거리는데. 그리고 이 맛있는 과실을 놔두고 어떻게 내려온단 말이요."

지나가던 사람은 "그러면 내려와서 따먹으면 될 것 아닌가." 합니다. 그러나 그 밑은 독사가 우글거리는 천길 낭떠러지라는 생각 때문에 손을 쉽게 놓지 못합니다. 한손을 가만히 내려놨습니다. 그 다음 한손을 마저 놓으면 아주 내려오는 것인데 한손을 마저 놓지 못합니다. 끝끝내 한손을 마저 놓지 못하고 나무에 매달려 사는 사람이 되어버립니다.

그런데 사실 그 땅과 나무의 거리가 얼마인가. 손아귀 거리입니다. 손아귀만 놓아버리면 대지 위의 대장이 될 텐데 그것을 하지 못합니다. 어떤 집착을 놓는다고 하는 것은 진리의 대자유인이 될 수 있는 기본길입니다.

허공이 내가 허공 같다는 말을 하지 않습니다마는 우리 마음을 비유하기를 허공으로 생각해보면 좋겠습니다. 우리들이 생각을 허공 같다고 하는 것처럼 바로 허공 안에 우주가 건립되어 있고, 우주 그 안에 지구가 있다 하고 지구 가운데 만물이 실려 있습니다. 그러니까 허공이야말로 우리가 생각할 수 있는 가장 큰 것입니다.

　이 허공과 같은 큰마음이 본래의 마음인데 거기서 바깥의 허공 가운데 지구라든가 지구를 나라고 매달린다든가 태양을 나라고 매달린다든가 아니면 어떤 별을 나라고 매달린다든가 이렇게 그 허공 가운데 있는 어느 부분 하나를 붙잡아서 자기라고 매달릴 것 같으면 물론 자기가 아니고 자기를 잊어버리게 됩니다. 이것이 바로 착각입니다.

　그러나 고요한 깊은 마음에서 보면, 허공 같은 넓은 마음에서 보면 중간에 있다는 것, 크다는 것이 전부가 하나의 환과 같은 조그마한 부분적인 존재이며, 변화하는 그림자밖에 안 되는 존재들이라는 것을 알고 그것에 집착하지 않는 것입니다. 아울러 그런 것을 다 아는 고요한 마음, 이것이다 하는 마음에 더 집착하지 않는 것입니다.

　허공과 같은 맑고 투명한 무한의 마음이 본래의 마음이기 때문에 그런 상태가 되어야지 그렇지 아니하고 아무리 크다 하더라도 태양이다 뭐다 하고 그것을 자기로 삼았다가는 그것에 걸리는 것입니다. 조그마한 것에 자기를 매는 것과 같아서 장애물이 되는 것입니다. 여기 무지광명이라고 지각이 없는 밝음이라 했습니다만, 지知라고 하는 것을 통해서 감각하는 것을 각覺이라고 해서 지각이 없는 밝음, 이 말은 이 안에 있는 물건이 장애뿐만 아니라 그 장애가 없다고 하는 것을 지각하는 그것조차 없는 허공에서 허공이라는 것까지도 없는 완전 절대, 정말 청정을 말하는 것입니다.

무지광명無知光明. 지각이 없는 밝음. 완전무결한 순수한 진리본성을 무지광명이라고 했습니다. 일체 중생세계다 악도세계다 뭐다 하는 수많은 세계가 다 망상에서 나온 것입니다. 그러니까 망상이 다 끊어지니까 다 없어져 버렸다는 것입니다. 밝고 깨끗한 그 마음은 의지하지 않습니다. 일체 장애에도 걸리지 않고 걸리는 경계가 아무 상관 없습니다. 그러니까 그 상태에 머물게 되면 바로 이 번뇌망상 세계에서 살고 있든지, 어떤 세계에 머물러 있든지 어떤 마음을 가지고 살든지 몸과 마음 하나하나가 청정 진리성 그대로 통해 있는 것입니다. 그러기 때문에 종을 치면 종소리가 바깥으로 울려 나오는 것처럼 번뇌망상 세계, 온갖 잡세계 가운데에 머물러 있다 하더라도 열반 청정세계 번뇌가 하나도 없는 청정세계와 조금도 막히지 않습니다. 이것이 선나禪那의 기본입니다.

참선에서 화두는 근본적으로 고요한 데도 의지하지 아니하고 깨달은 경지에도 의지하지 아니하는 즉 말을 바꿔 하자면 우리의 생각으로 알 수 없는, 생각이 다 끊어진 상태, 허공이다 맑다 무한이다 하는 것도 생각입니다만 그 생각이 다 끊어진 상태 그것이 진리의 본모습이고 그 진리의 모습을 직접 파악하기 위해서는 내가 가지고 있는 생각, 온갖 생각들이 다 무너져 버려야 합니다.

　말하자면 육근六根, 육진六塵, 육식六識, 우리 생각 그것입니다. 감각세계와 감각의 대상이 되는 육진과 그 대상을 인식하는 육식, 십팔계十八界로 우리의 세계를 구성하고 있습니다. 누에고치처럼 그 속에 살고 있어서 보고 듣고 생각하고 아는 것, 그 지식이 전부 자기입니다.

　그런데 그것이 다 무너져야 화두를 안다는 것입니다. 그것이 다 무너져야 진리를 아는 것입니다. 허공이라는 생각마저도 무너져버려야 진짜 허공, 진짜 진리 무량경에 도달하게 되는 것입니다. 이렇게 해서 이 마음이 맑고 고요하고 무한한 청정을 성취하기 때문에 고요하고 참으로 편안해서 묘한 깨달음을 수순하는 것이 됩니다. 묘각수순, 진리 깨달음 그것을 그대로 자기가 받아쓰는 것이 되어서 열반상락, 적멸경계라고 하는 것입니다.

　적멸寂滅, 고요한 경계인데 고요한 경계라고 하면 번뇌가 다 끊어진 참으로 즐거운, 참으로 자유스러운, 참으로 무한절대를 성취한 대자유를 완성한 상태를 적멸경계라고 하는 것입니다. 그런데 이 자리는 자타신심, 나나 누구의 몸과 마음 생각 가지고는 미치지 못합니다. 생각 가지고는 안 된다는 것입니다. 이 근본진리 세계는 우리의 생각이 다 끊어져야 하는 것입니다.

2
믿음의 실천으로 전법하자

사람이 살아간다는 사실만큼 엄숙하고 진실한 것도 없습니다. 그것은 인간이 지니는 가치를 발휘하며 그것을 닦아가고 거기서 보람을 누리게 되는 것이기 때문입니다. 살아가는 데도 여러가지가 있습니다. 자기 한 몸을 위해서는 사는 사람으로부터 널리 이웃을 위해 사는 사람, 또는 나라와 이웃의 평화를 위하여 산다는 사람, 성자의 뜻으로 사는 사람에 이르기까지 여러 층이 있습니다. 어쩌면 생각없이 되는대로 막 사는 사람도 있다할지 모르지만 인간의 삶이 원래로 그렇게 막된 것이 아니기 때문에 그런 듯이 보여도 그 속에는 언제나 떳떳하게 희망을 키우고 살겠다는 삶의 목소리가 살아 있는 것입니다.

그런데 이 중에 불자의 삶은 어떤 것일가요? 가장 자각적自覺的이며, 가장 진실한 생명의 삶입니다. 생명의 진실가 청정과 생명의 크기와 넓고 따뜻함을 살고 있는 것입니다. 그것은 자기 생명속에 끊임없이 비쳐오는 부처님의 은혜로운 광명을 받으면서 그의 생명의 길을 용감히 활발하게 나아가는 사람일 것입니다. 불보살의 행적에 자신을 비추어 보며 자신을 점검하고 끊임없는 불보살의 위신력을 생명의 밑바닥에서 의식하며 살아가고 있는 것입니다. 거기에는 영원의 광명과 성취와 환희가 있을 뿐입니다. 이것은 불자의 모든 생각과 행으로 나타납니다. 말과 행과 그리고 말없는 분위기로서 펴가는 것입니다. 이렇기 때문에 불자가 있는 곳에 개인과 사회와 국가에 광명이 있다 하는 것이며, 세계에 평화와 질서가 있다고 하는 것입니다.

이와같이 불자는 온 몸으로 또는 존재 자체로서 주위에 진실을 뿌리는 자입니다. 따뜻한 우정과 진실한 지혜와 뜨거운 용기를 모두에게 주는 것입니다. 사회와 역사에 방향을 주고 인간을 건져내는 것입니다. 그렇기에 〈보현행원품〉에는 "병자에게는 어진 의원이 되고, 길 잃은 이에게는 바른 길을 가르키고, 어두운 밤중에는 광명이 되며, 가난한 이에게는 기리 보배를 얻게 한다." 하였습니다.

불자의 모든 행은 그것이 법을 행함이며 법을 전함이 됩니다. 지혜를 행하고 자비를 행하며 진실한 생명을 사는 것입니다. 만약 불자의 이와 같은 밝고 따뜻하고 슬기로운 행을 통한 전법傳法이 없다면 그것을 무엇이라 할까요? 그것은 자신의 밝음과 따뜻함과 슬기로움과 용기와 그 밖의 모든 덕성을 스스로 외면한 것이 됩니다. 불자는 마땅히 부처님의 법을 전하여야 하며, 법을 설하여야 하며, 법을 증명하여야 하는 것입니다. 높은 이론, 깊은 지식보다 말없는 행으로써 우선 자기 가정에 밝고 따뜻한 부처님 공덕을 채워가야 할 것입니다. 직장과 사회 속에 높은 진리를 심는다기 보다 가까운 벗과 이웃에게 불법佛法의 진실과 환희를 심어가야 할 것입니다. 내가 있는 주변에서부터 말보다 실천으로 법을 심고 가꾸어 가야 할 것입니다.

전법은 말과 이론에 있지 않습니다. 따뜻한 마음씨와 밝은 표정과 친절한 말 한 마디 속에 있는 것입니다. 불자 한 사람은 한 개의 등불입니다. 스스로 밝아 자기 주변을 밝혀가야 합니다. 이래서 나의 집, 내고장, 나의 조국이 불법佛法으로 가득차게 하여 법에 의한 평화, 법에 의한 번영, 법에 의한 질서를 가꾸어 가야 할 것입니다.

우리 모두는 믿음의 생활 하나로서 한 사람 한 사람이 전법자傳法者가 되어야 합니다. 조국의 번영도 통일도 세계평화도 불자의 전법이 기초가 된다는 것을 우리는 잊어서는 안됩니다.

오늘의 현실에서 우리 불자는 무엇을 하고 있습니까. 스스로 물어 볼 때 새삼 부끄러움을 금할 길 없습니다. 그리고 생활로써 법을 전하고, 존재로서 불법佛法을 증명하여 조국과 세계 평화의 기초가 되는 우리 책임을 다시 확인해 봅시다.

3
기도성취의 원리

인생을 살아가자면 뜻대로 이루어지는 것도 있고 그렇지 못한 것도 있습니다. 뿐만 아니라, 뜻하지 아니한 재난도 닥쳐 옵니다. 그러니 인생을 산다는 것이 희망과 기쁨의 삶이라기 보다 불안한 삶이라고 하는 것이 범부세계의 솔직한 심정인지도 모릅니다. 이러한 어려움과 불안 속에서 평안과 희망을 가꾸어 가고 성취의 길로 나아가는 밝은 길은 없을까요? 만약 그런 것이 있다면, 우리의 인생은 사뭇 달라질 것입니다. 말하자면 고난이 닥쳐와도 그것을 이기고 희망을 세워 하나하나 성취해 가는 기쁨이 있기 때문입니다. 불교에 있어 기도는 확실히 인생을 바꾸는 기술입니다. 범부인생에게 따르게 마련인 불안과 고난을 이겨내는 것입니다.

유한有限과 장애와 불안에 찬 인생을 밝고 희망찬 성취로 바꾸게 되는 것은 그 원리가 어디에 있는 것일까요? 그것은 일체 성취의 대진리가 부여되고 우리에게서 그것이 피어나기 때문입니다. 일체 성취의 대진리란 무엇일까요? 그것은 부처님이

시며, 법성이며, 진여며, 불성이며, 부처님의 진리 광명인 것입니다. 부처님의 진리 광명이란 어떤 것입니까?

그것은 어떠 어떠하다고 말하여 한정 지을 수 없는 무한無限의 것이며, 얼마만 하다고 규정할 수 없는 무진장의 위덕입니다. 자비와 지혜와 창조의 위신력이 무한정으로 넘쳐나고 있는 것입니다. 이것을 부처님 공덕이라고도 합니다. 이 공덕은 누구에게나 어느 곳에서나 항상 무진장인 채로 우리의 생명 깊이 뒷바침되고 있는 것입니다.

다시 말하면 부처님은 사람에 차별없이 언제나 끝없는 지혜와 자비와 원만한 조화를 위신력으로 우리를 감싸고 있는 것입니다. 이와같은 부처님 공덕이 우리 범부성凡夫性 위에 드러날 때 인생에 평화화 성취와 안락이 있는 것입니다. 기도는 바로 부처님의 무량공덕을 자신에게 구현하는 대도大道입니다.

부처님의 일체성취의 진리(마하반야바라밀)가 우리 생명을 뒷받침하고 있건만 우리에게는 불안과 고난이 있게 되는 이유는 다름이 아닙니다. 우리들 자신이 부처님의 공덕바다를 믿지 아니하고 망념妄念을 일으켜 나타나는 것이 가로막기 때문입니다. 그러므로 부처님 공덕이 자신에게 구현하는 기도를 성취하자면,

첫째로 부처님의 무한 공덕과 무한 자비를 믿고 그것이 자신

에게 뒷받침 되고 있다는 사실을 굳게 믿어야 합니다.

둘째로는 기원하는 바가 순수하고 부처님 진리에 부합되는 것이어야 하며, 그런 기도 일념一念이 명확하게 현전하여야 합니다.

그 이유는 일체만유는 마음으로 이루는 것, 곧 일체유심조一切唯心造이기 때문입니다. 마음에서 이루어지지 않는 것이 우리의 현실 차원에 이룩될 수는 없습니다. 마음에서 부처님의 공덕을 깊이 믿고 긍정하며 구하는 바가 부처님 공덕세계의 진리와 부합되는 것이어야 합니다. 그리고 그러한 믿음과 원願이 자신 속에서 원만히 성취되는 것을 확신하고, 그것이 마음속에서 분명 확정되어야 하는 것입니다. 거듭 말해서 마음에서 이루어진 것이 이루어지고 분명하게 긍정하는 것이 구체적으로 현전한다는 것이 기도 성취의 논리인 것입니다.

위에 말한 바와 같이 부처님의 자비공덕의 구현이 기도이므로 기도를 성취하자면 몇가지 유의할 점이 있습니다.

첫째는 원하는 바가 진실하여야 합니다. 병든 자라면 건강을 원할 것이요, 복 받기 위하여 돈을 구하거나 어떤 사람을 만나기를 원하는 따위는 진실한 원이 될 수 없습니다. 원하는 바는 일체중생을 대진리로 성숙시키고자 하는 부처님의 큰 자비와 청정질서에서 맞는 것이어야 하는 것입니다.

둘째로 다른 사람과 경쟁 대립 의식을 갖거나 미워하는 마음을 가져서는 안됩니다. 부처님의 진리 세계에서는 대립도 미움도 없는 것이기 때문입니다.

셋째, 다른 사람에게 이익이 되고 세상에 도움을 주는 것이어야 하고, 자신의 향상과 발전을 가져오는 것이어야 합니다. 진리는 개인의 향상과 조화있는 사회의 발전을 추구하고 있기 때문입니다. 그러므로 남의 자유를 속박하거나 다른 사람에게 손해를 주는 일이나, 타인의 희생을 가져오는 기도는 있을 수 없는 것입니다.

넷째, 끊임없이 기도를 계속해야 합니다. 자주 중단하고 마음이 바뀌는 기도는 성취하기 어렵습니다. 일과를 정하여 조석으로 염불 독경한다든가 그밖에 일상시에도 끊임없이 기도심이 계속되어야 합니다.

다섯째는 참된 기도는 원을 발하였을 때 이미 진리세계에서 그것이 받아들여지고 기도성취의 싹이 완성된 것을 알아야 합니다. 다시 말하면 원을 발했을 때, 부처님께서 다 받아 주시고 은혜를 주시고 있음을 분명히 믿고 감사하는 마음이 있어야 합니다.

여섯째는, 3일이나 혹은 3, 7일이나 기간을 정한 기도에서 기도가 끝나자 금시 발복發福하기를 기대하여서는 아니됩니다. 기도는 시작과 동시에 성취된 것이며, 그것이 우리 현상위에 구체적으로 나타나자면 시간과 과정이 따른다는 사실을 믿어야 합니다.

그러므로 기도 즉시 현실적 성취가 있기도 하고, 기도 도중이나 얼마간 시간이 경과한 후에 뚜렷한 성취현상이 있기도 합니다. 또 기도에 의한 은혜로운 감응은 이것이 처음부터 큰 성취로 나타나기도 하지만 때로는 일상생활의 작은 일로부터 서서히 성취의 실마리가 풀려가기도 하는 것을 알고 있어야 합니다.

위에 열거한 몇가지 주의사항을 지키지 않을 때 기도는 성취되기 어려운 것입니다. 또한 눈앞에 닥쳐온 광명이라도 눈을 뜨려 하지 않거나 어두운 골방에 쳐박혀 있는 사람에게는 밝음이 될 수 없는 것입니다.

그밖에 몇가지 방해요인을 생각해 보면 첫째는 부처님의 자비하신 공덕세계를 믿지 아니하고 현상의 고난과 혼란에만 집착하면 안됩니다. 기도하는 사람의 마음은 항상 부처님의 은혜로운 세계를 확신하고 믿는 마음이어야 합니다.

둘째로는 자기의 기도가 상식으로 보아 되기 어렵다던가, 비합리적인 기도라던가, 세간 방법으로 할 수 없으니 기도라도 해보겠다던가 하는 마음이어서는 기도는 성취되기 어렵습니다.

셋째는 자신이 부처님의 자비하신 가호를 입고 있는 불자라는 생각을 가져야 합니다. 모든 중생을 안락하게 하고, 불법을 깨닫게 하며, 온 법계에 부처님 광명이 충만케 하는 원을 가진 불자라는 확신이 있어야 합니다.

 그와 반대로 자신은 죄인이라던가, 박복한 자라던가, 사주팔자가 기구한 자라던가, 신수身數가 불길하여 재난이 올지 모른다는 공포 의식이 있어서는 아니됩니다. 허물이 있으면 참회하고 참회하면 청정해지는 것입니다. 청정한 마음에서 큰 원을 발하고 끊임없이 기도하여야 합니다.

4

무엇이 광명을 가리는가?

　철철 흐르는 유월의 신록 그 위에 태양은 눈부시게 부서집니다. 대지大地는 온 생명을 싣고 왕성히 성장합니다. 시냇물은 생명의 환희를 소리 높여 부릅니다. 만상은 이와같이 밝음과 환희와 팽팽한 생명력이 약동하고 있는 것입니다. 물론 자연만이 그런 것이 아닙니다. 그 속의 인간도 또한 자연이며, 온 인간의 생명이 또한 그렇게 태양의 평화를, 생명의 영광을 향하여 왕성하게 너울치고 있는 것입니다.
　자연계가 그렇고 인간의 진면목眞面目이 그런 것인데 그렇지 않은 사람이 있으니 그것은 어떤 사람일까요?
　태양이 아무리 찬란하게 빛나더라도 세상이 아무리 환희와 영광이 넘치더라도 스스로 눈을 가리고 어두운 장막으로 스스로를 휘감고 있는 사람이 있다면 그에게는 천지가 어둠일뿐입니다. 어둠과 질식할 듯한 생활여건이 그를 감쌉니다. 한숨과 탄식과 슬픔과 고뇌가 그의 가슴 속을 가득 채웁니다.
　그와 같이 이 땅은 부처님의 충만한 은혜로 빛나고, 모든 인간이 무한한 생명의 공덕을 무진장으로 간직하며, 대보살의 자비하신 광명이 끝없이 그에게 부어지더라도, 이를 불신하고 스스로 마음을 어둡게 하고 있는 자에게는 어둔 장막 앞에 외로이 서 있는 그 임을 어찌할 수 없습니다.

어떠한 것이 생명의 환희와 공덕의 물결을 차단하고 어두운 장막 속에 자기를 두게 하는 것일까요?

첫째는 어리석은 고집으로 불법佛法을 믿지 않는 것입니다. 그는 찬란한 태양 아래 스스로 눈을 감고 있는 자입니다.

둘째는 실망하고 좌절하며 인생의 미래에 대하여 회의적 절망적 생각을 가지는 것입니다. 그는 스스로 자기 앞길을 한정하고 어둡게 만듭니다.

셋째는 우울하고 불안한 생각입니다. 지나간 일에 얽매이고 오지 않는 미래에 대하여 오늘 불안을 느끼며 현실적 일을 당하여 자신을 잃는 사람은 자기 광명과 생명의 공덕을 스스로 포기한 자입니다.

넷째는 불평불만을 품고 이웃과 대립하며 갈등하는 생활입니다. 그는 함께 서 있는 생활의 터전을 턱없이 교란하고 고통을 자처하는 것입니다.

다섯째는 그릇된 사상에 물들은 사람입니다. 유물주의唯物主義에 육체주의에, 또는 퇴폐적 향락주의에, 또는 비관적 세계관에 물든 자입니다. 이는 사상이라는 탁하고 독한 안개를 마시고서 착각을 일으킨 자입니다. 채체로 범부들은 이와같이 하여 생명의 밝음을 잃고 생활의 희망과 용기를 잃습니다.

내가 살아있는 생명임을 의심하지 않는다면 마땅히 눈부신 태양을 우러러 보고 철철 흐르는 6월의 신록에서 나의 생명의 충만한 기운을 다시 읽어야 할 것입니다. 넘치는 희망과 용기, 끝없는 밝음과 싱싱한 활기, 무조건의 자비와 일체와의 조화, 영원히 밝고 영원한 행복의 창조자인 우리 자신의 참면목을 잃지 말아야 할 것입니다. 그리하여 감사와 밝고 평화로운 얼굴로 생명의 진실과 환희를 발휘하고 누려야 할 것입니다.

햇빛이 닿지 않는 곳에서 이루어지는 것이 무엇일까요? 어둡고 침침한 곳에서 생명이 자랄 수 없는 것입니다. 만물은 밝은 데서 성장합니다. 생명은 밝은 것을 향하여 성장합니다. 생명은 밝은 것이므로 밝은 환경에서 자기 발휘를 하는 것입니다.

사람에게 있어 그 생명을 키울 밝은 빛은 무엇일까요? 그것은 긍정이요, 창찬입니다. 긍정에서 마음이 열리고 길이 열리고 힘이 발동합니다. 칭찬에서 지혜가 나고 용기가 나고, 성취가 있습니다. 사람에게 있어 칭찬과 긍정은 식물에 있어 햇빛과도 같습니다. 부드러운 햇빛이 만물을 키우듯이 칭찬과 긍정이 생명을 키우고 지혜의 문을 열며 용기의 샘을 솟구치게 하는 것입니다.

특히 어린이의 경우 그는 밥을 먹고 큰다기 보다 칭찬의 햇살을 먹고 크는 것입니다. 능력을 긍정하는 품 안에서는 어린이는 그 지혜와 능력과 덕성이 성장해 갑니다. 꾸지람도 위압도 회초리도 결코 어린이의 숨은 지혜, 숨은 능력, 숨은 아름다움을 드러내지 못합니다. 거기에는 오직 칭찬의 햇살이 있을 뿐입니다. 긍정의 품안에서 어린이는 참으로 성장하는 것입니다.

가정의 행복도 마찬가지입니다. 끊임없는 신뢰와 긍정과 칭찬의 말이 가정에 따뜻한 햇살과 포근한 안락을 끌어모음니다. 비판이나 이론이나 거친 말에서는 가정의 행복은 바닥부터 금이 갑니다. 찬바람이 불어오고 단란한 가정에 대립과 불신이 스며듭니다. 불안과 어둠이 찾아듭니다. 그런 곳에서 결코 행복이 담겨 질 수 없고 밝은 생명이 자랄 수 없는 것입니다. 어찌 지혜와 힘과 행복을 키울 터전의 구실을 할 수 있겠습니까.

이 점은 친구 사이도 마찬가지이고 직장 환경에서도 마찬가지입니다. 결점과 잘못한 점만을 들추어 내고 날카로운 비판의 화살이 부어지는 곳에서는 우애와 협동과 남김없는 저력의 발휘를 기대할 수 없습니다. 우정은 금이 가고 직장은 조약돌의 모임이 되고 조직을 통한 공동의 성과 추구는 기대할 수 없게 됩니다.

그것은 왜 그럴까요? 인간 생명은 원래 부터 밝은 것이기 때문입니다. 부정은 생명의 밝은 빛을 가리는 것이고 긍정과 칭찬은 생명이 지닌 권리의 햇살을 활짝 열기 때문입니다.

생명은 원래로 끝없는 지혜와 자비와 능력이 바다처럼 풍성히 너울되고 있습니다. 이것은 사람따라 차별이 있는 것이 아닙니다. 그러한 생명의 진리를 몰각하고 은폐하고 억제하기 때문에 표현상 차별을 보이지 않는 것이지만 실로 그 생명 본 바탕에는 여래如來의 공덕바다가 너울치고 있는 것입니다. 이러한 생명의 참모습을 은폐하고 부정하고 억제하므로써 인간과 세상은 어둠과 불안과 불행이 찾아듭니다. 우리는 모름지기 우리의 본 성품을 은폐하고 억압하고 있는 모든 요인을 쳐 없애야 합니다. 이것이 창찬이며 긍정입니다. 칭찬과 긍정에서 따뜻한 햇살은 더욱 밝고, 부정과 불평 불만에서 어둠과 불안과 압력과 퇴보는 깃드는 것입니다.

언어는 신비한 위력이 있습니다. 긍정적 · 적극적 · 낙관적 · 성취적 언어에서 진리의 문을 열고, 성공의 문을 열고, 발전의 문을 열어 줍니다. '참 말' 만을 씁시다. 자신에게는 긍정을, 모든 사람에게는 칭찬을, 사회와 국가에는 발전과 영광을 언제나 생각하고 신념 담긴 말로 나타냅시다. 그리고 소극, 비관, 불평, 실패, 원망, 증오 등 일체 악독한 말을 몰아내어야 할 것입니다.

5
불국의 문을 열자

　현대는 과학기술의 발달로 놀라운 사회변화를 이룩하고 있습니다. 그 중에서 특징적인 것은 아무래도 대량생산 체제와 배금주의라 하겠습니다. 과학기술의 발달로 생산이 증대되고 많은 한계의 벽을 헐고 풍요를 이룩하게 되니 그 동안의 결핍과 불편이 적지 아니하게 극복되었습니다. 많은 생산과 많은 소득을 올리는 것이 많은 행복이고 가치라고 생각하게도 되었습니다. 그래서 대량생산을 통한 결핍의 극복과 생산 코스트의 절감을 통한 경쟁사회의 기술은 어차피 온 사회를 하나의 거대한 생산기계로 만들고 말았습니다. 사회전체가 거대한 생산기계이고 생산체제이며 고도의 능률화를 향하여 숨 돌릴 사이 없이 내어닫을 수 밖에 없게 되었습니다. 이런 속에서 배금주의는 싹트고 인간의 소외현상은 두드러지며 인간의 내면에 짙은 고독과 허무의 안개가 깔려가기 시작하였습니다.
　요사이 식자들 간에는 풍요속의 빈곤이라는 말이 나도는 것을 봅니다. 이 말은 경제적 고도성장 속에서 분배의 평형을 잃은 위험을 지적하는 말이지만 그보다도 필자는 그 말이 다른 의미로 크게 느껴오는 것을 지적하고자 합니다. 딴 게 아니라 사회적 생산은 방대하고 물질적 환경조건은 풍요해졌어도 인간의 가슴 속에는 고독과 불안과 빈곤이 자리하고 있는 점입니다. 외적 성취가 자신의 내면에 정착하여 그것이 내부생명의 만족스런 표현으로 결실하는데 무엇인가 결함이 있는 것입니다. 그것은 인간이 물질적 획득과 감각적 충족을 향하여 밖으로 밖으로만 내어닫은 결과 자아 속에 형성된 커다란 공동空洞지대를 의식하게 되기 때문입니다. 조직속의 개체이며 종속적 존재였던 인간이 소외를 의식하고 자신의 생명 깊숙히 퍼져 있는 허무의 그림자를 보게 되었습니다. 이것은 현대인에게 가장 큰 비극이 아닐 수 없습니다. 그것은 자기 자신에 대한 무지와 참된 자아충족을 위하여는 아무 것도 할 수 없는 현대인의 비극적 빈곤입니다.

이것은 인간이 자신을 미혹한 근본상황에 연유하는 것이지만 이 점에 대하여 만고불멸의 사자후는 역시 부처님을 빼고는 없습니다.

부처님께서는 스스로 인간의 참면목을 사무쳐 보시고 이것이 최상, 무비無比, 궁극, 절대의 실존임을 밝힘으로서 중생들과 미망의 구름을 단번에 깨어버리고 만인에게 영겁불멸의 충만한 광명을 채워주었던 것입니다. 이것은 부처님의 오도悟道

의 제일성第一聲에서 가장 잘 나타나 있습니다.

일체중생이 원래 완전무결한 "절대권리의 실현"이라는 사실의 천명闡明은 바로 인간을 덮은 영겁의 악몽을 깨어버리고 이른바 무한청풍無限淸風을 열어 준 것입니다. 현대인은 이 대담 솔직한 진리의 선언을 모르고 있습니다. 현대인은 머트러운 지견으로 인한 불안의 늪을 벗어나 부처님의 커다란 인간평원으로 돌아와야 할 것입니다.

부처님께서 열어주신 영원한 인간복지人間福地는 닦아서 얻어지는 것이 아니라 의심하지 않는데서 얻어집니다. 그것은 이미 주어진 것이기 때문입니다. 우리는 자신이 육체와 정신을 넘어선 부처님의 공덕인 것을 믿고 감사하고 그것을 경건하게 온전히 내어쓰는데 힘써야 할 것입니다.

세계가 물질환경이 풍요해졌다고 해도 인간이 인간답게 살 수 있는 복지가 없다고들 아우성입니다. 이 때에 부처님의 가르침에서 참된 인간관을 확립하여 인간이 역사와 우주의 중심에 서서 주체적 무한 창조를 전개하는 인간권위를 발휘하여야 할 것을 배워야 하겠습니다.

불교 믿는 사람이라면 누구나 불국佛國을 생각해 보았을 것입니다. 〈아미타경〉을 읽고는 극락세계를 생각하고 조사祖師 법문을 듣고는 이 땅위 불국을 생각하였을 것입니다. 청정한 자기 성품에서 부처님을 보고 청정한 마음에서 불국을 보며, 청정한 마음광명에서부터 부처님의 자재하신 신력과 불국의 장엄을 생각하였을 것입니다. 흔히들 장차 오는 세상에 불국을 이룩하고 불국에서 태어날 것을 생각하기도 하겠지만 개중에는 오늘 이 땅 위에 불국의 평화·번영·질서를 이룩할 것을 생각하는 이도 있을 것입니다. 원래 종교는 미래지향적이지만, 그것은 지금 당장의 한 걸음에서 부터 실현해 가는 현실성이 있습니다.

불교를 비판하는 사람 가운데는 불교는 미래의 완성만을 생각하고 오늘의 개혁의지가 없다고 지탄합니다. 오늘의 안이한 긍정과 현실도피적 관념으로 현실을 외면하고 겁약怯弱을 위장한다고 합니다. 그러나 부정과 도전과 개혁 주장만이 불국건설의 길은 아닌 것입니다.

석가모니 부처님은 이 땅에 진리의 빛으로 오셨습니다. 이 땅은 부처님의 빛이 가득히 비치고 그 공덕이 성숙된 땅입니다. 부처님은 영원하시고 난生 바 없으시고 다시 멸滅한 바 없으시며 영겁한 진리로 자재하십니다. 부처님이 계시니 그곳이 불국토가 아닙니까. 우리는 장차 이룩할 것을 떠들어대기에 앞서 이미 결국 위에 와 있음을 생각하여야 할 것입니다. 환경을 개혁하고 사회를 개혁하며 역사를 개혁한다고 떠드는 우리 자신이 서 있는 땅을 바로 알고, 그 땅의 진리에 충실할 것을 배워야 할 것입니다. 환경을 개혁하고 사회를 개혁한다고 떠들어 대는 것도 좋습니다. 그러나 그에 앞서 참 자기를 돌이켜 보아 참된 삶을 열어가는 것이 개혁의 첫발이라는 말입니다.

　부처님의 지혜의 말씀은 우리는 지금 지옥에 살고 있지 않고 아귀도에 살고 있지도 않으며 수라도에 살고 있지도 않습니다. 법성法性의 진리 위에 살고 있는 것입니다. 거기에는 미워할 자가 없습니다. 모두가 존경받고 서로가 은혜를 주며 모두가 부처님 공덕으로 사는 사람들 뿐입니다. 거기엔 못난 자가 없습니다. 부처님 진리를 자기 생명으로 하고 그 위력을 자기 광명으로 쓰는 사람들만이 있습니다. 거기는 대립될 자가 없습니다. 모두가 한 몸으로 엉키고 진리의 체온으로 따뜻이 엉켜있는 서로의 사이입니다. 거기엔 어둠이 없습니다. 절망이 없습니다. 허망이 없습니다. 끝없는 희망과 지혜와 용기와 위덕을 펴갈 뿐입니다. 영겁으로 터진 밝은 미래는 무한의 번영과 영광만을 약속합니다. 이곳이 우리가 살고 있는 땅입니다. 우리는 모름지기 이 땅에 충실하고 이 생명에 순수하여야 할 것입니다. 기쁨과 번영과 승리의 물결은 여기서부터 흘러 나가는 것입니다.

　우리는 우리가 지닌 이 땅을 몰각沒却하고 이상의 구름을 향하여 엉뚱한 계교를 짜고 있지나 않습니까. 탐심과 대립과 증오를 품고 있지는 않습니까. 사회 정의를 실현하고 밝은 사회를 이룩한다는 명목 아래 투쟁과 분노의 불길에 섶을 던지고 있지는 않습니까. 만약 그렇다면 결코 불국과는 멀어집니다. 기름을 부으며 아무리 소리쳐 봐야 불길은 잡히지 않을 것입니다.

오늘을 당하여 우리는 아귀도나 아수라계에 있지 않다는 사실을 명실하여야 하겠습니다. 그리고 불국에 살고 있다는 확신과 긍지를 새로히 하여야 하겠습니다. 그리고서 순간순간을 법성法性 진리로서 생명을 데워가고 온 이웃, 온 형제, 온 국토 위에 법성진리의 광명이 찬란히 빛나고 있음에 환희와 감사로 합장하여야 하겠습니다. 그리하여 불자의 영광된 한걸음을 새롭게 다져가야 할 것이 아니겠습니까? 우리는 불국佛國의 개척자인 것입니다.

清霞 (1927~)

1946년 통도사 월하스님을 은사로 득도
1967년 통도사 주지
1972년 홍콩 홍법원 설립
1988년 통도사 영축총림 부방장
1994년 조계종 원로회의 의원

주인공을 찾으라

　부처님의 49년 설법의 중요한 깨달음의 진리를 마하가섭에게 전하고 달마가 동쪽으로 옴으로 인하여 중국의 선종禪宗을 융성케 하였으며 우리 동토東土에 전파되어 조계의 맥이 흐르게 되었으니 이러한 열반묘심의 정법안장正法眼藏은 일체중생의 안심입명처를 가리킴을 생명으로 하는 것입니다.
　이러한 안심입명처에 들어가는 방법으로는 모든 번뇌를 조복시키고 억천만겁에 흐르는 윤회의 굴레에서 벗어나는 것입니다. 또한 발심수행하여 각오覺悟에 의해 안심입명의 자리에 안립安立하고자 명세하여 참구하는 것이 오늘 동안거의 대서원이며 대정진입니다.

  육조스님이 말씀하시길

"유일물有一物하니 절명상絶名相이라. 무두무미無頭無尾어니 상부득相不得 명부득名不得이로다. 시부득자是不得者 시심마是甚麽오.

  모든 대중은 이 도리를 얻기 위하여 1700공안이 있어 각자가 깨달아야 하며 깨닫지 못하면 그 공안도 휴지나 다를 바 없습니다.

  오직 각자가 자기와 싸워 마음 가운데 있는 번뇌의 마구니를 부숴 버리고 조복받아 조어사調御士가 되어야 합니다. 이 번뇌를 조복받지 못하면 육도윤회의 굴레에서 억천만겁으로 전전이 흘러 생사유전을 면치 못할 것입니다.

  그러므로 우리 모두는 이 몸의 형상이 있을 때 부지런히 수행득도해서 안심입명처를 찾아야 하는 것입니다.

  실상묘법實相妙法의 안심입명처 자리는 지혜있는 자들은 문이 저절로 열리기를 기다릴 것이 아니라 맹수가 뛰쳐나가듯이 문을 박차고 뛰쳐서 새벽 닭이 울기를 기다리지 말아야 할 것입니다.

  '대도大道는 무문無門이라' 하였습니다. 도에 드는 인연은 정해진 문으로 들어오는 것이 아닙니다. 그러므로 닭우는 소리를 기다리는 것은 때가 아닙니다. 때를 기다리는 것은 어리석은 범부의 속된 짓입니다. 바로 이 자리에서 닭우는 소리가 나야 합니다.

　행주좌와行住座臥 어묵동정語默動靜에 일상을 같이하는 주인공이 주인과 객으로 나뉘어 주인이 객을 모르고 객이 주인을 몰라 질서가 어긋나고 도리가 무너져서 전도몽상顚倒夢想의 삶을 살고 있는 중생에 머물고 마는 것입니다. 그러니 속히 그 주인공을 찾아야 합니다.

菩成 (1928~현재)

1945년 해인사에서 구산스님을 은사로 득도
통영 미래사, 중심사, 송광사 주지
1994년 조계종 단일수계산림 증사, 유나
조계총림 율주
1997년 조계종 원로회의 의원
송광사 조계총림 방장(현재)

고삐를 당겨라

"우리가 숨 한 번 내 쉬고 들이 쉬지 못하면 어떻게 됩니까? 곧 세상과 이별합니다. 숨 한 번 내쉬는 것만 보아도 그 사람의 현재심現在心을 알 수 있는 법입니다.

오늘은 조계총림의 목우가풍牧牛家風을 이야기 해 볼까 합니다. 보조국사 지눌 스님은 소처럼 묵묵하게 거닐지만 눈은 호랑이 눈과 같았다고 합니다. 그래서 그 분을 일컬어 우행호시牛行虎視 목우자牧牛者라 했습니다.

보조국사 스님의 정신은 지금도 이 송광사는 물론 한국불교에 살아 숨쉬고 있습니다. 목우가풍! 글자 그대로 단순히 소 길들이는 게 아닙니다. 소가 어디 들녘의 풀만 먹습니까? 애써 농사지어 놓은 콩잎도 먹고 나락도 뜯어 먹습니다. 그래서 그냥 그대로 두어서는 되지 않습니다.

처음 소에게 풀을 먹일 때에도 고삐를 당겨야 하지만 밭으로 걸음하려는 소와 고삐도 당겨 멈추게 해야 합니다. 우리 자신도 스스로 고삐를 때때로 당기고 풀며 살아가야 합니다.

옛날 큰 스님의 정진 때와 지금의 수행을 비교해 보면 강도만 좀 다를 뿐 방법은 크게 다르지 않습니다. 다만 조계총림선원의 청규는 여느 총림 못지않게 엄격합니다. 포행중이라도 일주문 밖으로 발을 내밀면 바로 퇴방합니다.

수행자가 일상에서 지켜야 할 점은 꼭 수좌들에게만 해당하는 것은 아니지만 절대 저녁 공양을 많이 하지 말라 했습니다. 점심 공양 때 남은 음식으로 저녁 공양을 하라 했지요. 저녁에 배불러봐야 졸음만 올 뿐입니다. 사실 삼복더위 한낮에 수행하기란 그리 쉽지만은 않습니다.

산바람 선선한 저녁부터라도 가행정진 해야 할 터인데 이때 졸면 무슨 소용입니까? 우리는 남의 힘에 의지해 공부하고 있는 것입니다. 우리가 먹는 밥 한그릇의 쌀을 누가 주었습니까? 시줏돈 무서운 줄 모르고 졸면 도둑일 뿐입니다.

중국 당나라 승려인 백장百丈(720~814) 해회선사가 지은 백장청규란 것이 있는데 선종에서는 계율과 함께 엄격히 받들고 있습니다. 그래서 나는 최근에 밭을 좀 만들어 경작하고 있습니다. 농약 대신 절에서 나오는 순수한 거름을 사용합니다.

  처음엔 사중에서 불평도 이만저만이 아니었습니다. 왜? 힘 드니까요. 하루는 한 수좌가 와서는 '스님, 이렇게 밭농사 짓는 것 보다 시장에서 사다 먹는 게 경비면에서도 더 났습니다.' 하잖아요. 그래서 나는 '사 온 음식에 어떤 독이 있는지나 아느냐?'고 꾸짖었습니다.

  요즘 건강을 생각하는 사람들은 순수 농작물을 먹겠다고 많은 돈도 마다하지 않는데 절 집의 밭 놔두고 무엇때문에 원산지도 모르는 음식에 맛을 들인단 말입니까?

  그리고 농사를 지어봐야 농사짓는 법도 깨우치는 법입니다. 그 법도에도 부처님이 말씀하신 법이 고스란히 담겨 있습니다. 몸소 체험할 수 있는데 왜 마다합니까! 오늘날 불교계의 문제점 하나를 꼽아본다면 불교뿐만 아니라 종교계에는 돈이 너무 많아서 문제입니다. 물론 어렵게 사는 사암寺庵도 많습니다. 그러나 전체적으로 보면 부유한 경제로 인해 잃은 것이 너무 많습니다. 단도직입적으로 말하면 불교만 해도 사회에 회향할 줄 모릅니다.

  돈이 없는게 아니라 쓸 줄을 모른단 표현이 옳을 겁니다. 모든 종교는 이 돈 때문에 발전하지 못할 것입니다. 모두 정신차려야 합니다.

얼마전에 달라이라마 스님을 만난 적이 있습니다. 사진만 보아도 알 수 있지만 직접 만나보니 그 분이 왜 '자비의 화신'이라 불리는지 알겠더군요. 누구든 자기 자신을 함부로 내세울 수 없다는 진리를 다시금 새겨보았습니다.

우리는 늘 정치인에게 속았다, 기업인에게 속았다, 스승에게 속았다 하는데 사실은 자신에게 속은 것입니다. 자신의 이해득실에 따라 속고 속였다는 것 아닙니까? 나를 비우고 자신이 지금 어디에 서 있는지 알아야 합니다.

돈이면 다 해결되는 세상이 되었습니다. 어른들이 만들어 놓았고 사회가 그러하니 모두 그리 따라가지 않을 수 없을 것이고…… 그러나 돈이 쪼달리면 내 주장 하나도 제도로 펼 수 없습니다.

나는 스님들에게 성공은 못할지언정 정당한 패배자가 되라고 합니다. 스님들은 수행을 해야 제대로 된 힘을 키우는 것입니다. 재가자도 마찬가지입니다. 성공만을 위해 잔재주 부리면 안됩니다.

이 세상 누구든지 잔재주 부리는 사람에게는 일을 맡기지 않습니다. 정당한 패배자에게는 희망이 남아 있는 법입니다. 돈에 끄달려 잔재주만 부리다가는 희망이란 놈을 영원히 놓치고 말것입니다.

승속을 막론하고 부지런해야 합니다. 자존심 꺽고 나를 앞세우지 말아야 합니다. 이런 생각 사흘만 해 보아도 세상을 제대로 볼 수 있습니다. 저것은 내 것이다 하고 점찍어 놓은 순간 틀립니다. 내 손에 든 것 다 내려놓고 나를 비워야 합니다. 정견을 갖지 않고는 행동 하나 하나도 온전하게 할 수 없습니다. 그 행동 하나 하나에 업이 따라 다닙니다.

밭 한 평이라도 일구어 손수 농사를 짓고 수행하는 선농일치의 백장청규의 독특한 선풍에 귀를 기울여 볼 때 입니다.

〈화엄론〉에 "지혜가 맑으면 그림자도 맑다"고 했습니다. 스스로 고삐를 당겨 추스르며 자신이 서 있는 자리를 아는 그 사람이 진정 지혜로운 사람일 것입니다.

綠園 (1928~)

1941년 탄옹스님을 은사로 득도
1958~84년 직지사 주지
조계종 중앙종회 의장
동국대학교 재단 이사장
조계종 총무원장
조계종 원로회의 의원

1
불교란 무엇인가?

   불교는 한말로 요약하면 현실 속에서 삐뚠 마음無明으로 타락한 인간으로 하여금 본래의 마음自性을 일깨워 터득케 하고 본래의 자리에 되돌아 가서 인간다운 인간의 삶을 살도록 가르치는 것이며, 나아가 일체 중생과 화합하여 안녕과 복덕을 누릴 수 있는 사회를 이룩할 것을 호소하는 종교입니다.

   불타께서 보리수아래서 깨쳤다는 지혜 법도法道는 바로 그런 것입니다. 그런데 불교에서는 우리의 행·불행, 죄와 고苦를 받거나 선과 악을 짓게 되는 것은 인간을 초월한 신神이 하는 것도 운명이 하는 것도 아니고 오직 인간 자신이 하는 것으로 봅니다. 왜냐하면 일체가 신의 뜻에 달려 있고 또한 운명에 달려 있다고 보는 인간의 자유(가능성)가 말살되고 어떤 행위에 대해서도 책임이 없어지게 되어 무기물無機物로 격하되기 때문입니다. 그런 의미에서 불교는 인간 자력중심입니다.

법dharma이란 우주와 인생에 공통되는 어떤 진리가 있어서 이를 근거로 모든 것은 존재하고 움직여지는 것이니 이 진리를 깨달으신 분이 부처님인 것입니다.

부처님만이 이 진리를 깨치신 것이 아니라 모든 중생은 다 이와같은 진리를 깨칠 수 있고 자유인이 될 수 있다는 것입니다. 대 자유인이 될 수 있는 진리를 깨칠 수 있는 자신과 본래의 자유인이었던 자신을 되찾아 내려함이 불교인의 목표입니다.

그러므로 우리는 진리의 세계와 현재 인간들이 처해 있는 세계를 살펴보아야 합니다. 왜냐하면 불교의 우주와 인생관의 관계 문제는 피상적인 것이 아니라 철학적인 인과관계에 놓여있는 것입니다. 그 인과 관계라는 것은 일반적인 상식으로서 우주라는 존재는 한량없이 크고 넓으며 인생은 극히 적은 일부에 불과한 존재이기 때문에 우주가 본래 주인이요, 인생은 거기에 종속된 것 같이 보이겠지만 불교의 우주·인생관은 이 상식을 완전히 타파하는 정 반대의 이론입니다.

즉 우주는 신神이 창조한 것이 아니라 일체 유정有情이 다 같이 그 각자의 행위나 행동력에 의하여 이 우주와 인생이 동시에 창작되었다는 것입니다. 사람이 살기 위해서는 자기가 거주한 주택을 자기 자신의 생각과 힘으로 세우는 것과 같이 우리 인생에 있어 자기 주위 환경이 좋은 것도 자기 노력의 결과요, 이와 반대로 좋지 못한 환경을 가지게 되는 것도 오직 자기 자신에 그 책임이 있는 것입니다.

부처가 되는 것도 자기 자신의 생각 즉 자기 본래의 모양과 그 주위 환경을 각자의 자유의사에 의하여 변경할 수 있다는 것이 불교의 인생관입니다.

세계의 중심은 인생 각자의 자신이요, 일체 모든 것의 초점도 인생 각자의 자신이다. 우리 인생은 각자의 인격을 완성하기 위하여 노력해야 한다는 것이 인생에 부과된 문제라 하겠습니다.

철학자 니체는 '인간은 생각하는 동물'이라고 말했습니다. 참으로 인간은 묘한 존재이기에 간단히 해석 할 수는 없습니다. 우리들의 인생은 아무리 보아도 많은 모순을 가진 동물이며 모순의 존재, 그것이 인간이라 하겠습니다. 태어남과 죽음 사이로 시계추처럼 왔다 갔다 하는 인간을 해탈과 열반에 도달할 수 있는 현실면과 이상면을 파헤쳐 놓은 것이 바로 부처님의 첫 설법인 초전법륜인 사성제四聖諦인 것입니다.

사성제란 네가지 거룩한 진리 즉 고苦 · 집集 · 멸滅 · 도道입니다. 쉽게 말하면 인생은 괴롭다고 하는 것과 그 괴로움이 어디서 오는 것인가 하는 괴로움의 원인과 괴로움을 해탈하는 방법을 가르친 것이 곧 사제四諦의 진리입니다.

첫째 인생은 괴로운 것이라하여 고제苦諦를 말씀하셨는데 '인생살이는 고해苦海와 같다' 하는 것은 참으로 진리라 하겠습니다.

옛날 페르샤에 제밀이라 하는 왕이 있었습니다. 젊은 제밀왕은 즉위하자 곧 천하의 학자들을 불러 명하기를 '가장 정밀한 인류의 역사를 편찬하라' 고 했습니다. 왕명을 받은 많은 학자들은 열심히 인류역사의 편찬에 노력했습니다. 일년이 가고 십년의 긴 세월이 지나가도록 세계에서 가장 정밀한 인류사는 쉽게 되지 않았습니다. 근 50년의 세월이 흐른 후 겨우 써 내어놓은 그 인류사의 결론은 "사람이 나서 고생하다가 죽는다"는 것입니다.

사람은 태어나서 마침내 죽습니다. 세상에 나와서 죽어갈 때까지의 인간의 일생 그것이 필경은 괴로운 인생이 아니고 무엇이겠습니까. 작게는 개인. 크게는 사회 국가. 거기는 가지가지로 괴로움이 있고 번민이 있는 것입니다.

고뇌가 없다는 것은 거짓입니다. 번민이 없다는 것은 반성하는 마음이 부족하기 때문입니다. 괴로움에 부딪치기 싫어서 겁내어 비켜가는 것입니다. 〈법화경〉에 말씀하시기를 "삼계三界가 편안치 않음이 마치 불타는 집과 같으며, 여러가지 괴로움이 충만하니 심히 겁이 나고 두려움이라. 항상 생로병사의 우환이 있어 이와 같은 불꽃이 치열하여 쉬지 않거늘"이라고 하셨습니다. 우리들이 살고 있는 이 세상은 마치 불타오르고 있는 집과 같다고 하신 부처님의 말씀이야말로 귀중한 인간고人間苦를 격고 나신 뒤 경고의 말씀입니다.

"여래는 이미 삼계의 불타는 집을 다 여의고 고요히 임야에 처하니 이 삼계가 다 나의 둔 바요, 그 가운데 중생은 다 나의 자식이니 지금 이곳에 모든 환난患難이 많은지라, 오직 나 한사람이 능히 구함이라"

이 말씀은 부처님에 대한 끝없는 자비의 손길을 여기서 느끼게 됩니다. 참으로 '인생은 괴로운 것'이라고 하는 그 괴로움의 진리에 눈뜨는 것이야말로 종교로 향해 가는 첫걸음이 되는 것입니다.

둘째로 인생의 괴로움은 어디로 부터 오는 것이며, '왜 인생은 괴로운가' 하는 그 괴로움의 원인을 설명해 놓은 것이 집제集諦입니다. 불교에서 말하는 괴로움은 유물주의자 막스가 말하는 괴로움과 내용이 다릅니다. 막스가 말한 괴로움은 어디까지나 경제 생활의 괴로움이지 인간 전체의 괴로움은 아닌 것입니다. 그것은 인간 괴로움의 한 부분에 지나지 않습니다. 말하자면 '구해서 얻지 못하는 괴로움' 밖에는 아무것도 아닙니다. 그러니 그 괴로움의 내용은 어디까지나 물질이나 경제적인 것

녹원 스님

입니다. 다시 말하면 그 괴로움은 안에서 오는 것이 아니고 밖에서 오는 것입니다.

그러나 부처님께서는 이와 정반대의 입장에서 괴로움의 원인을 말씀하셨습니다. 〈중아함경〉에 '괴로움의 근본은 애착심으로부터 오는 것이니 현재의 애착심은 미래의 괴로움에 근본이 되는 줄 알지니라' 고 말씀하셨습니다.

괴로움의 원인은 욕심인 것입니다. 욕심이야말로 괴로움의 근본입니다. 그러나 욕심이 괴로움의 근본이라고 하더라도 우리는 무조건 그것을 인정할 수는 없습니다. 왜냐하면 욕심이 환락의 근원이 되기 때문입니다. 그리고보면 욕심이라든가 욕망 그 자체가 문제가 되는 것이 아니라 애착의 마음, 집착의 마음이 곧 괴로움의 원인이 되는 것입니다.

셋째로 불교의 이상理想 세계인 멸제滅諦입니다. 이는 갈애渴愛를 남김없이 멸하고 버리고 벗어나서 더이상 집착이 없는 원적圓寂 혹은 열반을 말합니다. 다시 말하면 인간고의 근본이 되어 있는 무명無明, 즉 진리의 세계를 알지 못하고 형상의 차별적인 여러 모양에 집착하여 현실 세계의 온갖 번뇌와 망상의 근본이 되는 것을 멸하여 없앤 것이 열반입니다. 〈잡아함경〉에

"탐욕도 영원히 그치고 성나는 것도 영원히 그치는 것이 열반이니라"

고 말씀하셨습니다. 우리가 온갖 죄와 고苦 그리고 숱한 불행

을 빚어내는 근원은 우리 스스로가 무명無明한 탓입니다. 무명이란 자기만 아는 탐·진·치 먹구름에 의하여 태양 같은 우리의 본래 마음이 가리워져 있기 때문입니다.

무명 때문에 숱한 죄와 고를 낳게하고 인간 자신의 실상을 바로 보지 못하게 합니다. 우리가 언제나 있을 것 같이 그렇게 집착하는 아我는 잠깐 동안의 시간적 과정의 생존에 불과한 것입니다.

끊임없이 변전하는 만유는 '제행무상이요, 제법무아' 한 것이어늘 그런데도 범부 중생은 아我가 언제나 있는 것으로 망상하고 그로 말미암아 무명이 치성해가는 것입니다.

죄와 고를 극복하는 길은 무명을 없애고 본래의 마음으로 되돌아 가서 차원 높은 새 삶에로 회심하여 새로운 인격의 지평地平에로 나아가는 것입니다.

넷째로 열반의 세계로 가는 방법을 말씀해 놓은 것이 도제道諦입니다. 열반의 세계로 가는 방법, 즉 괴로움을 없애는 길. 병고病苦의 고통을 제거하는 방법이 팔정도입니다.

정견正見 정사유正思惟 정어正語 정업正業 정명正命 정정진正精進 정념正念 정정正定의 바른 길을 통하여 치우치지 않는 한가운데의 길로 가야 열반에 이를 수 있는 것입니다.

〈전법륜경〉에 '열반으로 가려면 치우친 두길을 피하지 않으면 안되느니라. 그 하나는 쾌락에 빠지는 길이며 다른 하나는 고행에 몰두하는 길이니라. 고락苦樂의 두 끝을 떠난 한가운데 길이야 말로 실로 열반에 이르는 똑바른 길이니라' 하셨습니다. 과연 고락苦樂의 두 끝을 떠난 한가운데 길이야 말로 열반으로 가는 유일한 길입니다.

부처님께서는 영원히 존속할 이런 교훈을 주시었습니다.

"과거의 인연을 알고자 원하거든 현재의 결과를 보라. 미래의 결과를 알고자 원하거든 현재의 인과를 보라"

오늘을 살고 있는 인간이라 해서 단순한 오늘에만 그쳐서는 안될 것입니다. 오늘은 과거를 짊어지고, 미래를 안고 있는 것입니다. 오늘은 단순한 오늘이 아니라 영원한 오늘인 것입니다. 어제는 살았습니다. 오늘도 살고 있습니다. 내일도 살 것입니다. 살았었다는 것은 어제이며, 살것이다는 내일입니다. 참으로 살고 있는 것은 오늘인 것입니다. 어제의 나도 나이며, 오늘의 나도 나이며, 내일의 나도 나입니다.

그러나 오늘의 나도 어제의 나는 아닙니다. 내일의 나도 또한 오늘의 나는 아닙니다. 이렇듯 시간적으로는 오랜 과거로부터 영원한 미래 속에 걸쳐 그 한 지점을 점유한 나인 반면 공간적으로는 온 누리의 일부분인 나임을 잘 알아야 합니다. 그 속에서 괴로움의 세계를 벗어날 수 있도록 노력해야합니다.

2 마음밭을 가꾸자

　원효스님은 〈기신론起信論〉에서 중생이 깨닫지 못하기 때문에 가야할 길을 잃어버리고 물든 세계에서 온갖 허물과 고통의 바다에서 헤매고 있다고 하였습니다. 온갖 고통과 허물의 세계에서 벗어나는 길은 지혜, 즉 반야의 지혜로 모든 번뇌를 끊고 티없고 깨끗한 마음(청정심)을 되찾는 길입니다.

　마음은 나의 주인이요, 근본입니다. 마음이 물들고 거치러지면 인간은 불행하고 고통스러운 것이며, 마음이 티없이 깨끗하고 맑으면 항상 기쁘고 행복스러운 것입니다. 인간은 누구나 불행보다 행복을 원하고 있습니다. 행복은 인간의 선善중의 선이요, 목적중의 목적이요, 가치중의 가치요, 욕망 중의 욕망입니다. 행복은 만인萬人의 간절한 소원입니다. 행복을 원치 않는 사람은 이 세상에 아무도 없습니다. 우리는 행복하게 살아야 할 의무와 권리를 갖습니다. 그러나 세상에는 행복하게 사는 사람보다도 불행하게 사는 사람이 더 많은 것 같습니다. 왜 그럴까요?

우리의 마음 밭을 닦지 않고 버려놓았기 때문에 탐욕과 진심과 우치가 행복을 빼앗아 가버린 것입니다. 인간은 신앙을 통하여 수심修心과 용심用心을 배우고 이것을 통하여 메마른 마음을 기름진 옥토로 가꾸는 것입니다.

수심修心은 마음을 닦는 것이요, 용심用心은 마음을 쓰는 것입니다.

수심과 용심을 통하여 잃어버린 고향淸淨心을 찾는 것입니다.

우리는 삼독 번뇌로 박토가 된 마음밭을 부지런한 농부가 되어 수심修心과 용심用心으로 심전경작을 열심히 해야 하겠습니다.

경전에 보면 부처님과 바라문 바라드바자 사이에 밭갈이에 관한 이야기가 있습니다.

어느때 부처님께서 마가다국의 남산에 있는 한 바라문촌에 머물고 계셨습니다.

"오늘은 시간이 이르니 밭을 가는 바라드바자의 음식을 만드는 곳으로 가리라"고 하셨습니다. 그때 바라문은 오백자루의 보섭犁으로 밭을 갈며 이들을 위하여 음식을 장만했습니다.

부처님이 바루를 들고 그의 집으로 가셨을 때 그는 마침 음식을 나누어 주고 있었습니다. 음식을 받기 위해 한쪽에 서 있는 부처님을 보고 바라드바자가 말했습니다.

"사문 구담이여, 나는 이제 밭을 갈고 시를 뿌림으로써 음식을 먹습니다. 그러니 당신도 밭을 갈고 씨를 뿌린 후 그 다음에 음식을 잡수십시오"

"바라문이여, 나도 밭을 갈고 씨를 뿌린 다음에 먹습니다."

"나는 아직 사문구담이 쟁기질 하는 것을 보지 못했소. 당신이 밭을 간다는 것을 우리들이 알아 듣도록 말씀해 주십시오"

"신심信心은 종자種子요, 고행은 비며, 지혜는 내 멍에와 호미, 부끄러움은 괭이자루, 의지意志는 잡아 매는 줄이고, 정념正念은 내 호미날과 작대기라오. 몸을 근신하고 말을 조심하며, 음식을 절제하여 과식하지 않소. 진실로서 김을 매며, 온화한 성질은 내 멍에를 벗겨주오. 노력은 내 황소며 나를 안온의 경지로 실어다 주오. 물러남이 없이 앞으로 나아가 그곳에 이르면 근심 걱정이 없어지오. 내 밭갈이는 이렇게 이루어지고 감로의 과보를 가져오는 것이요.

이런 농사를 짓고나면 고뇌에서 풀려나게 되오"

이때에 바라문 바라드바자는 부처님께 말하기를

"밭을 가는 구담이시여! 지극히 밭을 잘 가는 구담이시여. 거룩하시나이다. 부처님과 바라문 바라드바자의 대화 속에 심경이 무엇이며, 또 심전경작을 어떻게 하는가를 알 수 있습니다.

밭을 가는 것을 농경이라고 하고, 마음 밭을 가는 것을 심경이라고 합니다.

수행은 심경, 심전경작心田耕作을 말하는 것입니다. 거짓과 허위, 시기와 질투, 탐욕과 무지, 미움과 불신은 오래 동안 가꾸지 못한 마음밭이 몹시 거칠고 메마르고 황폐해 졌기 때문이며, 이로 인하여 정신이 혼탁해졌고, 반야지가 무명초無名草에 쌓여 사물을 바로 판단할 수 있는 눈과 귀를 망쳐 놓았습니다.

신앙이란 무엇인가요? 우리의 마음 밭을 가는 것이요, 마음 밭에 우거진 잡초를 제거하는 것입니다. 오래동안 가꾸지 못한 마음 밭에 우거진 삼독과 십악十惡의 잡초를 육바라밀과 팔정도八正道의 삽으로 제거해야 합니다.

자갈투성이에 무명초無名草가 무성하고, 독버섯과 벌레가 수두룩한 황폐한 마음 밭을 그대로 두면 화택은 영원할 것이요, 또한 그로인하여 사회의 오염은 클 것입니다.

우리 마음 밭에 우거진 한없는 무명초를 끝없는 정진과 노력으로 제거하여 사물을 바로 볼 수 있고 그리고 진리의 음성을 듣게 할 수 있도록 해야 합니다.

중생이 가고저 하는 고향 청정심淸淨心은 마음 밭이 아름답게 가꾸워 질 때 갈 수 가 있는 그곳에서 부처님을 만나볼 것입니다.

鏡牛 (1928~)

밀양표충사 · 대흥사 · 불국사 주지
조계사 · 부산 대각사 주지
조계종 총무부장
(재)화쟁교원 이사장

1
선의 의미

선禪은 순수한 정신 집중을 통해 인간 존재의 실상과 자기실체를 자각하고 체험하는 길입니다. 또한 그것은 우리들이 소유하고 있는 고통의 속박으로부터 해탈할 수 있는 무중력의 자유이 길입니다. 이러한 선이야 말로 일찍이 다른 종교에서 찾아볼 수 없는 불교만이 갖는 종교특색이 아닐 수 없습니다, 그래서 선은 자기 본질속에서 생명의 근원을 구명하고 나아가서 나와 부처가 하나라는 실험속에서 본래의 진아眞我를 체험하려 하는 것입니다.

선이란 산스크리트 두야아나(dhyana)의 음을 중국에서 선나禪那로 발음하다가 다시 그것을 줄여서 선禪이라고 부르며 사용하였습니다. 그 의미는 고요히 생각함, 생각으로 닦음이라고 번역합니다.

이것은 어디까지나 인도의 전통적 선나禪那에 불과합니다. 그러나 중국선사들에 의해 발전된 선은 인도적 정태성靜態性을 떠나 우주의 섭리를 누설하고 발기勃起하는 동태적動態的으로 발전하여 인간 심전心田에 혁명을 일으킨 것입니다. 그래서 중국 선종이 창조한 격외의 의미는 폭력적이고 혁명적입니다.

자성을 위주하여 자기완성을 진행하면서 그것을 때로는 철저히 부정하고 다시 해체하여 재구성하는 자아혁명이었습니다. 그러나 평면적 의미를 갖고 있는 특색을 지적해 보면 역사적 인물로서 불타를 신앙하고 추적하는 것이 아니라 불타를 자기 내면에서 철저히 부정하고 다시 자성自性 그대로를 불佛로 파악하는 심즉시불心卽是佛의 명제를 중국 선종은 만들었습니다.

마음은 우주만물의 근원인 동시에 부처를 이루는 근원인 주체라고 선언한 이면에는 체험의 논리와 자득自得이 있었습니다.

우주의 섭리와 자성自性의 무한의 가능성 속에서 중생과 마음, 그리고 부처가 평등하다고 선언한 동기속에는 일체유심조一切唯心造란 견성실험이 있었고 나아가서 다시 비심비불이란 부정의 세계를 발견하고 논리로 닿을 수 없는 불가해와 불가사의가 있음을 중국 선사들은 암시하였습니다. 이 암시는 선禪으로서 내심자증內心自證의 세계에 도달할 수 있는 공안의 방법을 만들어 인간 각자가 본래적으로 자신이 소유하고 있는 불타가 될 수 있는 가능성인 불성을 체험하도록 하였습니다.

특히 서산청허 선사는 선과 교를 분화分化한 입장에서 천명하면서 선禪이란 부처의 마음이고 교教란 부처의 말씀이지만 선교禪教의 근원은 불타 그 자체라고 해석하였습니다. 그리고 그는 진실로 선禪은 말 없음으로써 말없는데 이르는 것이 선이고 말로써 말없는데 이르는 것이 교라고 설파하였습니다.

서산스님의 논리속에는 달마 특유의 불립문자不立文字와 직지인심直指人心 견성성불見性成佛의 의지가 깊게 내재되어 있음을 볼 수 있습니다. 여기서 직지인심直指人心과 견성성불의 의미를 파악해 볼때 마음 그 자체를 떠나서는 불佛이 존재하지 않음을 알 수 있습니다. 다시 이야기하여 부처는 마음밖에서 구하는 것이 아니라 그 마음의 원형 자체를 불佛로 인식하는 반야가 매우 중요함을 깨닫게 됩니다. 그리고 선을 통해 마음속에서 부처는 찾고 있는 수행 행위가 매우 어리석은 작업이란 것도 동시에 깨달을 수 있습니다. 그래서 선이란 인간의 실상과 실체를 자각케 하는 원동력임을 잊어서는 안됩니다.

달마는 그래서 견성의 요지를 설명하면서 안으로 수다하고 번거러움이 없고 그 마음이 장벽과 같이 되었을 때 자기 면목을 볼 수 있다고 하였습니다. 그러나 달마의 선불교 수행에는 화두나 공안 즉 격외도리格外道理가 발견되지 않습니다. 이 격외도리는 분명히 우리 의식에 대한 충격입니다. 하나의 의미를 전제하여 의미를 요구하는 수학적 문답 형식의 사고로써는 도저히 격외도리를 파악할 수 없습니다.

비록 선禪의 본질적 입장에서 볼 때 평상한 그 마음이 도道라고 하지만 사실 우리가 소유하고 있는 마음은 원초적 마음이 아닌 생사분화生死分化에 오염된 마음이기 때문에 도道로써 파악하기에는 납득이 가지 않습니다. 그래서 중국 선사들은 인간 심성에다 충격을 가한 것입니다.

지나가는 개를 보고 불성이 있느냐고 물었을 때 조주 종염선사는 생각하지 않고 무無라고 단호히 설파하였습니다. 여기서 우리가 갖고 있는 지식이나 의식이 당황하게 됩니다.

불타 자신이 수없이 경전을 통해 일체유정이 모두 불성을 갖고 있다고 했는데 조주는 한마디로 무無라고 했습니다. 이는 마음 그 자체를 불佛로 파악하는 비밀이 있는 것입니다. 여기에 무無는 생사의 관문인 동시에 자기 본질에 회귀回歸할 수 있는 근원이 있습니다.

특히 운문스님이 만든 화두속에는 조주보다 더 무서운 폭력과 횡포가 있음을 발견할 수 있습니다,

운문선사는 우리들이 가지고 있는 평면적 사고와 윤리의식을 송두리째 파괴하는 무질서가 있습니다.

만약 내 앞에서 다시 불타가 '천상천하 유아독존'을 말한다면 한 몽둥이로 때려잡아 주린 개에게 주겠다고 무서운 선언을 하였습니다. 여기서 우리가 만날 수 있는 의미는 왜 운문이 이러한 폭력적 횡포를 말할 수 있었는가 하는 점입니다.

살불살조殺佛殺祖의 반야를 소유하지 않으면 운문이 지니고 있는 내면에 접근할 수 없습니다. 그러나 우리는 조용히 정관靜觀해야 합니다.

일체가 유심조唯心造란 선禪의 한 패턴으로 사고思考를 진행해 볼때에 마음 그 자체는 일체를 포괄하면서 다시 일체를 부정하고 살활殺活를 겸비한 원처源處임을 알아야 할 것입니다. 그래서 중국 단하선사丹霞禪師는 우리의 의식의 낡은 사고思考를 버리게 하는 일화逸話를 만들기도 하였습니다.

그가 비림사에서 법당에 모셔 놓은 목불木佛을 들어다 쪼개어 화로에 불을 지피면서 눈 하나 까닭 하지 않고 있을 때 그 절 원주는 단하에게 이놈 부처님을 불로 태우다니 천벌을 받을 것이다고 발버둥을 칠 때 단하선사는 참으로 조용한 목소리로

"이사람! 놀랠 것도 없고 슬퍼할 것도 없네. 자네가 찾는 부처를 화장했으니 사리舍利나 찾아 보게. 만약 사리가 나오지 않으면 그것은 부처가 아니고 나무토막이야. 자네는 지금까지 나무토막을 찾고 있었다는 것을 알게 될 것이네."

단하선사는 원주에게 부처란 객관적 세계에 존재하는 것이

아니라 자성 그 자체가 부처임을 인식하도록 하였습니다.

목불부도화木佛不渡化 토불불도수土佛不渡水란 의미를 원주는 모르고 있었습니다. 이것은 중생의 마음속에 가득한 번뇌의 허상과 그리고 욕망으로 얽혀 있는 사고思考의 습성을 파괴하는 충격이었습니다. 그래서 선사들은 중생이 가질 수 있는 집착을 파괴하기 위해 마음을 노래할 때 불시심不是心 불시물不是物 불시불不是佛이라고 충격적인 발언을 했던 것입니다. 마음도 아니고, 물건도 아니고, 부처도 아니면 무엇이란 말입니까? 이 의단疑團에 불을 붙혀야 합니다. 이 의단의 의미공간 속에는 자신의 생명 근원이 있고 출신활로出身活路가 있습니다. 그렇다고 이 의단속에 한 생각을 첨가해서는 안됩니다.

도道란 지知에도 속하지 않았고 불지不知에도 속하지 않았기 때문입니다.

일상의 생활중에 항상 수용하고 버려도 버리지 않은 주인공의 정체를 알 때 자신의 주체적 자아自我는 멀리서 구해지는 것이 아니라 구하고 있는 그 자체가 생명의 실체임을 알 수 있을 것입니다.

우리는 그동안 산과 들에서 자기 실상實相을 찾아 많이 배회하였습니다. 그럼 나의 주인공主人公은 어디에 있을까요?

2 자성불을 봅시다

오늘날같이 사람이 그리운 시대는 없습니다. 사람이 그립다는 것은 우리 주위에 사람이 없어서 그런 것은 아닙니다. 지금 이 시각에도 수많은 사람이 태어나는 동시에 그와 반대로 수없이 죽어갑니다. 그리고 인간이 생존하고 있는 현장을 살펴보면 인간이 원초적으로 가지고 있는 밝은 생명의 빛과 진실을 가지고 살고 있는 것이 아니라 질투와 시기, 그리고 부정으로 살고 있습니다. 그래서 우리는 주위에 많은 사람들을 두고 고독하다는 말을 하고 인간부재라는 탄식을 합니다.

많은 인간중에 스스로가 바라는 진실하고 생명의 빛을 가진 인간이 있지 않기 때문입니다. 불교는 이러한 인간부재의 무지를 깨우치는 종교입니다.

인간이 본래적으로 소유하고 있는 진실하고 청정한 생명력을 자기 내부에서 개발하여 실존적 진아眞我로 살게 합니다. 그래서 불타는 중생에서 먼저 견성을 해야 한다고 강조하였습니다.

견성見性이란 성품을 본다는 의미보다 자기 자신을 자기 내부

경우 스님 315

에서 만난다는 뜻입니다.

　욕망과 탐욕으로 인해 유실遺失해버린 자기를 자신을 통해 파악하는 작업을 견성체험이라고 합니다. 그러나 인간은 일생을 살면서 자신의 주체적 자아自我를 파악하며 살지를 못합니다. 삶의 본능으로 인해 애착과 탐욕으로 진실한 자기를 상실하고 시간에 쫓기며 하루 하루를 보냅니다.

　불타는 이렇게 시간에 이끌려 가는 인간에게 자기회복과 자아체험을 위해 방하착이라는 무소유無所有 법문을 한 일이 있습니다.

　자신에게 꽃을 들고 공양하는 제자를 향해 방하착하라고 하였습니다. 제자는 꽃을 놓아 버리라는 의미인줄 알고 그 꽃을 땅에 버렸습니다. 그때 불타는 '내가 방하착하라는 것은 꽃이 아니라 너희들 가슴속 깊이 자리하고 있는 탐욕을 버리라고 한 것'이라고 상세하게 설명하였습니다. 이러한 이간의 욕망과 탐욕으로 인해 우리 주위는 참으로 삭막합니다. 그러나 불타가 말씀한 것처럼 우리가 우리 자신속에 갖고 있는 욕망을 헌옷 벗듯이 하나씩 벗어 버린다면 우리 주위는 한결 부드러워지고 생명에 찬 숨소리를 들을 수 있을 것입니다.

　원효스님은 〈발심수행장〉에서 이렇게 말씀하셨습니다.

　"누구나 다 자연에 돌아가 자기를 확인하는 견성체험을 하고 싶지만 자연에 돌아가지 못함은 애욕에 얽혀 있기 때문이다"

인간 내면의 심리를 정확히 진단한 일이 있습니다. 실재 분노와 원한에 찬 사람이 비록 깊은 산사에 가 있을지라도 그 자연에서 들려 오는 적막한 목소리를 듣지 못할 것입니다. 왜냐하면 그 마음속에는 원한과 분노가 가득 차 있기 때문입니다.

　자연의 깊은 적막과 생명의 숨소리가 들릴 때는 마음이 허공처럼 비어 있어야 합니다. 사실 인간이 자기의 생명의 실상을 파악할 때는 우리가 육안으로 물체를 볼 수 있듯이 마음의 뜰이 비어 있을 때 내부의 눈은 열립니다.

　수행이란 바로 이때부터 시작되는 눈을 열기 위한 작업입니다. 이 내부의 눈빛에 의해 자기자신은 확인됩니다. 그런데 오늘날 우리주위에 이렇게 내부의 눈이 열린 수행인이 몇이나 될까 하고 간혹 생각할 때가 있습니다.

　여자가 날마다 자기 얼굴을 단장하기 위해 거울을 보듯이 수행인이 자기 주인공을 확인하기 위해 자성의 거울에 자기를 반조해 보는 사람은 얼마되지 않을 것입니다.

　수행인중에도 오만과 무지로 인해 욕망을 가진 사람이 있습니다.

　중국 선종사에 백장선사하면 특출한 제자를 많이 가진 선사로 기록되어 있는 사람입니다. 그의 문하에 재가제자인 사마두타司馬頭陀라는 제자는 백장의 지혜를 추월한 사람으로 이름나 있었습니다.

경우 스님 317

그는 관상과 풍수학에 뛰어난 재주를 갖고 스승 백장을 도운 일이 있었습니다.

사마두타는 몇달동안 백장곁을 떠났다가 어느날 다시 스승 슬하에 돌아와 문안을 드린후

"이번 순유巡遊에서 위대한 것을 발견하였습니다. 아직 세상에 알려지지 않은 명산인데 호남에 있는 대위산大爲山이라는 산 자수려한 웅산雄山입니다."

고 풍수지리를 자랑하였습니다.

"그래, 그런 명산이라면 내가 가 있으면 어떨가?"

하고 물었습니다.

"그것은 안될일입니다. 스님은 아무리 보아도 그 산의 주인이 되기에는 복덕이 부족합니다. 그 산은 육산肉山이라 적어도 1,500여명을 거느릴 수 있는 덕상을 가진 사람이라야 주인이 될 수 있습니다."

"그러면 내 제자중에 주인을 찾아보게."

"제가 감정을 하겠아오니 스님께서 추천을 하십시오."

백장은 수제자인 선각을 데려오게 하였습니다. 그때야 사마司馬는 점두하였습니다.

그날 밤 백장선사는 영우에게 대위산에 가서 개산조開山祖가 되라고 부촉하였습니다. 그러나 수제자인 선각은 자신을 두고 영우를 천거한 것은 편애라고 스승에게 달려 들었습니다.

백장은 선각과 영우를 불러놓고 이들의 개안開眼을 시험하였습니다.

　항상 자신이 사용하던 물병淨甁을 갖고

"이것을 물병이라고 하면 착着할 것이고 물병이 아니라면 위배할 것이다. 그러면 너희들은 무어라고 할 것인가?"

하고 시문試問하였습니다.

　이때 선각은

"나무통이라고 하겠습니다." 하였으나 그것은 자기무지만 노출한 결과가 되고 말았습니다. 그러나 영우는 백장이 묻자마자 나무통을 걷어차 버렸습니다. 이때 백장은 영우를 인가하였습니다. 비록 짤막한 비유이지만 이렇게 내부의 눈이 열린 사람과 열리지 않은 사람의 안목의 차이는 심합니다.

　사실 수행이란 자기를 확인하는 순례입니다.

　원초적 자기에서 출발하여 욕망에 물들어진 자기도 보고 나아가 원초적 자기로 돌아오는 순례를 마칠 때 견성은 이룩됩니다.

　선재善財가 문수를 쫓아 발심하여 53 선지식을 친견하고 다시 문수를 찾아 회향한 것은 미오迷悟를 겸비하고 있을 때의 자기와 개오開悟의 자기가 본질적으로 둘이 아님을 확인하기 위해서였습니다.

　중생은 그래서 고통속에 갇혀 있는 자기를 유실해 버려서는 안됩니다. 고통이란 진실한 자아를 속박하고 있는 마음의 벽입니다. 이 벽을 자력으로 파괴하고 확인할 때 중생은 생사에서 해방됩니다. 그래서 중생의 마음은 고통을 벗는 해탈장인 동시에 우주 고뇌를 벗는 해탈장解脫場이기도 합니다.

선이란 바로 본질적 자기회귀의 수행방법입니다. 반야의 직관을 갖고 자기 자성에 깊게 도달했을 때 수행의 명제는 완성됩니다. 그리고 오도悟道란 자기 내부에 실재해 있는 자성을 인양引揚하는 내심자증內心自證의 자기체험인 동시에 자기를 해체하여 재구성하는 정신자각 행위입니다.

수행인은 누구나 고통받는 자기를 고통의 심연속에 던져 스스로 절망하도록 하여야 합니다. 그리고 그 절망을 통해 자기를 철저히 구제해야 합니다. 이것이 바로 해탈입니다.

중국 불교에 있어 계현과 신찬선사는 참으로 수행인이 바라는 해탈의 일면을 우리에게 적나라하게 제시한 일이 있습니다. 계현은 신찬의 스승이고 교전敎典을 통해 자기해방을 얻지 못하고 언어의 기능에 얽매어 있었으나 제자인 신찬은 본래무일물本來無一物의 자기실존에 회귀回歸해 있었습니다. 어느날 신찬은 스승의 관념적 함정을 파괴하고 무지를 깨우쳐 주기 위해 기회만 기다리고 있었습니다. 그러나 스승 계현은 제자 신찬을 항상 못마땅하게 생각하였습니다. 슬하에서 경전을 열심히 읽지 않고 방일한다고 힐책하였습니다. 신찬으로서는 한심한 일이었습니다.

　기다리던 기회가 마련되었습니다. 신찬은 목욕탕에서 스승의 등에 때를 밀면서 등에다 반야의 날카로운 비수 한자루를 꽂았습니다.

　"법당은 참 좋은데 부처가 영험이 없군."

　낡고 병들고 죽고없어질 육체는 좋은데 아직도 자성불을 보지 못하고 있다고 힐날 한 것입니다.

　신찬의 힐난을 듣고 있던 계현은 괴이하게 여겨 뒤를 돌아다 보았습니다.

　"부처가 영험치 못하나 방광은 하는군."

　스승의 오만과 무지를 면전에서 난타하였습니다.

　신찬의 살불살조殺佛殺祖하는 지혜앞에 계현은 속수무책이었습니다. 목욕을 끝내고 다시 경상앞에서 계현戒賢은 경을 읽었습니다. 그때 난데없이 벌 한마리가 날아 들어와서 밖으로 나갈려고 하였습니다. 벌은 무지하였습니다. 열려 있는 창틈을 찾지 못하고 열리지 않은 창문앞에서 배회하였습니다.

　신찬은 벌을 향해 소리 질렀습니다.

空門不肯出
投窓也大痴
百年鑽古紙

何日山頭期

아 어리석은 벌이여 활짝 열어 놓은 저 문은 어이하여 마다하고
굳게 닫힌 창문만을 안타까이 두드리느뇨.
백년을 쉬임없이 경전을 뚫어지게 본들
어느 날 어느때에 깨치기를 기약할손가?

　계현스님은 제자의 고함소리에 닫혔던 마음의 문이 열렸습니다. 그리고 내부의 눈이 열리고 본래 구족되어 있는 자기 진여眞如를 만날 수 있었습니다.
　우리는 날마다 자신의 내면을 향해 내자신이 영험이 없는 부처가 아닌가 살펴보아야 할 것입니다.

日陀 (1929~1999)

1943년 고경스님을 은사로 득도
1965년 해인총림 율원장
1984년 해인사 주지
1993년 조계종 전계대화상
조계종 원로회의 의원

1
불자의 세 가지 법공양

"불자들의 세 가지 법공양이란 부처님 말씀대로 수행하는 공양, 보리심을 성취하는 공양, 중생들의 고통을 덜어 주는 공양이니라."

이것은 〈화엄경 보현행원품〉에 나오는 말씀입니다. 부처님 말씀, 일대시교一代時敎 전체를 경·율·론 삼장이라 하지만, 이것을 수행면으로는 계·정·혜 삼학이라 하고 선·교·율로 나누어 공부하게 됩니다.

물론, 이 세 가지는 필경에는 일체가 되는 것이지만 첫째, 계율이라 하는 것은 불자칠중七衆이 각기 받은바 계법으로 분한分

限에 따른 자신의 행지行止를 바르게 다지는 것입니다. 몸으로는 불살도음不殺盜淫 등의 행동질서와, 입으로는 네 가지 망어를 않는 등 언어의 질서와, 생각으로는 탐·진·치를 멀리하는 등의 정신질서를 바로 잡아 신身·구口·의意 삼업을 조섭해야 하는 것입니다.

계율은 마치 삼층누각에 기초가 되는 일층과 같아서 '계로 인하여 선정이 생기고, 정定으로 인해서 지혜를 이룬다' 고 하였습니다.

불자가 된 이는 누구나 이러한 계율을 준수하고 이것을 생활화하여 항상 자기 자신을 돌아보고 살피고 조심해서 방일放逸을 멀리해야만 합니다. 만일 계행을 지키지 않고 무시한다면 이 사람은 벌써 불자의 자격을 상실한 것입니다. 계행을 함부로 하는 사람은 인과를 생각지 않기 때문에 스스로 악도를 불러들이고 있는 것이다. 이른바 '웃으며 업을 지었다가 울면서 그 과보를 받는다' 는 것입니다. 불자들의 계법은 중생의 번뇌와 그에 따른 업을 청정하게 하여 해탈의 길을 보호하는 대방편인 것입니다.

번뇌가 다함이 없기에 한량없는 업을 만들고, 그 업을 따라 과보를 받는 중생이 끝이 없어서 허공세계가 존재하게 마련인 것입니다. 중생들은 인因·연緣·업業·과果의 법칙대로 선인선과, 악인악과로 자작자수自作自受의 업보상속業報相續을 거듭

하고 있는 것입니다. 설사 백천 겁의 긴 세월을 지낸 뒤라도 자기가 지은 업은 없어지지 아니해서, 인연이 마주칠 때, 반드시 그 과보를 다시 받게 된다고 합니다. 그러기에 인과를 깊이 믿고, 계행을 청정하게 행하는 사람은 불법 중에 깊숙이 들어갈 수 있는 불자인 것입니다. 옛사람의 말씀에

"산하대지와 사생고락이 내 마음의 조작이라. 콩 심어 콩이 나고 팥 뿌려 팥 거두니, 인과응보가 몸 가는 데 그림자요, 소리에 울림이라." 하였고,

"눈 깜박하는 결에 마음에 이는 생각이 천만 겁에 생사고락의 씨가 된다."

하였으니, 인과는 정말 두려운 것입니다.

다음에는 신심과 발심, 즉 보리심을 발해야 합니다. 모든 종교가 믿음을 바탕으로 하는 것은 마찬가지지만, 불교에서는 신앙심과 신심이라는 말을 차원이 다르게 구분해서 쓰고 있습니다.

신앙심은 부처님께 의지하여 소원을 비는 마음입니다.

"대자대비하신 부처님이시여! 굽어살펴 주옵소서."

하고, 전심전력으로 지성을 다해서 기도하고 염불 주력하는 곳에 불심광명은 높은 산봉우리를 먼저 비추듯, 중생심수衆生心水가 맑아질 때 구름이 걷히고 나타나는 달과 같은 것입니다. 이것을 감응도교感應道交라고 합니다.

그러나 그것은 어린이가 부모의 힘을 의지하는 것이나 다름

이 없습니다. 장성한 사람들은 자기의 의지대로 자기 능력을 키워야 하듯이, 신심을 성취시켜야만 합니다. 신심이라 하는 것은, 장부자유충천기丈夫自有衝天氣라 하듯, 마음이 곧 부처卽心是佛임을 믿는 것입니다. 여기에는 마음밖에 아무것도 없음을 깨닫는 것입니다. 오직 기쁨과 즐거움뿐인, 대자유 다자재의 안심입명과 무심삼매만이라고 할 것입니다.

　이러한 신심을 만드는 방법이 바로 참선, 또는 관행觀行인 것입니다. '고요히 앉아 내 마음을 궁구하니, 내게 있는 내 마음이 부처가 아니면 무엇일까요?' 한 가지 공안公案, 즉 화두를 간택하여 염도념궁무념처念到念窮無念處하는 것입니다. 단단적적單單的的한 일단진심一段眞心이 확철대오 성불작조成佛作祖하게 되는 것입니다.

　이 일단진심은 오로지 간절한 마음 하나로 화두를 생각할 때 가능한 것입니다. 간절한 마음이 골수에 사무치고 전신에 사무쳐 전신골수에 오직 한마음뿐이어서 의단疑團이 독로獨露되어 버리려 해도 버릴 수 없이 걸음걸이에 일념이고, 생각생각에 일념뿐인 상태에서 침식을 돈망頓忘하고 무심이 저절로 되면, 일념이 곧 만념이요, 만념이 곧 일념이며, 염겁念劫이 원융하여 몸도 없고 집도 없고, 하늘도 없고 땅도 없어 다만 한 조각 광명뿐인 것입니다.

　이런 사람은 본심신력本心信力이 견고하고 부동심을 허공같이 성취하므로 얼굴에서는 빛이 발하고 몸에서는 향내가 나는 듯하며, 입을 열면 남에게 기쁨을 주고 가는 곳마다 항상 꽃을 피우는 것입니다. 자비심을 품었으므로 미워함이 없고 청정행을 닦았으니 거짓을 모릅니다. 오욕五欲 번뇌를 멸한 사람은 하늘이 공경하고, 송경염불하는 이는 선신이 옹호한다고 합니다. 이렇게 되는 것이 바로 보리심을 성취하는 공양인 것입니다.

끝으로, 우리는 아직 중생이라는 병을 앓고 있습니다. 중생들의 한량없는 고통이 보이고 있습니다. 어서어서 대지혜를 완성하여, 중생 제도의 대작불사를 이룩해야 하겠습니다. 중생의 고통을 물질적인 것으로 생각할 수도 있지만, 근본적인 것은 '돈'보다 '도道'가 더 중한 것이고, '도'라는 말은 바로 진리라는 뜻이기 때문입니다.

부처님이 '깬 사람'이라면 중생은 '꿈 속에 있는 사람들'이라는 뜻이니, 우리의 신심이나 신앙심이 생시에 지극하고 간절했다면 잠자는 꿈 속에서도 반드시 일여一如함을 얻어야만 할 것입니다. 꿈과 생시가 둘이 아닐 때, 기도에 가피력을 성취해서 중생의 고통을 덜지 못할 것이 없는 것입니다. 화두 일념도 이와 같이 여여如如하다면 누가 생사의 나루를 건너 해탈하지 못하겠습니까.

꿈 속에서 얻는 가피력을 몽중가피夢中加被라고 합니다. 불보살의 신통도안神通道眼은 언제나 어디서나 법계에 충만하고 계시니, 기도중 꿈 속에 뚜렷한 서상을 보는 것은 부처님의 '몽자재 법문夢自在 法門'이라는 것입니다. 서몽瑞夢 같은 것이 없더라도 마음이 즐겁고 흐뭇하고 자신있는 향상을 보이는 것은 명훈가피를 얻음이니, 쉬지 않고 꾸준히 한 우물을 파야만 합니다.

또, 기도하고 홀연히 성취된 기적적인 사실이 있기도 합니다. 이것은 마치 오랫동안 필름에 녹화되었던 나쁜 그림이나 소리가 기계의 작동으로 일시에 소실되고 좋은 그림이 새로 재현되어 나오듯이, 다겁생래의 업장이 녹아짐에 죄멸복생罪滅福生하고 복지심령福至心靈하는 현상이니, 이것을 현현가피現顯加被라고 합니다. 기도하는 목적은 이러한 세 가지 가피력을 얻기 위한 것이라고 할 수 있습니다. 그러나 이것은 어디까지나 요행수를 바라서 되는 것이 아닙니다. 지극한 신앙심의 축적으로 이룩된 지성심의 결정인 것입니다.

참선하는 화두공부에는 삼분단으로 증험해 볼 수가 있습니다.

우리는 온종일 진세塵世에 묻혀 요요擾擾하고 있습니다. 하루 해가 넘어가면 또 잠자리에 듭니다. 잠은 죽음의 사촌이라 했으니, 낮에는 살고 밤에는 죽는 셈입니다. 그것은 날마다 잠들기 직전에 '내가 몇시에 일어나겠다'고 생각하고 잠들면 꼭 그 시간에 깨어지듯이, 잠자리에 들면서 일심으로 화두나 주력을 응용해 버릇하면 잠재의식 속에 암시되어, 이것이 공부에 일조가 될 수도 있습니다.

2 올바른 기도법

　올바른 기도를 하기란 쉽지 않습니다. 수십 년을 절에 다닌 신도들조차도 요행수를 바라며 기도를 하는 경우가 많습니다. 그러나 기도에는 요행수가 통하지 않습니다. 같은 햇빛 아래에 있다고 할지라도 형상이 바르면 그림자가 바르고, 형상이 길면 그림자도 길고, 형상이 짧으면 그림자도 짧은 것입니다. 이처럼 불보살의 광명정대한 자비는 언제나 중생의 정성과 함께 하지만 중생은 요행수를 바라고 기도를 하는 일이 많습니다. 심지어 '측신厠神에게 기도를 하면 재수가 좋다'는 말을 들으면 변소에 밥을 가져가서 기도를 하고, 아무개가 쪽집개라고 하면 만사를 제쳐놓고 그곳을 찾아가 점을 보기도 합니다.
　사실은 신神이 내린 용한 점쟁이라 할지라도 찾아가는 '내'가 아는 것 이상은 모릅니다. 하다 못해 '내'가 잠재의식 속에서라도 알고 있는 것이라야지, 점을 보러 가는 '내'가 전혀 모르는 것은 알아낼 재간이 없는 것입니다. 그들이 전혀 모르는 것을 안다고 하는 것은 그냥 넘겨짚어서 하는 말입니다. 그러므로 헛된 것에 의지하여 현혹되어서는 안됩니다.

적어도 불자라면 부처님께서 강조하신 것처럼 자기 속을 차리고 자력으로 기도를 해야 합니다. 요행수를 바라고 하는 기도는 마음에 잔뜩 때를 끼게 하고, 언젠가는 사도邪道로 빠져들게 만들어 버립니다. 이렇게 되면 진실한 불법은 10만 8천 리 밖으로 달아나 버리고, 업장이 맑아지기는 커녕 더욱 두터워질 뿐입니다. 그러므로 진성연기眞性緣起 즉, 우리의 참 성품에서 연기緣起하는 뜻을 바로 알아서 요행수를 떠난 자력의 기도를 하고 자력의 참선을 해야 합니다. 그렇게 하면 업장은 저절로 맑아지고 복은 저절로 찾아들게 마련이다. 불가에 전해지고 있는 중국 당나라 때의 무착문희(無着文喜 : 820~900)선사와 문수보살과의 일은 자력自力의 기도, 자력의 참선이 무엇인가를 잘 알수 있게 하는 대표적인 예입니다.

무착 스님은 출가하여 문수보살 기도를 하였습니다. 그러다가 스님은 문수보살의 진신眞身을 친견하기 위해 향주에서부터 오대산, 일명 청량산까지 걸음을 옮길 때마다 온몸을 내던지는 오체투지의 절을 하며 갔습니다. 마침내 오대산 금강굴 부근에 이르렀을 때 한 노인이 소를 거꾸로 타고 오다가 말을 걸었습니다.

"자네는 어떤 사람인데 무엇하러 이 깊은 산중에 앉아 있는가?"

"예, 문수보살을 친견하려 왔습니다."

"문수보살을 가히 친견할 수 있을까?"

말 끝에 노인은 그 순간과는 전혀 어울리지 않는 질문을 던졌습니다.

"자네 밥 먹었는가?"

"안 먹었습니다."

"순 생짜로군."

그리고는 소를 타고 가버리는 것이었습니다. 무착 스님은 노인이 범상치 않은 분임을 느껴 뒤를 따라갔습니다. 얼마쯤 가니 금색이 휘황찬란한 절이 나타났습니다.

"균제야."

노인이 시자를 부르자, 시자는 뛰어나와 소를 받아 매었습니다. 잠시 뒤에 차가 나왔는데 다완茶椀은 모두 보석으로 만들어졌고, 차를 마시니 몸과 마음이 형언키 어려울 정도로 상쾌해졌습니다.

'세상에 이런 차가 있다니.'

혼자 감탄하고 있는데 노인이 물었습니다.

"자네 어디서 왔는가?"

"남방에서 왔습니다."

노인은 찻잔을 들고 다시 물었습니다.

"남방에도 이런 물건이 있는가?"

"없습니다."

"이런 물건이 없다면 무엇으로 차를 먹는가?"

"말법비구末法比丘가 계율을 지켜 유지합니다."

"대중의 수는 얼마나 되는가?"

"혹 3백 명도 되고 5백 명도 됩니다."

무착스님은 노인의 질문에 왠지 싱거운 생각이 들어 되물었습니다.

"여기서는 불법을 어떻게 주지住持합니까?"

"범부와 성현이 함께 살고 용과 뱀이 뒤섞여 있느니라."

"여기의 대중은 얼마나 됩니까?"

"전삼삼 후삼삼前三三 後三三이니라."

대중의 수를 물었는데 앞도 삼삼이요 뒤도 삼삼이라니…….

무착 스님으로서는 도무지 알 수 없는 말뿐이었습니다. 그럭저럭 날은 저물어가고 무착 스님은 노인에게 하룻밤 자고 가기를 청하였습니다.

"염착染着이 있으면 잘 수 없다."

마음에 번민과 집착이 있는 사람은 여기에서 쉬어 갈 수 없다는 것이었습니다. 노인은 다시 물었습니다.

"자네, 계행戒行을 지키는가?"

"예, 어릴 때부터 시작하여 지금까지 잘 지키고 있습니다."

"그것이 염착이 아니고 무엇인가? 자네는 여기서 잘 수가 없네."

 닦아도 닦음이 없고 지켜도 지킴이 없는 경지에 들어가야 하는데 아직도 애써 지켜야 하는 단계에 있으니 염착이라고 한 것입니다. 노인은 시자인 균제를 시켜서 무착 스님을 배웅하게 했습니다. 밖으로 나오면서 절 이름을 물으니 '반야사般若寺'라고 하였습니다. 그리고 전삼삼 후삼삼이라고 한 노인의 말을 도저히 이해할 수 없어 동자에게 물었습니다.

 "동자여, 내가 대중의 수효를 물었는데 앞도 삼삼이요 뒤도 삼삼이라 하셨으니, 그 뜻이 무엇입니까?"

 "대덕大德아!"

 "예"

 "이 수효가 얼마나 되느냐?"

 무착 스님은 그 뜻을 이해할 수 없어 법문을 청했습니다.

 "동자여 나를 위해 법문을 해주시오."

성 안내는 그 얼굴이 참다운 공양구요
부드러운 말 한마디 미묘한 향이로다.
깨끗해 티가 없는 진실한 그 마음이
언제나 한결같은 부처님 마음일세.
쓸데없는 생각 말고 부지런히 참선하라.
날마다 하루 종일 누굴 위해 바쁠건가.

바쁜 중에 한가로운 소식을 알면
한 그루 연꽃이 끓는 물에 피리라.

이 노랫소리를 듣는 순간 크게 깨달은 무착 스님이 고개를 들어보니 저 멀리 보이던 절은 씻은 듯이 보이지 않았습니다. 스님은 오대산에서 돌아온 뒤에 공空과 색色이 화합되도록 열심히 공부를 하여 도인이 되었습니다. 그리고는 젊은 스님들이 도인이 되는 것을 뒷바라지 하기 위해 공양주供養主를 자청했습니다.

하루는 큰 가마솥에다가 죽을 끓이는데 갑자기 솥에서 상서로운 광명이 나타나더니 문수보살이 연꽃처럼 피어 올랐습니다. 이전에 꿈에도 그렸던 문수보살이 나타난 것입니다. 이 광경을 지켜본 대중들이 절을 하면서 경탄하였지만 무착스님은 주걱으로 문수보살의 뺨을 후려치면서 소리쳤습니다.

"문수는 네 문수요, 무착은 내 무착이니라."

그러자 죽의 방울방울로부터 천만의 문수보살이 나와 허공을 가득 채웠고, 무착 스님은 닥치는 대로 주걱으로 쳤다. 이에 문수보살은 자취를 감추며 일러 주었습니다.

무착선사는 진성연기眞性緣起를 알아서 완전히 공空과 더불어 상응하였기 때문에, 내 마음 이외에 나타나는 것은 모두 사邪임을 알고 허공 속의 문수보살을 주걱으로 치면서 물리쳤던 것입니다. 진정 수행인이 온전히 공을 체득하게 되면, 그의 일거수

일투족에는 아무런 조작도 없게 될 뿐아니라 아무런 걸림도 없게 됩니다.

산하대지山河大地가 나와 더불어 한 뿌리를 이루고 천지만물이 나와 더불어 한 몸이 되어서, 천진난만한 세계로 그냥 돌아가게 됩니다. 또 이런 경지에 들어가면 티끌 수와 같이 많은 세계가 그대로 진여眞如한 모습을 나타냅니다.

참 마음자리의 공무空無를 체득하여 어떠한 걸림도 없게 되는 것! 이것이 기도를 비롯한 각종 수행의 끝입니다.

부처님을 돌로 만들었던 쇠로 만들었든 나무로 만들었든 기도하는 사람에게는 아무런 상관이 없는 것입니다. 오직 요행수를 바라지 않고 지극정성을 드리면 모든 업장이 소멸되고 복은 저절로 생기게 됩니다.

신앙심, 곧 타력他力에 너무 깊이 의존하면 마침내는 자기의 속까지 빼주게 되므로, 타력신앙을 통하여 일정한 경지에 이르게 되면 오히려 이를 경계해야 합니다.

'하늘은 스스로 돕는 자를 돕는다' 는 말이 있듯이, 기도인은 반드시 자력을 가지고 타력을 믿어야 합니다. 곧 타력에 의지할지라도 진성연기의 도리를 분명히 알고 의지해야 하는 것입니다. 이것이 기도 소원을 이룰 수 있게 하는 비결이요, 기도를 통하여 해탈을 이룰 수 있게 하는 요긴한 가르침입니다.

법문을 들을 때는 모름지기 모든 생각을 비우고 들어야 합니다.

속효심도 내지 말고
나태심도 내지 말라.
슬금슬금 가다 보면
해돋을 때 아니 올까.

이 옛 노래는 인생살이에 대한 큰 교훈을 담고 있습니다. 부지런히 간다고 하여 해가 빨리 뜹니까? 아닙니다. 느릿느릿 간다고 하여 해가 늦게 뜹니까? 아닙니다. 해는 뜰때가 되면 저절로 뜹니다. 그러므로 어떠한 일을 함에 있어 조급증도 품지 말고 게으름도 부리지 말라는 것입니다. 이 원리는 법문을 들음에 있어서도 그대로 적용됩니다.

깨달음은 조급함이나 게으름과 함께 하지 않습니다. 그렇다면 무엇과 함께 합니까? 텅 빈 마음과 함께 합니다. 마음이 완전히 비어 있을 때 법문은 온전히 나의 것이 됩니다. 번뇌의 구정물이 꽉 찬 곳에 맑은 물을 부어 보십시오. 물의 탁한 기운이 묽어지기는 하겠지만 역시 구정물이 될 수 밖에 없듯이, 잡된 생각으로 가득 찬 마음에 법문을 담으려고 하면 제대로 담기지 않는 법입니다. 그러므로 먼저 마음을, 곧 모든 번뇌망상을 비우라고 한 것입니다.

실로 법문을 들음에 있어서는 나에게 맞는다는 생각이나 맞지 않는다는 생각, 못한다는 생각까지도 비워야 합니다. 법문을 잘한다 못한다, 재미있다 재미없다는 생각도 모두 번뇌 망상이기 때문입니다. 이와 같이 번뇌망상들을 완전히 비울때 감로수, 곧 감로의 법문이 고스란히 담기게 되는 것입니다.

  진정한 법문은 말로 설명하고 귀로 듣는 것이 아닙니다. 빈 마음으로 설하고 빈 마음으로 듣는 것입니다.

  법문을 들을 때는 아무리 좋은 생각이라 하더라도 번뇌망상에 불과합니다. 이를 분명히 자각하여 마음을 비우고 법문을 듣게 되면 깨달음의 기연은 반드시 찾아들게 마련입니다. 이것이 법의 문門을 열고 집 안으로 들어가는 요긴한 비결입니다.

  똑같은 법문을 듣고 어떤 사람은 도를 깨치는데 어떤 사람은 도를 깨치지 못합니다. 어떤 사람은 태양과 같은 광명을 뿜어내고 어떤 사람은 더욱 암담해지기도 합니다. 독을 만들것인가, 젖을 만들 것인가? 보리菩提(깨달음)를 이룰 것인가, 생사를 이룰 것인가? 그 열쇠는 각자가 쥐고 있습니다.

  마음 가득 번뇌망상을 담고 말만 배우고자 하거나 지식 충족의 수단으로 법문을 듣는다면 생사 이외에는 이루어낼 수 있는 것이 없지만, 스스로가 온전히 마음을 비우고 법문을 들으면 틀림없이 깨달음을 이룰 수 있습니다. 부처님과 모든 선지식이 한결같이 말씀하셨듯이, 모름지기 마음을 비우고 법문을 듣도록 합시다. 머지않은 날, 틀림없이 깨달음이 찾아들 것입니다.

知有 (1930~)

1949년 범어사 동산스님을 은사로 득도
봉암사 · 범어사 주지
조계종 원로회의 의원
범어사 금어선원 조실

1
자신의 모습을 보라

　불법은 자기의 모습을 말함이요, 자기의 모습을 보도록 가르치는 것이 불교입니다. 왜 자기의 모습을 보아야 할까요?
　자기의 모습을 봄으로써 모든 문제의 근본이 해결되기 때문입니다. 자기의 모습이란 곧 마음을 말합니다.
　마음은 어떠하기에 마음을 봄으로써 모든 것이 해결될까요.
　마음은 모든 것의 근원이요 모든 것이 마음으로부터 시작되고 마음으로 돌아갑니다. 과거 현재 미래의 무한한 시간과 동서남북 상하의 무한한 처소와 유무有無와 장단長短과 대소大小와 피차 등의 무한한 차별상과 희비고락 등 무한한 감정의 생멸

등 모든 것이 한 마음속에 기멸起滅하고 있는 것 뿐이니 마음이 이 모든 것을 초월하여 모든 것의 근원이 됩니다.

시간과 공간의 모든 것을 초월한 마음이란 어떤 것입니까. 즉, 우리의 일생생활에서 눈으로 색을 보고, 귀로 소리를 듣고, 코로는 냄새를 맡고, 혀로 맛을 알고, 몸으로 감촉을 알고, 좋고 나쁜 것을 알며 온갖 생각을 할 줄 아는 것, 말하자면 의식작용의 본체를 이름하여 마음이라 합니다.

의식작용의 본체인 마음은 형체가 없고 물체가 아니니 눈으로 볼 수 없고 손으로 잡을 수가 없습니다. 의식작용의 일체 생각이 끊어진 곳이니 생각으로도 찾을 수가 없는 것입니다. 모양도 없고 생각도 아닌 곳에 영지靈知가 뚜렷하니 이 영지가 시간과 공간을 초월한 자기의 참된 모습입니다.

수도란 마음을 닦는다는 말이니, 마음을 도道라고도 합니다.

마음을 닦으려면 우선 마음이란 어떤 것인지, 마음의 정체를 분명히 해야 할 것입니다.

그릇을 닦는데 그릇이 어떤 것인지도 모르고 아무 돌멩이나 잡아서 닦고 있으면 그릇을 닦았다고 할 수 없을 것입니다.

마음의 정체를 바르게 알지 못하고 자기의 나름대로의 그릇된 생각으로 마음인 줄 알고 닦고 있으면 마음을 닦는 것이 아니고 도리어 마음을 어둡게 하는 결과가 될 것입니다.

어떻게 하면 마음을 알 수 있을까요?

알고자 하는 자체가 바로 마음인 것입니다. 알고자 하는 생각을 냈을 때 그 생각을 쫓아가면 끝이 없는 것입니다. 아무리 알려고 애를 쓰고, 몸부리치고, 생각을 많이 해도 점점 더 어려워지고 괴롭고 수고로울 뿐입니다.

그러니 생각을 쫓지 말고 생각 자체를 돌이켜 보아야 합니다. 생각을 돌이켜 보면, 곧 일체 생각이 끊어지게 될 것입니다. 생각이 끊어진 그곳에 생각 아닌 영지靈知가 소소영영할 것입니다. 이 영지가 모든 의식작용의 본체인 마음입니다. 생각을 돌이켜서 생각 아닌 영지를 보니 이 영지는 이제 비로소 얻은 것이 아니고 본래 있던 것입니다. 다만, 마음 속에 생각을 집착하고 있는 바람에 생각 아닌 마음을 미처 보지 못했던 것뿐입니다.

마음속에 생각을 집착하고 있는 것은 환상이라 하겠습니다. 환상이 장애물이 되어 마음을 못 본 것이니. 마음 속의 환상을 놓아버리면 환상 아닌 진심이 저절로 드러나게 됩니다. 환상은 생멸이요 허망하나 진심은 생멸이 아니요 영원불멸이요 진실입니다.

이 진심이 자기의 참된 모습이요, 부처라고도 합니다. 마음속에 집착하고 있는 환상을 놓고 진심을 보니, 이 마음은 한번도 난 일도 죽은 일도 없습니다. 났다 죽었다는 것은 마음속의 생각이 나고 멸한 것뿐입니다.

생각은 천만번 나고 멸한다 할지라도 마음은 따라서 나거나 멸하는 일이 없으니 생사와 관계없는 것입니다. 생각을 돌이켜서 생각 아닌 마음을 보니 마음에는 일체 망념의 흔적을 찾아볼 수가 없습니다. 일체상一切相이 끊어졌으니 공적空寂이요 그 중에 싱그럽게 영지靈知가 있으니 진공묘유 또는 공적영지空寂靈知라고도 합니다.

마음은 극히 고요하고 영지靈知합니다. 어려운 것이 아니니 공空이라 하고, 감각지각할 수 없는 목석과 다르기에 영지라 한 것입니다. 공적하고 영지한 마음 속에 한 생각이 일어나 그 생각을 쫓고 집착하는 바람에 원래의 공적영지한 마음은 점점 어지러워지고 어지러운 생각이 마음 속을 가리니 점점 어두워진 것입니다. 어지러우니 불안하고 어두우니 어리석은 것입니다. 그 불안에서 벗어나겠다고 이 생각 저 생각으로 발버둥친取捨分別것이 더욱 마음을 어지럽게 했으니 점점 더 어두워져 공적영지했던 마음이 혼침하고 산란으로 변한 것입니다.

혼침과 산란 속에 짓고 있는 생각이 생사가 되어 원인에서 결과로 결과가 또 원인이 되어 다음 결과로 되풀이되니 과거 현재 미래의 시간이 되고 자타自他의 차별로 동서남북 상하의 처소가 되어 한없는 시간과 공간 속에 한없이 생사에 윤회하게 되는 것입니다.

한없는 생사에 윤회하고 있는 중에 좋은 일이 있는가 하면 나쁜 일도 있고 좋을 때는 복이라하여 기쁘고 즐거워하며 나쁠 때는 재앙이라 하여 슬프고 괴로워하기도 하여 희비고락 등 모든 감정과 길흉화복 등의 좋고 나쁜 온갖 일들이 있었습니다.

이 좋고 나쁜 일들이 어디로부터 왔는가 하면 이미 지나간 과거에 자기가 지은 행이 원인으로 현재의 자기에게 결과로 나타난 것이며 또 현재의 자기가 짓고 있는 행이 또 원인이 되어 미래의 자기의 결과로 나타나는 것이니 어느 누구로부터 받은 것이나 다른 곳에서 온 것이 아닙니다.

이를 인과응보라고도 합니다. 밭에 콩을 심으면 콩이 나고 팥을 심으면 팥이 나듯이 자기가 지은 것을 자기가 받는 것이니 아무리 좋지 않은 나쁜 환경을 만났다 할지라도 자기 이외에 아무도 원망할 수도 없고 그렇다고 자포자기가 되어서도 안 될 것입니다. 지금의 자기는 과거의 결과며 동시에 미래의 원인이니 지금이 가장 소중한 시기라 하겠습니다.

아무리 악의 환경이라 할지라도 지금에 노력하여 선善에 힘쓴다면 미래의 선은 약속된 것이요, 또 아무리 최선의 환경이 과거의 인에 의해서 얻었다 할지라도 그것도 한정이 있는 것이어서 인연이 다하면 없어지고 마니 생각하면 허무한 것입니다.

악도 또한 마찬가지 입니다. 이렇게 관찰해 본다면 최선의 환경에서 혜택을 받았다고 기쁨에 들뜰 것도 없고 최악의 밑바닥에 떨어졌다고 슬프고 괴로워할 것도 없습니다. 얻었다든지 잃었다든지 하는 것은 연緣에 맡기면 마음이 바로 도道에 합한다고 합니다.

　마음 속에 생각을 집착하여 생각을 쫓고 쫓은 것이 생사가 되어 짓는 행行의 여하에 따라 선도 되고 악도 되어 그의 과보를 받고 원인에서 결과로 계속 되풀이 되는 한없는 생사에 윤회하게 됩니다.

　생사에 윤회하다 보니 선악사善惡事의 허망과 생사의 무상을 느끼게 되어 생사에서 벗어나 영원불멸을 구해 보겠다고 갖은 애를 스고 몸부림쳐 보나 수고만 할 뿐 생사를 벗는데 노력하고 애를 썼는데도 아무런 보람이 없습니다. 그것은 무엇이 생사며 생사의 요인을 무엇인지를 몰랐기 때문입니다.

　과거의 석가모니불께서도 이 생사 문제 때문에 출가하여 생사의 탈출구를 구하러 사방에 찾으러 다니다가 그것이 헛된 짓이요, 생사의 원인이 마음에 있는 것을 알고 마음을 깨달아 해결한 것입니다.

　마음을 깨달았다는 것은 많은 생각 속에 생각 아닌 마음을 본것을 말합니다. 생각은 시시각각으로 변화되어 가고 끊임없이 기멸하고 있으나 생각 아닌 마음은 한 번도 난 일도 죽는 일도 달라진 일도 없습니다.

　그렇다면 생사란 무엇입니까?
　났다고 의식하고 죽었다고 의식하고 갔다고 의식하고 왔다고 의식하고 있는 것입니다. 생각은 환상이니 생사거래란 실체가 없는 환幻에 지나지 않는 것입니다.

　마음 하나로 미하여 한없는 번뇌를 일으킨 자가 중생이요, 마음 하나를 깨달아 한없는 묘용妙用을 일으킨 자가 부처라 합니다. 미迷하면 번뇌가 되고, 깨달으면 묘용이 된다는 말입니다. 미하면 생사윤회요, 깨달으면 해탈이라고도 합니다. 마음을 미했다는 것은 마음속에 생각想이 가려서 생각 아닌 마음空寂靈知을 보지 못한 것을 말하고, 마음을 깨달았다는 것은 마음속의 생각을 놓아 생각이 아닌 마음空寂靈知을 본것을 말합니다.

　마음을 깨치지 못하고 보지 못한 원인은 마음속에 생각이 가려서이니 생각을 놓아 내리면 바로 생각 아닌 마음이 됩니다.

　생각 아닌 곳에 차고 더운 것을 스스로 아는 영지靈知가 뚜렷합니다. 이 영지가 불생불멸의 자기요 생사와 상관없는 영원한 안식처입니다.

　마음은 사량분별이 아니기에 공적空寂이라 하고 목석과 다르기에 영지靈知라 했습니다. 깨달은 사람은 마음 속에 망상분별을 쉬었기에 마음이 고요하고 동시에 영지가 뚜렷한 공적과 영지가 원만하니 미한 사람은 동시에 혼매하여 혼침과 산란으로 공적과 영지가 둘 다 깨진 것입니다. 공적과 영지라 하니 두 가지 마음이 있는 것은 아닙니다. 마음 자체가 공적하면서 영지하다는 뜻입니다.

공적영지空寂靈知의 마음은 지知이면 그대로 적寂이요, 적이면 바로 그대로 지知이니 적寂과 지知가 둘이 아닙니다. 적과 지를 둘로 보는 것은 지知가 되면 산란하여 적寂이 빠지고 적이 되면 혼침하여 지知가 빠져 있어서 온전하다 할 수 없습니다.

수레의 양 바퀴에 하나가 빠진 것 같아서 나가지 못합니다. 적과 지가 하나라야 참된眞 지知요, 참된 적은 무기혼침이 아니니 지知인 것입니다. 혼침과 산란이 아닌 적지寂知가 원만한 마음이라야 중심의 혼산昏散을 녹이고 두 바퀴를 갖춘 수레와 같이 똑바로 전진하여 불생 불멸의 열반의 언덕에 도달할 것입니다.

일상생활의 동動과 정靜에서 행주좌와 하는 것은 뜻에 맡기고 적寂과 지知를 온전히 하면서 혼산昏散을 녹여 가는 것이 수도입니다.

2
선도 악도 생각하지 마라

　여러분은 무엇을 궁금해 합니까? '잘 산다', '못 산다' 하는 것은 사람마다 그 기준이 다릅니다. 잘 먹고, 재물을 많이 갖고, 평안한 것을 잘산다 할 것이고, 가난하고 가진 것 없고, 불편한 자리에 거처하면 못산다고 합니다. 여기서 말하는 못산다는 개념은 그런 뜻이 아닙니다. 뜻대로 안되고, 중병에 걸려도 잘 사는 사람이 있고 아무런 부족함이 없어도 못사는 사람이 있습니다. 여기서 잘살고 못산다는 기준이 무엇입니까?

　우리는 법회 때마다 '귀의불 양족존歸衣佛兩足尊'이라고 삼귀의례를 합니다. 양족兩足이란 복덕과 지혜 두 가지를 구족했다는 뜻으로 부처님은 이 두 가지를 모두 갖추신 어른입니다. 그래서 우리는 석가모니 부처님을 모델로 삼아 우리가 어떻게 하면 저렇게 될까하며 '성불합시다' 합니다.

　그러면 복이란 무엇입니까? 우리는 흔히 모든 것을 갖추고 있는 것을 복이라 하고 갖추지 못하면 복이 없다고 합니다. 하지만 부처님께서 가진 것이라고는 발우와 가사 한 벌 뿐이었습니다. 거지 중에서도 상거지에 해당합니다. 그런 분을 우리는 복이 많다고 합니다. 여기서 우리는 복에 대한 기준이 다르다는 것을 알 수 있습니다.

인간이 도저히 살 수 없을 것 같은 열악한 환경 속에서도 부처님은 과연 행복하게 살았을까요? 그것은 깨쳤기 때문에 가능했습니다. 깨치지 않고서는 그렇게 불편하고 불안한 환경 속에서 편안한 마음을 가질 수 없습니다.

그럼 깨달음이란 무엇입니까? 우리는 '성불합시다', '부처님이 됩시다' 하고 인사를 합니다. 부처님은 32상 80종호를 갖추고 신통광명으로 보통 인간은 감히 접근할 수 없는 뛰어난 능력을 가진 분이라고 생각합니다. 그러나 '부처'는 깨친 사람이란 뜻일 뿐입니다.

그렇다면 무엇을 깨달았다는 것입니까? 우리는 무엇을 깨닫지 못한 것입니까?

우리는 마음의 병을 해결하고자 많은 종교 가운데서 불교를 선택했습니다. 마음의 편안과 의지처를 찾아 불교에 입문했는데 여러분은 더 불편하고 골치가 아플 것입니다. 자식들 키우고 먹고 살기도 힘든데 불교 공부까지 하라고 하니 종교를 잘못 선택한 것은 아닌지 의심이 생길 것입니다.

머릿속 고통을 덜어내기 위해 불문에 들어왔는데 실제로는 그렇지 않을 것입니다. 여러분은 불교에 대한 환상에 사로잡혀 크게 착각하고 있기 때문입니다.

　우리는 부처님의 말씀을 듣고 한 걸음씩 부처를 향해 걸어가고 있습니다. 지금은 '성불'이란 꿈같은 이야기로 들리겠지만 과거 부처님도 몇 생에 걸쳐 육바라밀을 닦고 수행을 다해 마침내 성불을 이뤘습니다. '범부인 내가 감히 성불할 수 있다니' 정말 꿈같은 이야기입니다.

　과거 부처님도 그렇게 노력해 왔는데 나라고 못할게 뭐 있느냐 하는 마음으로 성불을 향해 가야 합니다. 한 걸음씩 앞으로 나아가고 있다는 사실만으로 희망적이지 않습니까? 그럼 여러분은 그러한 희망을 보고 계십니까?

　태권도와 같은 무술도 배우면 한 달 전과 한 달 후가 틀리고, 일 년 전과 일 년 후가 확연히 다릅니다. 그와 마찬가지로 불문에 들어와 1년, 10년, 20년이 지나면 좌선하는 모습이나 움직임 하나 하나가 다른이가 볼 때 저절로 존경심이 나게 됩니다.

　부처님이 출가하신 것은 인간의 근본적인 문제인 생노병사를 해결하기 위해서 입니다. 모든 사람은 죽게 됩니다. 인간은 결코 죽음으로부터 자유로울 수 없으며 결국 인간은 태어남과 동시에 죽음을 향해 가는 것입니다. 재물을 갖느냐 갖지 못하느냐, 편하게 사느냐 편치 못하게 사느냐는 그 다음의 일입니다. 그 근본적인 생사의 문제를 어떻게 해결할 것인지 고민하던 중 한 바라문을 만나 출가를 통해 그 해답을 찾을 수 있다는

지유 스님

한줄기 빛과 같은 실마리를 듣고 용기를 내 출가를 감행했습니다. 그리고 치열한 정진 끝에 이 문제를 해결했습니다.

그러면 부처님은 생사의 문제를 무엇으로 해결했습니까? 그것은 깨달음입니다. 무엇으로 깨달았습니까? 마음을 깨친 것입니다. 깨닫고 보니 생사를 초월한 본래의 모습眞我을 발견한 것입니다.

그러면 참 나와眞我 거짓 나假我가 구별이 됩니까? 여기 있는 나는 참 나입니까? 아니면 거짓 나입니까? 두 모습 모두가 나입니다. 여러분은 벌써 이런 말들에 현혹되고 있습니다. 참 나와 거짓 나 모두가 나我이지 무슨 구별이 있겠습니까. 그런데 왜 진아眞我라고 이름을 붙였을까요.

부처님이 깨달고 보니 생사는 본래 없었습니다. 불교에서는 무시무종無始無終, 시작도 끝도 없다고 하지 않습니까. 일체중생 모두가 불생불멸의 마음을 가지고 있으면서도 자기도 모르게 행동과 생각에 붙잡혀 자기를 잊어버리고 있는 것입니다.

우리는 자기도 모르게 하는 행동과 생각을 망상 집착이라고 합니다. 이 망상과 집착은 자기를 잊어버리게 하는 근본 원인으로 이 원인만 제거하면 참 나를 찾을 것도 없이 바로 있습니다.

부처님은 깨달으신 후 이 사실을 그대로 일러주려 했지만 아무도 믿지 않았습니다. '우리는 이미 성불이었다. 공부해서 성불한 것이 아니다'고 일러주려 했지만 아무도 믿지 않았고 오히려 비방까지 했습니다.

그래서 부처님은 입을 다물고 혼자 성불한 것으로 끝낼 생각도 했습니다. 그러나 부처님이 오래도록 고행한 것은 혼자만 깨달으려 한 것이 아니었습니다. 그래서 깊은 생각 끝에 진짜를 감춰놓고 가짜를 내놓았습니다. 이것을 방편이라 합니다. 여러분이 놀라시겠지만 8만4천 경전 모두가 가짜입니다. 간혹 진짜가 있기는 하지만 그것은 정말 미묘해서 보기 어렵습니다.

부처님은 49년 간 진짜를 감춰놓고 콩을 팥이라 해도 믿을 만큼 자기 사람으로 만들어 놓은 후에야 진짜를 내놓았습니다. 그것은 지금까지의 모든 것을 버리고 오로지 마음하나 밖에 없다는 것이었습니다.

최근에 우리나라에서는 '위빠사나', '선' 등 다양한 수행법이 유행합니다. 선禪에도 대승선, 조사선, 여래선, 간화선 등 수없이 많습니다. 부처님 당시에 이런 말이 있었습니까?

일찍이 서산대사는 "선은 불심佛心이고, 교는 불설佛說이다"고 했습니다. 그리고 본래의 마음자리를 말씀하셨습니다. 여기서 우리는 '본래本來'라는 말에 주목해야 합니다. 얻어지는 것에는 본래라고 이름 붙이지 않습니다. 달마대사도 불심법佛心法, 마음을 바로 보는 법을 강조했습니다. 직지인심直指人心, 자기의 마음을 바로 보고 성불하게 하는 것입니다.

지유 스님

행주좌와行住坐臥 어묵동정語默動靜, 깨닫고 보면 선禪 아닌 것이 없다고 합니다. 깨달은 입장에서 보면 모든 행동이 공부고 선禪입니다. 그런데 같은 행동을 해도 어떤 것은 선이고 어떤 것은 선禪이 아니라고 합니다. 그것은 마음이 다르기 때문입니다.

옛날 선사들은 혼자 참선하다가 종소리에, 활짝 핀 꽃의 모습에서도 홀연히 깨달았습니다. 우리도 종소리를 수없이 듣고, 꽃피는 모습을 봤지만 깨달음과는 아무런 관계가 없었습니다. 이것은 무슨 차이인가요? 똑같은 소리를 듣고도 누구는 깨닫고 누구는 깨닫지 못하는 것일까요.

여기서 우리는 선이 무엇인지를 생각하게 됩니다. 보통 선이라 하면 두 눈을 지긋이 감고, 가부좌를 틀고 앉아있는 것으로 생각합니다. 그러나 그것은 선을 하는 모습일 뿐 선은 아닙니다. 앞에서도 언급한 것처럼 행주좌와 어묵동정, 서고, 걷고, 뛰고, 머물고, 앉고, 눕고, 말하고, 고요하고 즉 일상의 모든 언어 동작이 선입니다. 그러므로 우리는 일상 생활 속에서 선禪을 찾아야 합니다.

참으로 선은 알듯 하면서도 이해하기가 어렵습니다. 똑같은 행동을 해도 '이것은 선이다', '이것은 선이 아니다'고 구분을 짓습니다. 자기 마음의 밑바닥에서 모든 것을 보고, 들어야 합니다. 자기 마음의 밑바닥에서 보고, 듣지 못하면 선이 될 수 없습니다. 마음의 밑바닥은 또 무엇입니까? 소소영영昭昭靈靈하고 적적 고요한 자리에서 보고 듣는 것입니다.

종소리를 들었지만 종소리가 나는 아닙니다. 찻잔을 보고, 꽃을 봤지만 찻잔과 꽃이 내가 아닙니다. 나는 모양이 아니요, 소리도 아닌데 모양도 소리도 아닌 내가 소리를 듣고 깨닫고 모양을 보고 깨닫습니다.

서산 스님은 모든 경전을 통달하였지만 학문과 지식은 문자에 지나지 않음을 알고 깨달음의 자리에 도달하기 위해 몇 년을 수행 했습니다. 그러나 피나는 수행 정진에도 불구하고 깨달음을 얻지 못하자 모든 생각을 놓아 버리고 바람이나 쏘이겠다며 걸망을 메고 행각에 나섰습니다. 어느 날 스님은 어느 마을을 지나던 중에 닭이 우는 소리를 듣고 단박에 깨쳤습니다. 깨달음이란 경전이나 책을 통해 알 수 있는 것이 아닙니다. 말로도 설명할 수 없고 일체의 지식을 동원해도 나오지 않습니다.

마음이 모든 생각에서 벗어날 때 바로 깨달을 수 있습니다. 깨달은 사람의 입장에서 깨닫지 못한 사람을 보면 그렇게 해서 어떻게 깨닫겠냐고 할 수 밖에 없습니다. 수없이 많은 지식을 주고 정보를 주어도 알지 못합니다. 그것은 소소영영昭昭靈靈하지 못했기 때문입니다.

나는 왜 보지 못할까요? 이유는 생각에 사로잡혀 있기 때문입니다. 눈을 뜨고 있지만 마음이 사로잡혀 있으니 참된 맛을 느끼지 못하고, 참 빛을 보지 못하고, 참 소리를 듣지 못합니다.

지유 스님

서산 스님도 허탈한 마음에 모든 것을 내려 놓으니 바로 보고, 들을 수 있었던 것입니다. 의문이 없는 사람은 절대 깨닫지 못합니다. 그 의문은 깨달음으로 해소될 수 있습니다. 의문 없이 깨닫겠다는 것은 영원히 희망이 없는 사람입니다. 불교 뿐만 아니라 세속의 학문과 과학기술도 마찬가지 입니다. '저것을 어떻게 만들었을까' 하고 밤낮으로 연구해 만들어 내는 것입니다.

염도념궁무념처念到念窮無念處

알고자 하는 의문을 갖고, 생각하고 또 생각하여 더 이상 나아갈 수 없는 지경에 이르러서야 비로소 마음의 밑바닥에 사무쳐서 홀연히 깨닫습니다.

마음의 밑바닥을 우리는 너무 어렵게 생각하고 있습니다. '마음 밖에 부처가 없다' 고 합니다. 마음 밖에 나타난 것은 부처님이 아닙니다. 꿈에 부처님을 뵈었다고 하고, 기도 중에 부처님이 나타났다는 말을 종종 듣습니다. 하지만 그것은 부처가 아닙니다. 물체를 보고 있는 놈이 부처지 보이는 것이 부처가 아닙니다.

선가禪家에는 '어떻게 공부해야 간단하고 확고히 깨칠수 있냐' 는 질문에 '자기 마음이 마음인데 무슨 방법이 필요한가' 라고 답변하고 있습니다. '어떻게' 가 왜 필요합니까. 자기는 자신의 눈을 보지 못합니다. 하지만 보인다는 것은 눈이 있다는 증거입니다. 똑같은 소리를 듣는데 깨달은 사람은 웃습니다. 그러나 망상과 집착이 머릿속 깊이 파고들어 있으니 머리로서 이해가 안 되고 말로는 설명을 못하는 것입니다.

깨달음은 머리로 생각하지 않아도, 말로 설명하지 않아도 저절로 알아지는 것입니다. 서산 스님도 그렇게 기진맥진할 정도로 생각하던 것을 놓아 버리자 단박에 깨달았습니다. 지금까지 종소리를 들었지만 방해물이 가리고 있어 그 참 소리를 듣지 못했던 것입니다.

옛날 도명 스님은 육조 스님의 길을 막으면서 "의발을 내 놓으라"고 했습니다. 그때 육조 스님은 "발우와 가사가 필요하다면 가져가라"며 바위 위에 의발을 올려 놓았습니다. 도명 스님은 순간 '내가 착각하고 있구나' 하고 생각했습니다. 육조 스님의 의발을 훔친 것이 아니라 홍인 스님께서 전수해 준 것을 힘으로 빼앗으려 했다는 마음이 들었습니다.

도명 스님은 바로 합장을 하고 법을 구하려 왔음을 고했습니다. 그러자 육조 스님은 '진정으로 법을 구하고자 한다면 마음속 생각을 모두 털어버리라'고 했습니다. 그리고 지금껏 공부한 것을 모두 버리고 새로운 것을 찾으려 할까봐, "선도 생각하지 말고 악도 생각하지 말라. 그리고 그대의 본래면목本來面目을 나에게 보여 달라"고 했습니다.

깨달음이 더운 줄 알고 추운 줄 아는 것이라 한다면 상식적으로 믿어집니까? 깨달음이라 하는 것은 결국 믿음(信)의 성취입니다. '믿음'이라 하면 부처님이나 어떤 신을 믿는 신앙심으로 표현되는 그것이 아닙니다. 자기의 마음을 깨치고 자기 마음을 바로 믿는 사람이 신심을 성취한 사람입니다. 찻잔을 보고 있는 것이 나이고 차 맛을 본 것이 나입니다.

우리는 좌선을 할 때 벽을 보고 자세를 잡아 무엇인가를 합니다. 하지만 그것은 선이 아닙니다. 그것은 마음속에 공부의 생각을 잡고 있는 것이지 아직 선에는 도달하지 못한 것입니다. 마음의 밑바닥에 도달해 보고 들을 때 그것이 선입니다.

찻잔의 차가 찬줄 알고 더운줄 아는 것은 깨달은 사람이나 그렇지 않은 사람이나 똑같되, 맛 보고 있는 그 마음자리가 같지 않습니다. 왜 그럴까요. 똑같은 소리를 듣고 어떤 사람은 깨닫고, 대부분은 깨닫지 못합니다. 그것은 우리가 망상 분별이라는 생각 속에 잠겨 있기 때문입니다. '저 소리가 시끄러워 내 공부에 방해가 된다'는 생각은 마음 밑바닥에서 듣지 않았기 때문입니다.

마음 밑바닥에서 듣고 있으면 어린애 우는 소리도 매우 아름다운 진리의 법문이 됩니다. 두두물물(頭頭物物)이라, 모든 것이 청정하고 참된 몸이어서 바람소리, 새소리가 모두 법문 아닌 것이 하나도 없습니다. 마음 밑바닥에서 보면 시장바닥의 패싸움 소리도 법문입니다.

그러면 마음 밑바닥이란 도대체 무엇일가요. 우리는 본래 밑바닥에 있으면서도 새삼스럽게 밑바닥을 찾으려 하니 오히려 멀어지고 있습니다. 한 시간만 벽을 보고 앉아 보세요. 벽은 항상 그대로 있지만 조금만 시간이 지나도 눈앞에서 사라집니다. 잡념이 일어났기 때문입니다. 시험삼아 한 번 해 보십시오. 재미없죠? 그러니까 다른 생각이 생기는 것이고 졸음이 오는 것입니다. 졸고 있는 것이 나 아닙니까? 또 다른 생각을 하는 것은 나 아닙니까? 소소영영하게 바라보고 있는 것만 나입니까? 이 세 가지 중에서 어떤 것이 본래의 모습입니까. 이 가운데 어떤 것을 깨달았다고 하는 것입니까? 육조 스님께서 도명 스님에게 '선도 악도 생각하지 말라'고 했습니다.

선도 악도 아닌, 차가운 것은 오로지 차가울 뿐이고 뜨거운 것은 오직 뜨거울 뿐입니다. 선이다, 악이다, 좋다, 나쁘다 붙일 필요가 없습니다. 본래 있었던 것을 모르고 밖에서 '진리다', '도다', '선이다' 하면서 찾고 있습니다.

그러면, 선사들은 어떻게 할까요. 불자들은 선사라 하면 가사 장삼을 갖추고 위엄있게 앉아서 참선하고 있는 모습을 생각합니다. 그런데 선사 중에서는 지게 지고 거름 주고, 나무 하고 마당을 청소하는 선사도 아주 많았습니다. 젊은 수행자들이 큰

스님에게 공부를 배우러 왔다고 하면 그저 묵묵히 일만 합니다. 그러면 큰스님이 일하는데 젊은 스님이 그냥 있을 수는 없잖아요. 가만히 일을 하다가 문득 의심이 생깁니다. 그리고 도대체 어떻게 공부해야 하냐고 물어봅니다. 그러면 스님은 '그런 것 없다'고 합니다.

옛날 경허 스님은 나의 살림살이를 물어본다면 '털어도 털어도 아무것도 없다'고 했습니다. 무엇 때문에 복잡한 보따리를 머리에 이고 있느냐 이겁니다.

심중무일물心中無一物
마음 속에 한 물건도 없나니.

마음 속에 한 물건도 없기에 차를 마시면 오로지 차요, 일할 때는 오로지 일이고, 밥을 하거나 청소를 할 때도 오직 그러할 뿐입니다.

죽비를 보여주면 죽비를 봐야지 왜 다른 것을 보려고 합니까. 그 짓을 언제까지 할 것입니까? 깨칠 때까지 하려고 합니까? 깨치고 나면 아무것도 없습니다. 상상하지 마십시오. 깨달은 사람을 직접 찾아가 물어보면 알려 줍니다. 그러나 아무에게나 알려주지는 않습니다. 왜냐하면 믿지 않기 때문입니다. 믿을 만한 사람이라야 솔직히 일러줍니다.

眞際 (1931~)

1952년 해인사에서 설석우스님을 은사로 득도
1967년 향곡선사께 임제정맥의 법통을 받음
1971년 해운정사 창건 상하선원 설립
1991년 서울선학원 이사장
금오선원 · 선학원 · 금당선원 조실

1

소리없는 법문

대장부 의지를 발해서 대도大道를 깨치고자 하는 이는 모든 부처님과 역대 도인들께서 베풀어 놓으신 심심삼매深深三昧의 가시덤불 숲을 투과하고, 부처님과 조사께서 얽어 놓으신 굴레를 풀어서 안온한 진리의 세계를 얻어야 합니다.

그러한 온밀전지穩密田地를 얻은 분은 모든 천상사람이 꽃을 바치려 해도 바칠 길이 없고, 외도가 엿보려고 해도 볼 문門이 없습니다.

그러나 비록 그러한 진리의 세계에 편안히 주住한다 할지라도, 다시 모든 부처님과 종사들의 본분사本分事가 있는 것을 알아야 합니다. 그러면 모든 부처님과 수많은 선지식의 본분사는 어떠한 것일까요?

설령 이 주장자로 소나기 쏟아지듯 방망이를 내리더라 해도 옳지 못합니다. 어찌해서 그러할까요?

다시 삼십년을 참구해야 옳을 것입니다.

약산藥山 선사께서 몸에 조그마한 병이 있어서 오랫동안 법상에 오르시지 아니하시니 대중이 모두 법문 듣기를 원하였습니다. 그러자 원주스님이 선사게 여쭈었습니다.

"스님, 대중이 모두 큰스님 법문 듣기를 갈망하고 있으니 오늘은 대중을 위해서 부디 설법해 주시기 바랍니다."

그러자 약산스님께서 시자에게 대중이 운집하도록 종을 치게 하시니 대중이 모두 법당에 모였습니다.

이윽고 약산선사께서 법상에 오르시자, 모든 대중은 오래도록 법문 듣기를 갈구했던 터라 청법을 하고자 모두 마음을 가다듬어 앉아 있었습니다.

약산 선사께서는 잠시 묵묵히 앉아 계시더니 곧 법상에서 내려오셔서 조실방으로 돌아가셨습니다. 원주스님이 뒤따라 들어가 여쭙기를,

"스님 모든 대중이 조실스님의 높은 법문 한 마디 듣기를 간절히 고대하고 있었는데, 어찌해서 한 말씀도 설하지 아니하시고 법상에서 내려오셨습니까?"

약산 선사께서 하시는 말씀이

"경經에는 경의 스승이 있고, 논論에는 논의 스승이 있느니라."

하셨습니다. 시회대중들이여! 약산선사를 알겠습니까?

藥山禪師向上機
其光照破四天下

약산선사의 향상의 기틀이여!
그 광명이 사천하를 비춤이로다.

2
어디서 오는고!

"임제의 할喝, 덕산의 방棒은 종문宗門 중의 귀감이요, 불조佛祖의 정안正眼입니다.

임제臨濟 선사께서는 누구든지 법을 물으려고 문전에서 어른거리면 벽력 같은 고함을 지르셨고, 덕산德山 선사께서는 주장자로 사정없이 후려치셨습니다.
시회대중은 두 분 선사의 법 쓰시는 도리를 알겠습니까?
임제 스님이 황벽黃檗 선사 회상에서 공부할 때, 제일좌第一座인 목주睦州 스님의 권유에 따라 조실이신 황벽 선사게 여쭈었습니다.
"불법佛法의 가장 긴요한 뜻은 무엇입니까?"
묻는 말이 미처 끝나기도 전에 황벽 선사께서는 주장자로 20방을 후려 갈기셨습니다. 임제 스님이 이렇게 세 번을 여쭙고 세 번 다 몽둥이만 흠씬 얻어맞고는 하직인사를 고하니, 황벽 선사께서 이르시기를 고안高安 강변의 대우大愚 선사께 가라고 하셨습니다.

'황벽 선사 60방의 의지意旨가 어디에 있는가' 하는 의심에 일념삼매一念三昧에 빠져 수백 리 길을 걷는 줄도 모르고 걸어서 고안高安에 당도하여 대우 선사를 참예參詣하니 선사께서 물으셨습니다.

"어디서 오는고?"

"황벽 선사 회상에서 지내다 옵니다."

"황벽 선사께서 무엇을 가르치시던가?"

"제가 세 번이나 불법의 가장 긴요한 뜻이 무엇인가를 여쭈었다가 세 번다 몽둥이만 맞았습니다. 대체 저에게 무슨 허물이 있다는 것인지 모르겠습니다."

대우 선사께서 무릎을 치시면서 말씀하시기를,

"황벽 선사께서 그대를 위해 혼신의 힘을 다해 가르치셨는데, 그대는 여기 와서 허물이 있는지 없는지를 묻는가?"

하시며 '허허' 웃으셨습니다.

여기에서 임제 스님은 홀연히 진리의 눈이 열려서 황벽선사 60방의 낙처落處를 알았던 것입니다.

"황벽의 불법이 별 것 아니구나!"

임제 스님이 깨닫고 나서 이렇게 말하니 대우 선사께서 임제 스님의 멱살을 잡고 말씀하셨습니다.

"이 오줌싸개 같은 놈아! 그대가 무슨 도리를 알았기에, 조금

전에는 허물이 있는지 없는지를 묻더니 이제 와서는 황벽의 불법이 별 것 아니라고 하는고?"

이에 임제 스님이 대우 선사의 옆구리를 세 번 쥐어박으니 대우 선사께서 잡았던 멱살을 놓으시며 말씀하셨습니다.

"그대의 스승은 황벽이지, 내가 간여할 일이 아니네."

임제 선사께서 다시 황벽 선사께 돌아오셔서 여러 해 동안 모시면서 탁마琢磨 받아 대종사大宗師의 기틀을 갖추시게 되었습니다. 하루는 황벽 선사께 하직인사를 올리니 황벽 선사께서 시자를 불러 이르셨습니다.

"주장자와 불자拂子를 가져오너라."

이에 임제 선사께서 즉시 응수하시기를. "시자야 불火을 가져오너라." 하셨습니다. 이렇듯 기틀을 쓰심이 부싯돌 불빛 보다도 빠르고 번개보다도 빨랐습니다. 그 후 화북華北에 주住하시며 후학들을 제접提接하시면서 누구든지 앞에 어른거리면 벽력 같은 할喝을 하셨습니다. 알겠는가?

임제 선사의 할喝은 천하 사람의 눈을 다 멀게 함이요,

덕산 선사의 방棒은 천하 사람의 눈을 다 열게 합니다.

시회대중이여, 눈을 멀게 함이 옳습니까, 열게 함이 옳습니까?

春生夏長秋收冬藏

봄에 만물이 싹터 여름에 성장하고
가을에 거두어 들여 겨울에 저장함이라.

진제 스님

正無 (1931~현재)

1958년 군산 은적사에서 전강스님을 은사로 득도
1963년 김제 흥복사에서 전강선사를 조실로 모시고 안거 후 5안거 성료.
1971~84년 여주 신륵사, 용주사 주지
현재 안성 석남사 회주

1
자신의 업 스스로 끊어야

 절 집안의 습이 몸에 배지 않으며 잘 이해가 되지 않는 어귀들이 있습니다. 불가의 독특한 사고방식을 밑 바탕에 깔고 전개되는 용어의 참 의미는 그것을 음미할 수 있는 사전 준비가 된 사람에게만 메시지가 전달 됩니다. 이는 마치 음악의 문외한이 모차르트나 슈베르트의 음악을 듣고 느끼는 것과 전문적인 음악도가 듣고 느끼는 것이 차이만큼이나 다른 이미지를 느끼게 합니다.
 '사람 몸 받았을 때 노력하여 업을 벗어라' 는 절 집안의 전통적인 충고도 얼핏 한 쪽 귀로 흘러 버리면 아무 이야기도 아닌 것 같지만 실로 다급하기 짝이 없는 절실한 충고인 것입니다.

　내가 사람이니 사람인 것이 당연하게 느껴지는 것이지 만약 미물들이 생각이 있어서 사고思考한다고 가정하고 그들의 입장에서 사람을 보았을 때는 아마도 사람이라는 것 자체가 불가사의 해탈경계일 것입니다. 우리가 부처님을 바라보는 것과 비교해서 조금도 덜하지 않는 엄청난 불가사의가 사람입니다.

　부처님이나 많은 깨달은 조사님들이 그토록 간절하게 한결같이 '사람 몸 받았을 때…' 하며 당부하시는 이유는 흔히 젊은 이들을 보고 '젊었을 때…' 하는 말의 의미와 대동소이하다고 할 수 있습니다. 늙거나 죽고 나면 할 수 없는 일들이 있습니다. 모든 일에는 시기가 있기 마련입니다.

　귀신이 해탈했다는 이야기는 없습니다. 죽어서 천상에 나더라도 천인의 업이 다하면 그만인 것이지 거기서 해탈의 기회를 갖는 것은 아닙니다. 더구나 자신이 다시 사람으로 환생할 기회는 실로 태평양 한가운데 눈먼 거북이가 오백 년 마다 물 밖으로 고개를 한 번 내밀 때 태평양 한가운데 구멍 뚫린 널빤지가 떠다니다가 거북이 고개가 그 구멍에 끼일 확률과 같음을 명심해야 합니다.

　자신이 지금 사람 몸을 받고 있고 주위에 많은 사람을 보고 있으니 마치 사람인 것이 마치 당연하다고 생각하기 쉽습니다. 그것은 너무나 안타까운 생각입니다.

자신이 부처라고 그토록 많은 분들이 말씀하시는 이유를 생각해 보십시오. 자신을 그저 그렇게 여기는 것은 부처를 그저 그렇게 여기는 것과 무엇이 다릅니까?

인연이 있어서 당신이 있고 그 있음은 오래가는 것이 아닙니다. 지금 이 순간 인연을 끊지 않는다면 당신은 고해바다에서 영원히 윤회할지도 모릅니다. 또 다른 인연의 기회는 보장된 것이 아닙니다. 그것이 진리 세계의 냉엄함입니다. 부처조차도 어찌할 수 없는 업의 불가사의입니다

자기의 업은 스스로 끊어야 합니다. 부모형제도 부처나 조사도 돕지 못합니다. 단지 충고하여 줄 수 있을 뿐입니다. 받아들이거나 거부하거나 간에 그것은 자신의 자업자득인 것입니다.

사람 몸 받았을 때 지금이 기회입니다. 미물은 알수 없는 도리이고 이치이기 때문입니다.

이 소식을 기다리고 기다리던 부처님의 소식으로 알아야 합니다. 한없는 자비로 섭수하시는 부처님의 충고인 것입니다.

2
최상의 선은 효

"인간의 본성은 선이나 악이 아니라 청정"입니다.

세상에는 평생 교육이라는 말이 있습니다. 1년 농사는 쌀농사요, 6년 농사는 인삼농사입니다. 60년 농사는 산삼이라고 하지요. 그럼 자식 농사는 어떻습니까. 30년 농사지어야 사람 하나 만든다고 합니다. 그렇다면 우리는 평생 무슨 농사를 지어야 할까요.

나름대로 이것을 여덟가지로 분류해 보았습니다. 이 여덟 가지가 무엇인가 만이라도 기억 해놓았다가 평생을 연구해보시기 바랍니다.

첫째 인생은 무엇인가 하는 것입니다. 두 번째는 은혜를 알고 갚는 것, 즉 보살행입니다. 그리고 세번째 할 일은 쓸데없는 짓하지 말라는 것입니다. 네번째는 비방하지 말라는 것입니다.

그 다음에 네 가지가 또 있는데 시간과 돈을 같이 순서대로 쓰라는 것입니다. 그 다음은 건강한 생활을 해야 합니다. 그리고 마지막은 죽음 공부입니다. 죽는 것은 다른 것이 아니라 바로 사는 과정입니다. 죽는 것을 배우고 죽음을 준비하는 사람은 삶 자체가 훌륭한 것이라 할 수 있습니다. 이 여덟 가지를 잘 기억하시기 바랍니다.

그럼 첫 번째 인생 공부는 무엇일까요. 인생 공부는 스스로 자기를 들여다 보고 관찰하는 것입니다. 인간의 최고 불행은 인간이 인간을 모르는 것이 최고의 불행입니다. 인간의 본성은 선이나 악이 아니라 본원청정本源淸淨입니다. 오늘은 이 본원청정을 잘 새겨듣고 기억하시기 바랍니다.

우리의 본원은 청정·광명·환희입니다. 기도를 할 때나 참선을 할 때에도 이것을 잊으면 안 됩니다. 우리가 조금 기도하다가 또는 참선하다가 무엇을 보았네, 들었네, 알았네 하는 소리는 청정·광명·환희로 가는 도상에 일시적으로 나타난 병적이거나 망령된 것, 즉 삿된 마구니 입니다. 불교의 기도는 이렇게 하는 것이 아니라 항상 본성이 청정하도록 하는 것입니다.

우리의 본성, 즉 인간의 본래 성질은 청정입니다. 아무것도 없이 깨끗하다는 것이지요. 그리고 광명, 캄캄한 지옥이 아닙니다. 밝음이라는 것입니다. 환희, 기분 좋은 것입니다. 여러분들은 다행입니다. 발심을 하여 법회에 왔으니 말입니다. 발심을 하면 좋은 일이 자꾸 생기고 좋은 친구가 많아집니다.

우리가 나와 너를 분별하고 옳다 그르다를 말하는 것은 거짓입니다. 자신이 아닙니다. 실상이라야 합니다. 실상에 가려면 호흡이 끊어지지 않아야 합니다. 부처님은 생사를 들었다 놓았다 한 분입니다. 생사를 해탈한 분입니다. 죽음 공부를 하면 해탈은 못해도 죽음을 달관하게 됩니다. 죽을 때가 되어서 남을 위해서 남겨놓을 이야기를 못하면 끝난 것입니다. 가는 것만 못합니다. 남의 에너지를 뺏어야 하고, 남의 돈을 뺏어야 하고, 남의 시간을 뺏어야 목숨을 연명한다면 그때는 가야 하는 것입니다. 그래서 봉사하지 못하면 인간이 아닙니다. 봉사할 때 인간입니다.

자기가 나라고 고집하고 오식, 육식, 껍데기로 하지 말라는 것입니다. 밤의 가시라는 말을 아시나요. 우리가 좋다 나쁘다 하는 것을 까내어 버리면, 안에 딱딱한 것이 또 들어있습니다. 그것이 육식입니다. 사상이지요. 그것을 또 떼어내야 먹을 수 있지요. 그런데 안에 떫은 것이 또 있습니다. 이것을 칠식이라고 비교를 합시다. 그러면 알밤, 이것이 팔식입니다.

부처님께서 공부하고 실상에 들어가 보니 생노병사는 없는 것이더라 그 말입니다. 부처님께서 이것을 보시고(깨달으시고) 누구에게 전할까 하다가 다섯 비구에게 갔습니다. 7일을 걸어 380km떨어진 곳까지 다섯 비구를 찾아간 것은 그래도 이들이라야 이해할 수 있을 것이라는 생각에서 입니다. 그런데 이 자리에서 그 말씀을 안했습니다. 그리고 당신이 증득한 〈실상묘법연화경〉은 40년을 설하고 그 후에 8년 동안에 했습니다. 많은 제자들이 있었으나, 몰라도 아는 척하고 거만한 자들이 물러간 이후 열매만 모아놓고 설한 것이 〈묘법연화경〉입니다. 평생 자기를 찾아보지 않은 사람은 이 세상에 왔다가 주인 한 번 안보고 가는 것입니다.

그러니 스스로 자기를 들여다보고 관찰하는 일에 최선을 다 하시기 바랍니다.

평생 해야 할 여덟 가지 중에 두 번째는 은혜를 알고 은혜를 갚는 것입니다. 부처님은 은혜를 갚는 자가 보살이라 했습니다. 은혜에는 부모님 은혜, 국가의 은혜, 동포의 은혜, 스승의 은혜, 자연의 은혜 등 기본적인 것이 다섯 가지 입니다. 다섯 가지 은혜가 없으면 순간이라도 우리가 건재할 수 없는 것입니다. 이 중에서 부모님 은혜 10가지만 잘 알고 갚아도 되겠습니다.

부모님의 10가지 은혜 가운데 8가지가 어머님 은혜인데, 그 마지막 은혜가 이런 것입니다. 100세의 어머니가 임종한다고 방으로 들어가다가 뒤따라 들어오는 80세 아들에게 문턱 조심 하라고 하는 것입니다. 이 사랑, 이 은혜는 명이 다해도 끝나지 않습니다. 부처님께서도 모든 제자들에게 말씀하시기를 천지신명을 다 섬겨도 부모님 잘 섬기는 것만 못하다고 했습니다. 또 만 가지 선은 기본이고 그 기본이 효행이라고 했습니다. 이 세상 최고의 착한 것이 효행이요, 최고의 악한 것이 불효입니다.

부모는 마지막에 운명하면서도 자녀 근심으로 마음을 못 놓

정무 스님

습니다. 육신은 무너져도 생각은 변하지 않는 것이지요. 이것을 해결하는 길은 마음을 비워놓고 엎어버리는 것이 아니라, 우리가 먼저 좌정하고 앉는 것입니다.

　부처님 말씀에 어떤 사람이 삼보에 귀의치 않고 돌아가셨다고 하더라도 그 자손들이 영가를 위해서 잠깐이라도 일념으로 부처님을 염하면 그로 인해서 그 영가가 극락세계에 왕생한다고 했습니다. 여기서 그 잠깐의 일념이라는 것 그것이 바로 본원청정입니다.

　자녀가 건재하지 못하면 부모님은 제도되지 않습니다. 그렇다면 부모님은 어떻게 모셔야 하느냐, 잘 순종하는 것입니다. 젊어 순종하고 늙어 수순하라 했습니다. 자기가 하고 싶어서 하는 순종은 마음을 가져보세요. 부모를 이기고 학생이 선생을 이기는 것은 자살행위입니다.

　자녀가 못된 짓을 할 때에 그 이유를 밖에서 찾지 마세요. 자기 마음 가운데서 모든 것을 찾아보세요. 자식은 거울로 반사한 것입니다. 뱃속에서부터 그림자를 보고 큰 것입니다. 자식이 잘못했을 때에 부모, 즉 자신이 그랬다는 것을 인정하면 부모 자격이 있다고 할 것입니다.

　젊은 부모들은 자신의 부모를 보면서 부모가 되기 위한 인턴 생활을 하고 배워야할 것입니다. 이렇게 평생을 공부하고 세세생생 공부하는 것의 요체는 자기를 찾는 것입니다. 자기를 찾고, 보살도를 행하고, 쓸데없는 짓 하지 않고 남 비방하지 않고, 남 이야기 잘 경청하는 것. 이것이 바로 평생해야 할 일인 것입니다. 요즘 세상에서 자신을 제일 화나게 하는 것은 아마도 이야기를 들어주지 않는 것일 것입니다. 이야기를 하는데 안 들어주고 자기 말만 퍼붓습니다. 남이 이야기를 할 때는 잘 들어주기 바랍니다. 말을 하는 것으로 병을 고치는데 그 정도의 자비를 베풀지 못할 일이 무엇이겠습니까. 가족끼리, 친구끼리 말 안 들어주는 것, 서로 말을 잘 들어주는 것만으로도 불행을 막고 자비를 베푸는 것이라고 할 수 있습니다. 이것이 보살행입니다.

聲準 (1932~1977)

1955년 고암스님을 은사로 득도
1964년 자재암 주지
1971년 신흥사 주지
1977년 조계종 감찰원장

1
항상 정진하라

　부처님의 전생이야기 모음집인 ≪본생경本生經≫에는 수행자가 진리의 말씀 한마디를 듣기 위해 자신의 몸을 던진 구법求法의 이야기가 나옵니다.
　옛날 어떤 구도자가 있었는데 그는 오로지 간절한 마음으로 수행에 전념했습니다. 그런 그에게 어느 날 미묘한 노랫소리가 들려왔습니다.

　　　　諸行無常
　　　　是生滅法

이 세상 모든 것은 덧없이 흘러가니
이를 가리켜 나고 죽는 진리라 하네.

  수행자는 이 노랫소리가 무척 훌륭한 말이라고 느꼈습니다. 그러나 이것만으로는 끝날 것 같지 않았습니다. 무엇인가 그 뒤가 이어질 것으로 생각되었습니다. 그는 몹시 궁금했습니다. 그래서 간절히 뒷구절을 기다렸습니다. 그때 어디선가 험상궂은 나찰이 나타나 이렇게 말했습니다.
  "뒷구절이 알고 싶다면 가르쳐 주리라. 그러나 나는 지금 굶주려 있다. 살아 있는 고기와 피가 필요하다."
  나찰의 굶주린 모습을 본 수행자는 주저 없이 "좋다. 내 목숨을 내어 놓겠다."고 약속했습니다. 그러자 나찰은 마지막 구절을 들려 주었습니다.

生滅滅已
寂滅爲樂
나고죽는 것 그것마저 없어져 버리면
이를 가리켜 고요한 즐거움이라 하네.

  수행자는 마지막 구절을 들은 뒤 약속대로 절벽에서 몸을 던졌습니다. 그 순간 무서운 모습이었던 나찰은 제석천의 모습으로 변해 떨어지는 수행자를 받아 다치지 않게 했습니다. 이 수행자는 다름 아닌 과거세의 부처님이었습니다.

'설산 동자의 구법'으로 널리 알려진 이 이야기는 두 개의 테마로 구성되어 있습니다. 하나는 나찰이 읊었다는 사구게四句偈의 내용에 관한 것이고, 또 하나는 설산 동자의 간절한 구도심에 관한 것입니다.

'이 세상의 모든 것은 덧없이 흘러가는 것, 나고 죽는 것마저 없애 버리면 참다운 즐거움을 이루리라'는 시는 짤막하면서도 불교의 핵심을 요약하고 있습니다. 불교의 모든 교리와 장광설은 실로 이 두 마디의 내용을 성취하기 위한 것에 다름 아닙니다. 그러면 불교의 최종 목표인 '적멸위락寂滅爲樂'을 성취하기 위해서는 어떻게 해야 할까요. 이에 대해 앞의 얘기는 매우 전율할 만한 예를 제시하고 있습니다. '목숨을 걸어야 한다'는 것입니다.

흔히 진리를 구하는 것은 '목숨을 건 도박'이라고들 말합니다. 하지만 진정으로 진리를 구하기 위해 목숨을 걸었던 사람은 그리 흔치 않습니다. 그러면서도 모두 입으로는 '진리를 구하기 위해 목숨을 걸었다'고 말합니다. 그렇지만 말로만 하는 구도를 통해 진리를 깨달을 수는 없습니다. 그는 거짓과 위선으로 자신을 속이고 있을 뿐입니다.

설산 동자가 벼랑에서 몸을 던진 것은 간절한 구도의 마음 때문이었습니다. 진리를 위해서라면 자신의 목숨조차 아까워하지 않고 내던지는 간절함, 그것 때문에 그는 진리의 말씀을 들을 수 있었고 깨달음을 얻을 수 있었습니다. 부처님의 본생담을 모은 《자타카》에는 무려 542개의 얘기가 들어 있는데 하나 하나의 얘기마다 결말은 언제나 주인공(부처님)이 진리를 위해 또는 이웃을 구제하기 위해 자기를 희생하는 것으로 되어 있습니다.

목숨을 거는 일은 비단 '구도의 길'에서 뿐만 아니라 모든 일에서 다 그렇습니다. 목숨을 걸 만큼의 간절한 마음을 갖는다면 이루어 내지 못할 일이 무엇이겠습니까. '지성이면 감천'이라 했습니다. 지성至誠이란 글자 그대로 정성을 다했다는 뜻입니다. 대학입시를 앞둔 수험생이 지성에 이르도록 공부를 했다면 낙방할 이유가 없습니다. 지성은 바로 간절함이고, 간절함은 모든 어려움을 이겨낼 수 있는 힘이 되기 때문입니다.

지성을 다하고 목숨을 걸 만큼의 간절한 사랑은 한번도 이루어지지 않은 적이 없습니다. 설사 그 사랑이 이루어지지 않았다고 하더라도 그것은 이미 아름다운 완성입니다. 《노틀담의 꼽추》에서 꼽추 콰지모도는 집시 처녀 에스메랄다를 사랑하다가 한줌의 재가 되었습니다. 그 사랑은 지성을 다하고 목숨을 건 것이었습니다. 그렇기 때문에 그 사랑은 아름다움으로 완성되었습니다.

우리는 가끔 지성을 다했는데도 어떤 일이 실패로 끝났다고 불평하는 사람을 봅니다. 좌절과 절망을 이기지 못해 끝내 자살이라는 비극적 선택을 하는 사람도 있습니다. 그러나 여기서 우리는 다시 한번 실패로 끝난 사람들에게 물어볼 말이 있습니다.

'과연 당신은 그 일을 위해 목숨을 걸었는가, 혹시 목숨을 건 것처럼 흉내낸 것은 아닌가……'

너무 비정한 질문인지도 모릅니다. 왜 남의 실패를 위로해 주지 못하느냐고 눈흘김을 받을지도 모릅니다. 그러나 우리가 정말로 마음써야 할 것은 목적한 일이 안 된다고 걱정하는 것이 아니라 왜 설산 동자처럼 목숨을 걸지 않는가 하는 점입니다.

돌이켜서 우리의 일상을 살펴보면 세월을 낭비하면서 한가로운 시간을 보내는 경우가 대부분입니다. 인생이란 그렇게 낭비해도 좋을 만큼 넉넉한 시간이 주어진 것이 아닙니다. 눈 한 번 깜빡이고 숨 한 번 내쉬는 그 순간 인생은 끝나 버립니다. 목표를 가진 사람에게 하룻밤의 허송은 자칫하면 그 목표 자체를 상실하게 할 수도 있습니다.

≪장로게경長老偈經≫이란 경전을 보면 이런 말이 나옵니다.

"하루는 광음이 짧다고 그것을 헛되이 보내지 말라. 하루를 버리는 것은 하루 동안 그대의 생명을 버리는 것과 같다."

부처님의 마지막 유훈을 기록하고 있는 ≪열반경≫에도 가슴을 치는 경구가 있습니다. 부처님은 이렇게 말씀하셨습니다.

諸行無常
常勤精進
모든 것은 쉬지 않고 변한다.
그러니 항상 부지런히 정진하라.

  인생은 아무 까닭 없이 태어난 것이 아닙니다. 모든 인생에는 목적이 있고 그것을 이루어 가는 보람의 삶을 살기 위해 태어났습니다. 그래서 불교는 인생을 열심히 살라고 가르칩니다. 하루라도 방일하지 말고 정성을 다해 살 것, 간절한 마음으로 살 것을 강조합니다. 누구보다도 부처님 자신이 그렇게 살았고 생사의 강물을 건너간 모든 수행자가 그렇게 살았습니다.

  참으로 우리는 실패를 두려워할 필요가 없습니다. 우리가 정말로 두려워해야 할 것은 실패 그 자체가 아니라 왜 간절하고 지극한 자세로 살지 못했느냐 하는 것입니다. 지극하고 간절하게 매순간을 살아갈 일입니다.

2
기도란 무엇인가

우리나라 불자들의 가장 중요한 신행생활은 기도와 불공에 있습니다. 기도와 불공에 열심인 불자들이 내심으로 바라는 그렇게 함으로써 삼재팔난三災八難이 물러가고 모든 소원이 성취되는 것입니다. 실제로 많은 사람들은 불교의 신행의 요체는 기도와 불공에 있다고 믿으며 그것이 곧 소원성취의 수단이라고 생각합니다.

그러나 아이러니하게도 불교의 〈대장경〉 어디를 살펴보아도 기도를 하면 부처님이 소원을 성취케 해준다는 대목은 보이지 않습니다. 오히려 불교의 경전은 그러한 종교 행위를 '낡은 믿음'으로 간주합니다. 예컨대 〈중아함〉 3권 17번째 경전인 ≪가미니경伽彌尼經≫은 "아무리 기도를 한다고 하더라도 물 속에 있는 바위가 떠오르지 않는 것처럼 악업을 지은 사람을 위해 기도를 했다고 그가 천상에 태어날 수는 없다."고 단언하고 있습니다.

이러한 가르침은 기도의 영험을 바라는 불자들로서는 실망스러운 일이 아닐 수 없습니다. 부처님은 초월적 능력을 행사하는 분이 아니며 따라서 그에게 기도를 한다고 하더라도 신비한 이적과 같은 영험이 없다면 굳이 절에 보시를 해가며 불교를 믿는 것은 미신이 되기 때문입니다. 이에 대해서는 스님들도 고민이 많습니다. 손쉬운 방법으로 포교를 하기 위해서, 또는 경제적인 이유에서 기도의 필요성을 강조하고 싶지만 그 근거인 교리적 배경이 마땅하지 않습니다.

그러나 이 문제는 불교가 어떻게 대승의 길로 발전해 왔는지를 살펴보면 생각의 실마리를 정리할 수 있습니다. 대승불교의 아버지로 불리는 용수龍樹 보살은 불교 수행의 길에는 자력에 의해 성불을 추구하는 난행도難行道와 불보살의 원력에 의지해 수행해 가는 이행도易行道가 있다고 했습니다. 난행도는 근기가 수승한 사람이 선택하는 방법이고 이행도는 근기가 약간 미천한 사람들이 선택하는 방법입니다. 일반적으로 자력에 의한 깨달음을 추구하는 난행도의 종교로 알려져 있는 불교에 불보살의 원력에 의한 이행도가 시설된 것은 그만한 까닭이 있습니다. 현실의 삶을 살아가는 세속중생은 근기가 다양하고 저열하여 누구나 높고 수승한 난행도를 성취할 수 없습니다. 마치 학교에 가면 공부 잘하는 학생이 있는가 하면 아무리 가르쳐도 학업 성취가 늦은 학생이 있는 것과 마찬가지입니다. 이때 학교 교육이 몇몇 공부 잘하는 학생에게만 맞추어진다면 나머지 지진아는 영원이 구제받지 못할 것입니다. 따라서 훌륭한 선생님은 여러 가지 방편으로 제자를 가르쳐 끝내는 공부를 성취시키려고 합니다. 이것이 중생의 입장에서 보면 이행도가 됩니다.

중생을 쉽고 편안하게 성불의 길로 이끌고자 하는 이행도는 대승불교의 이념이기도 합니다. 대승불교의 이상이 상구보리上求菩提와 하화중생下化衆生에 있다고 할 때 여기에는 근기가 하열한 중생을 포기하지 않는다는 서원이 전제되고 있습니다. 대승불교가 대승불교인 것은 바로 이 하화중생에 더 많은 관심과 노력이 뒤따르기 때문입니다. 불교에서 기도란 바로 이 같은 하화중생을 위한 불보살의 원력에 근거를 두고 있습니다. '중생이 아프면 보살도 아프다'는 유마거사, '한 중생이라도 지옥고를 받는 자가 남아 있다면 결정코 성불하지 않겠다'는 지장보살, '내 이름을 열 번만 부르면 어떤 중생도 구제하겠다'는 약사여래, '천 개의 눈으로 중생의 고통을 살피고 천 개의 손으로 그 고통을 어루만져 주겠다'는 관세음보살의 원력이 바로 그것입니다.

이러한 보살의 서원과 구제사상은 후대로 내려오면서 자연스럽게 기도라는 형식의 의례로 발전했습니다. 불보살의 서원에 의지해 현실고現實苦를 해결하려는 중생의 소박한 욕망은 이행도에 대한 과감한 확대 해석과 함께 기도라는 종교의례를 정착시킨 것입니다. 그러나 여기에는 적지 않은 오해와 부작용도 수반되었습니다. 승진과 취직도 기도만 하면 다 해결되고 삼재 팔난의 고통도 불보살의 가피로 사라진다는 식의 그릇된 기도 만능주의가 발생한 것입니다. 앞의 비유를 다시 예로 든다면 게으른 학생이 공부를 도와주려는 선생님에게 아예 공부까지 대신 해달라고 매달리는 것입니다. 하지만 여기에 이르러서는 불보살도 어쩔 수 없는 일입니다. 도와줄 수는 있지만 밥을 대신 먹고 공부를 대신해 줄 수는 없는 노릇입니다.

이것은 불교의 기도 방법을 잘못 이해한 데서 오는 오류입니다. 불교에서 말하는 기도의 영험은 초월적 절대자에 의해 밖으로부터 오는 것이 아니라 참회를 통한 죄업의 소멸과, 정진을 통한 내면적 변화가 일어났을 때에만 나타납니다. 다시 말해 간절한 기도는 내면을 변화시키고 마침내 그 공덕은 주변마저 변화시킵니다. 그것은 알량하고 평범한 상식으로는 상상할 수 없는 초과학적 불가사의와 같은 것입니다. 실제로 이러한 예는 수많은 기적의 체험자들에 의해 입증됩니다. 똑같은 사고를 당했는데도 누구는 죽고 누구는 살아나는 기적 같은 현실은 불가사의가 아니라 사실은 그렇게 될 수 밖에 없는 인연과 공덕이 있었기 때문인 것입니다.

기도와 관련해 또 한 가지 오해해서는 안될 문제가 있습니다. 기도와 기복주의의 문제입니다. 결론부터 말하면 기도와 기복주의는 하늘과 땅처럼 다르다는 것입니다. 일반적으로 사람들은 기도를 개인적인 구복의 수단으로 이해하고 있습니다. 기독교도 그렇고 불교도 그렇다고 생각합니다. 그러나 기독교는 그럴지 모르지만 불교는 기도와 기복주의와 엄격하게 구분되는 종교입니다. 무슨 말인가 하면 기복은 기본적으로 개인의 이기적 욕망의 충족을 전제로 하는 종교행위입니다. 출세나 득남이나 승진 등을 목적으로 하는 기도가 여기에 해당됩니다. 그러나 불교에서 기도란 앞에서도 말했지만 개인의 내면적 변화를 목적으로 하는 수행의 일환이라는 점입니다. 이것은 불교의 다른 수행법 이를테면 참선이나 염불이나 간경이나 주력과 동일한 차원의 것입니다.

阿彌陀佛在何方
着得心頭切莫忘
念到念窮無念處
六門常放紫金光
아미타불 계신 곳 어디인가
마음에 간직해 잊지 말지니
생각이 생각 없는 곳에 이르면
온몸에서 금색 광명이 빛나리.

이것은 염불이나 기도를 어떻게 해야 하는지를 말해 주는 게

송입니다. 기도는 이렇게 하는 것입니다. 옛 기록에는 불교의 많은 수행자들이 기도를 통해 득력(得力)하고 공부를 성취한 사례가 수없이 소개되고 있습니다. 이것은 기도가 기복이기보다는 수행이라는 점을 반증하는 한 자료일 것입니다. 불자의 종교생활에서 기도는 매우 중요한 방법의 하나입니다. 오랫동안 기도를 한사람의 얼굴이 맑아지고 발원이 성취되는 모습은 현실에서도 자주 목격됩니다.

  부처님이 입멸하신 지 오래 되고 정법이 쇠퇴해 가는 말법의 시대에 기도는 더없이 훌륭한 수행의 방법으로 다시 주목돼야 합니다. 자기 변화를 위한 기도의 생활화가 이루어질 때 불교는 더욱 대중과 친근한 종교로 발전해갈 수 있을 것입니다.

3

그대들은 보지 못했는가

"티끌이 하나 일어나니 모든 대지를 거둬들이고, 꽃 한송이가 피니 온 세계가 열리도다. 그러나 티끌 하나 일어나지 않고 꽃 한 송이 피지 않을 때는 어떻게 해야 할 것인가. 그러므로 '한 타래의 실을 물들일 때는 한꺼번에 물들이면 모두 물드는 것과 같다'고 말하는 것이다. 그러므로 이제 모든 시비 갈등을 끊어 버리고 자기 자신 속에 내재된 보배를 드러낸다면 높고 낮음과 앞과 뒤가 따로 없이 각기 그 모습을 드러내게 되리라."

때는 봄이라 온 천지 강산에는 백화가 만발하였습니다. 겨울 동안 앙상하던 나무들도 새 잎이 돋아 눈이 시릴 정도입니다. 이러한 자연을 보면 부처님과 조사의 가르침이 한치도 어긋남이 없다는 것을 새삼 깨닫게 됩니다.

참으로 신기한 일입니다. 지난 겨울에는 꽃도 피지 않고 새들도 울지 않았습니다. 나무는 잎새를 다 떨구고 죽은 듯이 서 있었습니다. 그러더니 어느 새 잎이 피고 꽃을 피우니 이 도리가 참으로 신기하지 않습니까? 이 신기한 도리를 〈반야심경〉에서는 이렇게 표현하고 있습니다.

色卽是空 空卽是色
色不異空 空不異色
受想行識 亦復如是

모든 존재의 참 모습은 공한 것이요,
존재는 공한 모습과 다르지 않고
공은 존재가 다르지 않다.
다른 모든 것도 또한 이와같다.

　가만히 생각해 보십시요. 지난 가을 설악산 단풍은 얼마나 아름다웠습니까. 그러나 얼마 되지 않아 낙엽이 떨어지고 단풍나무는 앙상한 나목이 되었습니다. 그리고 다시 봄이 되었습니다. 그런데 이번에는 정반대의 현상이 일어났습니다. 침묵하던 대지에서는 새싹이 돋아나고 헐벗은 나무에서는 새순이 돋아났습니다.
　여름 결제를 하려는 지금 바깥의 풍경은 초록이 우거져 온 산천이 푸르고 시원합니다. 저 권금성 이마를 하얗게 덮고 있던 백설도 마찬가지입니다. 이 세상이 끝날 때가지 녹지 않을 것 같던 눈은 어느새 사라지고 푸른 모습을 보이고 있습니다.

　그러나 겨울이 오면 권금성에는 다시 흰눈이 덮일 것입니다. 바로 이것입니다. 모든 존재는 그 뒷면을 살펴보면 공한 모습이요, 공한 것은 그 앞면을 살펴보면 또한 존재하는 것이니 이것이 바로 색즉시공色卽是空이요 공즉시색空卽是色의 도리입니다.

　그러면 무엇이 있어서 있는 것을 없게도 하고 없는 것을 있게도 할까요. 그것은 다름 아닌 진리의 본성이니 이를 일러 법성法性이라고도 하고 인격화 해서는 불성佛性이라고도 합니다. 중생이 중생인 것은 이 법성을 보지 못하고 불성을 깨닫지 못하기 때문이니 누구든 한 생각 돌려 진리의 본성을 살피고 자신의 불성을 본다면 그 자리가 한 소식 얻는 자리입니다.

　　　　　　　此境本無性
　　　　　　　何人起此堂
　　　　　　　唯餘無己者
　　　　　　　去住兩無妨

　　　　　이 경계는 본시 머물 수 없나니
　　　　　누가 이곳에 쉴 집을 지었는가.

오직 나라는 집착이 없는 이만이
가고 머무는 것에 걸리지 않으리라.

여러분은 선문禪門의 보전인 〈증도가證道歌〉를 쓴 영가현각永
嘉玄覺 화상을 기억하십니까. 그는 원래 중국의 절강성 영가현
출신으로 어려서 출가하여 천태종 계통의 개원사에서 공부를
했습니다. 천품이 효순하여 홀어머니와 누님을 시봉하면서 정
진하여 견처見處를 얻었습니다.

어느 날 개원사에는 현책玄策이라는 노스님이 찾아왔는데 영
가 스님이 만나 대담을 해보니 서로 통하는 데가 있었습니다.
현책 스님은 영가 스님이 법기法器인 것을 알고 이렇게 일러주
었습니다.

"그대는 불법의 이치를 밝히기는 했으나 스승의 인가를 얻지
못했다. 과거의 부처와 성인들은 서로 인가를 하여 법을 이었
으니 석가모니도 연등불에게 수기를 받았다. 그렇게 하지 않으
면 외도에 떨어지기 쉽다. 남방에 큰 스승이 있으니 찾아가 예
배하고 스승으로 섬기는 것이 좋을 것이다."

그리하여 영가 스님은 현책 스님과 함께 조계산에 이르러 육
조 혜능 대사를 친견하게 되었습니다. 때마침 혜능 스님은 상
단법문을 하고 있었는데 영가 스님은 절도 하지 않은 채 육환
장을 짚고 법상을 세 번 돌고 그 앞에 우뚝 섰습니다. 그러자

혜능 스님이 물었습니다.

"대저 사문이란 삼천위의와 팔만세행을 갖추어야 하거늘 그대는 어디에서 왔기에 이렇게 도도한가?"

그러자 영가 스님은 이렇게 대답했습니다.

"나고 죽는 일이 크고, 무상은 매우 신속하기 때문입니다."

"어찌하여 태어남이 없음을 체험해 얻어서 빠름이 없는 도리를 요달하지 못하는가?

"본체는 태어남도 없고 본래 빠름이 없음을 이미 요달했습니다."

요컨대 영가 스님의 대답은 본체란 원래 생겨나는 것이 아니니 그것을 우리가 체득할 필요가 있겠는가, 이대로가 생겨남이 없는 것이고 이대로가 빠름이 없는 것이니 다시 깨달아야 할 것이 무엇이겠느냐는 것이었습니다. 이러한 대답을 들은 혜능 스님은 천 명의 대중이 지켜보는 앞에서 이렇게 인가印可 했습니다.

"네 말이 옳다. 네 말이 옳다."

그러자 영가 스님은 비로소 육환장을 내로놓고 위의를 갖춰 예배를 드렸습니다. 그때 영가 스님의 나이는 겨우 31세에 불과했습니다. 예배를 마친 영가 스님은 다시 행장을 챙겨 바로 하직 인사를 드렸습니다. 이에 혜능 스님은 작별을 섭섭해 하며 말했습니다.

"왜 그렇게 빨리 떠나려고 하는가?"

"본래 스스로 움직이지 않거니 어찌 빠르고 더딤이 있겠습니까?"

"누가 움직이지 않는 줄 아느냐?"

"스님께서 스스로 분별을 내십니다."

"장하다, 손에 방패와 창을 동시에 잡았구나. 하룻밤만 묵고 가거라."

영가 스님은 스승의 만류대로 하룻밤을 묵고 길을 떠났습니다. 혜능 스님은 젊은 제자가 떠나는 길을 몸소 배웅했습니다. 영가 스님은 열 걸음쯤 걷다가 석장을 세 번 내리치고 이렇게 말했습니다.

"내가 조계를 한 차례 찾아온 뒤에 나고 죽음이 아무 상관없음을 분명히 알았노라."

영가 스님에게 '일숙각一宿覺'이라는 별명이 붙은 것은 이런 사연 때문입니다. 다시 고향에 돌아온 스님은 저 유명한 〈증도가證道歌〉를 쓰고 불과 39세라는 젊은 나이에 입적하였습니다.

그 영가 스님이 쓴 〈증도가〉 첫머리에 이런 말씀이 있습니다.

絶學無爲閑道人
不除妄想不求眞
無明實性卽佛性

幻化空身卽法身

배울 것이 끊어진 한가한 도인은
망상도 없애지 않고 참됨도 구하지 않으니
무명의 참 성품이 곧 불성이요
허깨비와 같은 빈 몸이 곧 법신이기 때문이다.

  망상도 참됨도 구하지 않는 것은 무명이 곧 불성이요, 번뇌가 즉 보리며, 생사가 즉 열반이며, 색이 곧 공이며, 허깨비가 곧 법신이며 봄이 곧 가을과 다르지 않기 때문입니다. 여기에는 빠르고 더딤이 없으며, 분별과 무분별이 다르지 않으니 이는 천하제불天下諸佛과 역대조사歷代祖師가 상호 인가하고 증명하는 바입니다.
  그러나 나는 아직 일숙각一宿覺과 같은 사람을 만나지 못했으니 그것이 한입니다. 이 자리에서 일숙각과 같은 선지식이 나온다면 내가 이 세상에서 할 일은 다 끝났다 하겠습니다.

       君不見
  그대들은 보지 못했는가.
       억!

성준 스님

4
卽心是佛

"마음이 곧 부처요 무심無心이 곧 도이니라. 다만 마음을 내어서 생각을 움직인다든지 또는 있고 없고, 길고 짧고, 너와 나, 또는 주체니 객체니 하는 생각만 없애면 마음이 본래 부처요 부처가 본래 마음임을 알리라. 마음은 허공과 같으므로 말하기를 '부처님의 참된 법신은 허공과 같다' 고 하느니라. 그러나 부처를 따로 구하지 말지니 구함이 있으면 모두 고통이니라. 설사 오랜 세월 동안 육도만행을 실천하여 부처님과 같은 깨달음을 얻는다 하더라도 그것은 결코 완전한 구경은 되지 못한다. 왜냐하면 그것은 인연의 조작이기 때문에 인연이 다하면 덧없음으로 돌아가고 만다. 그러므로 이르시기를 '보신과 화신은 참된 부처가 아니요, 또한 법을 설하는 자가 아니다' 라고 하였느니라. 다만 자기의 마음을 알기만 하면 나와 남이 없어서 본래 그대로 부처이니라."

이 말씀은 황벽黃檗 선사의 법문을 모아 놓은 〈완릉록宛陵錄〉

에 나오는 것인데 왜 마음이 곧 부처인지를 잘 설명하고 있습니다.

자고이래로 '부처란 무엇인가'를 설명하는 것은 교학자들의 큰 임무였습니다. 어떤 사람은 〈무량수경〉에 나오는 말을 따다가 '자비'라고도 했고, 어떤 사람은 부처는 진리를 깨달은 사람이므로 '법성法性'이라고 했습니다.

다 옳은 말입니다. 그러나 이는 부처의 참 모습을 다 말했다기 보다는 어느 한 면의 특성을 강조한 설명에 지나지 않는 것입니다. 왜냐하면 자비나 법성이 부처의 본질이기는 하지만 그 바탕이 되는 무엇을 아직은 다 말하지 못했기 때문입니다.

이런 점에서 중국의 선사들이 부처의 본성을 '마음'이라고 규정한 것은 매우 획기적인 것입니다. 마음은 일체 만법萬法을 인식하는 주체이면서 또한 만법 그 자체인 까닭입니다.

〈화엄경〉에 이르기를 심여공화사心如工畵師라 했습니다. 즉 '마음이란 모든 것을 그리는 화가와 같다'고 했으니 실로 마음이 아니면 자비도 법성도 그려낼 수 없는 것입니다. 따라서 이 마음을 바로 알고 깨닫는 것이 곧 불교의 진리를 깨닫는 것이요, 부처가 되는 길이라고 갈파한 선사들의 법문은 최상승의 가르침이 아닐 수 없습니다.

'마음이 곧 부처'라고 거듭 강조해서 선문禪門에 유행시킨 이는 강서의 마조대사馬祖大師입니다.

어느 날 대매 법상大梅法常이라는 제자가 찾아와 이렇게 물었습니다
"무엇이 부처입니까?"
"마음이 곧 부처이니라."
이 한마디에 그는 바로 깨달았습니다.

하루는 경전에 조예가 깊은 분주 무업汾州無業이 찾아왔습니다. 그는 체격이 장대하고 목소리가 우렁우렁한 거한이었습니다. 대사는 그를 보자 이렇게 말했습니다.
"법당은 웅장한데 영험이 없구나."
무업無業 스님은 정곡을 찌르는 한마디에 무릎을 꿇고 가르침을 청했습니다.
"소생은 모든 경전을 다 읽었지만 '마음이 부처' 라는 말은 이해하지 못하겠습니다. 가르침을 베풀어 주십시오."
"바로 그걸세. 이해하지 못한다는 그 마음이 바로 부처이지 부처가 따로 있는 것이 아닐세."
무업 스님은 무슨 뜻인지 이해가 되지 않았습니다. 그래서 다시 물었습니다.
"달마 대사께서 전해 주셨다는 심법心法에 대해 가르쳐 주십시오."
"쓸데없는 일에 바쁘구나. 물러갔다가 다시 오너라."

무업 스님이 물러가려 하자 마조 대사가 그를 불렀습니다. 무업이 돌아보자 대사가 물었습니다.

"이것이 무엇인가?"

'돌아보는 그 놈이 무엇이냐' 는 질문에 그는 크게 깨달았습니다.

하루는 대주 혜혜大珠慧海 스님이 찾아왔습니다.

"어디서 왔는가?"

"월주 대운사에서 왔습니다."

"무엇하러 왔는가?"

"불법을 구하러 왔습니다."

"나는 아무 것도 줄 것이 없다. 불법이 어찌 나한테 있겠느냐. 그대는 왜 자기 집에 있는 보배를 돌보지 않고 밖에서 찾고 있는가?"

"제게 보배가 없다니 무슨 뜻인지요?"

"내게 묻고 있는 그대가 바로 보배일세. 그대 배 안에 보배가 가득 갖추어져 있어서 평생을 써도 모자랄 텐데 무엇 때문에 밖으로 찾아다니는가?"

사람 사람이 각자가 구족한 마음을 쓸 줄 알면 된다는 말씀이었습니다. 이 말에 그는 크게 깨달았습니다.

切忌從佛覓
迢迢與我疎
我今獨自往
處處得逢渠

부디 밖으로 구하지 말라.
그럴수록 더욱 멀어지리라.
나는 이제 홀로 가되
곳곳에서 그와 만나리라.

마음을 깨닫는다는 것은 결국 자기 자신이 누구인지를 안다는 뜻입니다. 우주의 주체, 인생의 주체인 자기 자신이 어떤 존재인지를 안다면 우리는 인생을 하인이 아닌 당당한 주인으로 살게 됩니다.

불교의 위대함은 바로 인생을 주인되게 한다는 데 있습니다. 기왕 얘기가 나왔으니 몇 가지 옛날 얘기를 더 들어 보겠습니다.

혜초 책진慧超 策眞 스님이 아직 납자였을 때 법안 문익法眼文益 화상을 찾아가 물었습니다.

"어떤 것이 부처입니까?"

그러자 법안 스님은 이렇게 답했습니다.

"네가 혜초이니라."

너 자신이 부처이지 다른데 있지 않다는 말씀입니다. 법안 선사의 문하에서 감원 소임을 보던 현칙玄則이라는 스님이 있었습니다. 그러나 그는 청봉靑峰 선사 문하에서 한 소식을 얻었다면서 조실에 들어가 묻지 않았습니다. 법안 화상이 그를 불러 물어 보았습니다.

"네가 청봉 화상 문하에서 한 소식했다니 어떻게 했는지 말해보라."

"제가 '무엇이 부처입니까?' 하고 물으니 그때 청봉 화상은 '병정동자래구화丙丁童子來求火'라고 했습니다. 병정丙丁은 불火을 말하는 것이니 풀어 보면 불이 불을 구한다는 뜻입니다. 바로 부처가 부처를 구한다는 뜻이 아닙니까?"

그러자 법안 화상은 단호하게 '네가 잘못 알았다'고 말했습니다. 현칙玄則 스님은 이에 불복하고 밖으로 나갔다가 생각해 보니 무언가 께름칙했습니다. 그래서 다시 돌아와 물었습니다.

"무엇이 부처입니까?"

"불이 불을 구하는구나丙丁童子來求火."

이에 현칙 스님은 크게 깨달았습니다.

우리는 여기서 바로 알아야 합니다. 즉심시불卽心是佛은 말장난을 하기 위해 있는 말이 아닙니다. 참으로 그렇게 알아야 바로 아는 것입니다. 이런저런 사족蛇足을 달지 말고 무엇이 부처인지를 바로 알아야 합니다. 그러면 새로운 세상이 열릴 것입니다.

>渠今正是我
>我今不是渠
>應須恁麽會
>方得契如如

>그는 이제 바로 나여도
>나는 이제 그가 아니다.
>모름지기 이렇게 깨달아야
>비로소 진여와 하나가 되리라.

5
스님은 어느 편입니까?

마조馬祖 대사께서는 다음과 같이 말씀하셨습니다.

"도란 닦아 익힐 필요가 없다. 오직 더러움에 물들지 않으면 된다. 어떤 것이 더러움에 물든 것인가. 나고 죽는다는 생각을 염두에 두고 일부러 별난 짓을 벌이는 것을 가리켜 더러움에 물든 것이라 한다. 단번에 도를 이루고자 하는가. 평상의 이 마음이 도인 것을 알라. 평소의 마음이란 어떤 것인가. 짐짓 꾸미지 않고, 이러니 저러니 가치판단을 하지 않으며, 마음에 드는 것만을 좋아하지 않고, 단견과 상견을 버리며, 평범하다느니 성스럽다느니 하는 생각과 멀리 떨어져 있는 그런 마음이다. 경에서도 이르기를 '범부처럼 행세하지도 않고 성인처럼 행세하지도 않는 것이 바로 보살행'이라 한다고 했다."

불교 공부는 분별심을 없애는 공부입니다. 우리가 사바세계에서 어지럽고 복잡하게 사는 것은 오로지 분별심 때문이니 이 분별심을 무분별심으로 바꾸면 그 자리에서 부처를 이루게 됩니다.

어떤 사람이 공부가 익었는지를 알고자 한다면 일체의 경계와 접촉할 때 어떻게 마음을 쓰느냐를 보면 안다고 했습니다. 말이나 문자로는 그럴듯 하게 무분별을 말하지만 실제로는 형편없는 사람이 얼마든지 있습니다.

세상살이를 하면서 탐욕이나 분노를 억제하지 못하는 것도 다 분별심 때문입니다. 남의 물건을 훔치거나 싸움을 하는 사람, 거짓말을 하거나 거만하게 행동하는 사람도 다 분별심에서 벗어나지 못해서 그런 행동을 하는 것입니다. 그러나 공부가 익어 분별심이 사라진 사람은 일체의 경계에서 자유자재할 수 있습니다. 나의 은사이신 고암古庵 큰스님의 얘기를 들어 보십시요.

6·25 전쟁이 한창일 때 고암 스님은 전라남도 나주 다보사에 주석하고 계셨습니다. 전쟁 중에는 다 그랬지만 당시 나주는 빨간 사람과 파란 사람이 뒤섞여서 저편과 이편이 구분되지 않았습니다. 그때 스님은 북쪽을 지지하는 사람들에게 반동분자로 몰려 죽을 지경인 사람을 보면 절에 숨겨 주었습니다. 또 인민군이 물러간 뒤에는 남쪽 사람들에게 빨갱이로 몰려 죽게 된 사람을 절에 숨겨 주거나 누명을 벗겨 주었습니다. 이렇게 반동분자나 빨갱이를 가리지 않고 구해 주는 것을 이상하게 여긴 사람이 스님을 밀고 했습니다.

어느 날 경찰이 찾아와 스님에게 물었습니다.

"스님은 지난번에 인민군에게 부역한 빨갱이를 숨겨 준 적이 있지요?"

"그렇지요. 절에 숨겨 주었지요."

"스님도 혹시 빨갱이가 아닙니까?"

"나는 그런 것 모릅니다."

"그럼 왜 숨겨 주었습니까?"

"절에 와서 재워 달래니까 그랬지요?"

경찰은 이 혐의 사실을 확인하고 스님을 연행하려고 했습니다. 그때 이를 본 부목 처사가 나와 이번에는 전혀 다른 사실도 진술했습니다. 공산당이 내려왔을 때 반동분자로 몰린 사람도 숨겨 주었다는 것이었습니다. 경찰은 이 말을 듣고 다시 물었습니다.

"반동분자로 몰린 사람을 숨겨 주었다는 게 사실입니까?"

"그렇습니다."

"그 사람은 왜 숨겨 주었습니까?"

"절에 와서 재워 달래니까 재워 주었을 뿐이지요."

"그러면 도대체 스님은 어느 편입니까? 북쪽 편입니까, 남쪽 편입니까?"

"편은 무슨 편! 남쪽이니 북쪽이니 편을 갈라 싸우는 것은 다 부질없는 짓이지요. 남쪽이나 북쪽보다 더 귀한 것이 사람 목숨이니 내가 도와준 것뿐이지요."

경찰은 할 말을 잊고 그냥 돌아가고 말았습니다.

靑山白雲來
白雲靑山去
靑山本不動
白雲無定處

청산에 흰구름 오고
흰구름 청산으로 가네.
청산은 본래 움직이지 않는데
흰구름은 정처가 없네.

청산은 본래 분별이 있는 것이 아닙니다. 청산은 본래대로 거기에 있을 뿐입니다. 다만 정처 없는 백운이 청산에 드리웠다가 바람이 불면 떠나는 것입니다. 청산 보고 왜 구름을 재웠냐고 따지거나 왜 떠나 보냈냐고 시비하는 사람은 바보입니다. 백운은 머물다 떠나는 것이 본성이고 청산은 그 자리에 있는 것이 본성입니다. 본성대로 하면 시비가 생길 수 없습니다.

수행자는 이렇게 진리의 본성을 알고 쓸데없는 시비를 하지 않습니다. 모두가 부질없는 짓이기 때문입니다. 일본 에도시대의 고승인 료칸良寬 선사의 법화法話는 분별과 집착을 뛰어넘은 사람의 삶이 얼마나 멋진 것인지를 보여 줍니다.

　청빈하기로 유명한 료칸 선사가 야트막한 산기슭에 작은 초막을 짓고 살 때의 일입니다. 어느 날 밤 선사의 오두막에 도둑이 들어왔습니다. 그러나 워낙 가난한 선사의 살림살이인지라 훔쳐갈 만한 변변한 물건이 없었습니다.
　도둑이 실망하는 눈치이자 선사가 입고 있던 옷을 벗어 주면서 말했습니다.
　"내 암자까지 찾아왔는데 빈손으로 가게 해서야 되겠나. 이 옷이라도 가져 가시게."
　도둑은 선사가 벗어 주는 옷을 들고 뒤도 돌아보지 않고 뛰었습니다. 벌거숭이가 된 료칸 선사는 뜨락에서 달빛을 바라보며 이렇게 말했습니다.
　"저 아름다운 달까지 줄 수 있었다면 얼마나 좋을까. 하지만 달은 줄 수도 훔칠 수도 없구나."

　　　　　　　　　有影庭前竹
　　　　　　　　　風聲檻外松
　　　　　　　　　禪窓無箇事
　　　　　　　　　閑數上房鏡

그림자 있으니 뜰 앞의 대나무요
바람 소리 들리니 난간 밖의 소나무네.
선창에는 아무 일도 없으니
한가하게 큰 절 종소리만 헤아릴 뿐.

　이제 여러분은 오늘 내가 들려준 법문의 뜻이 어디에 있는지를 알아차렸을 것입니다. 그것은 수행자의 행실이 어떠해야 하는지를 보여주고 있습니다.
　요즘 도 닦는 사람들은 시비가 너무 많습니다.
　시비의 근원인 생각을 다스릴 궁리는 하지 않고 생각의 표상인 현상만 따지려 합니다. 이래서야 어떻게 도를 닦는다고 하겠습니까. 따지고 보면 도란 닦을 것도 없는 것입니다. 마조馬祖 대사가 상단 법문에서 이른 것처럼 더러움에 물들지 않게만 하면 됩니다.
　조작造作과 시비와 취사取捨에 떨어지면 문제는 거기에서 생깁니다. 생각해 보면 이처럼 쉬운 일도 없습니다. 이 쉬운 일을 어렵게 하는 것은 지금 당장 그렇게 하겠다고 마음을 돌리지 않기 때문입니다. 여러분이 참으로 도를 닦고자 한다면 지금 이 자리에서 회심廻心하시기 바랍니다.

천운 해남 대흥사 조실(1932~)

1932년 전북 고창 출생
1947년 월정사에서 지암스님을 계사로 득도
구례 화엄사, 해남 대흥사 주지, 광주 향림사 조실

1
지장경의 핵심은 효

　부처님께서는 29세에 출가를 했습니다. 그리고 35세까지 6년간 온갖 노력을 수반한 수행을 했습니다. 그리고 부처님佛, 부처님 법法, 승가僧로 구성된 종단을 만들어 낸 것입니다. 그렇게 만들어 낸 종단에서 무엇을 어떻게 추구했느냐는 것은 〈지장본원경〉을 보면 알 수 있습니다.
　〈지장본원경〉 제1품에 도리천품이 나옵니다. 거기에 보면, 부모님이 돌아가신 뒤 49일 안에 선업을 닦지 못하면 그 부모는 중음신이나 죄 지은 것에 따라 지옥에 간다고 되어 있습니다. 그리고 7품에도 49일이라는 숫자가 두 군데 나오는데 선업을 짓지 않으면 안 된다고 합니다.

　선업이란 무엇일까요? 조상으로부터 자신에 이르기까지 할아버지 한 분만 빼도 내가 살지 못합니다. 내가 존재할 수가 없는 것입니다. 할머니 한 분만 빼도 내가 존재하지 못합니다. 그것을 깊이 음미해보면 남자 계통은 씨, 즉 '종자'라는 말이고, 여자 계통은 밭이라는 말입니다. 다시 말해 이 인류는 모두 다 씨와 밭으로 구성되어 있다고 봅니다. 인간 뿐만 아니라 모든 생명 또한 씨와 밭을 통해 생성됩니다. 어느날 하나님이 만들어 낸 것이 아닙니다.

　거기에는 천상, 인간, 수라, 아귀, 축생, 지옥이 있는데 이것을 육도라고 합니다. 육도가 천배 있는 것을 소천세계라고 하고 소천세계가 천배 있는 것을 중천세계라고 하고, 중천이 천배 있는 것을 삼천대천세계라고 했습니다. 그런데 이 삼천대천세계가 스무 개가 있다고 하고 그것을 찰종세계라고 했습니다.

　여러분들이 예불 볼 때, '시방삼세 제망찰해'라고 하죠? 이십 개의 찰종세계가 항하사 모래 수보다 많습니다. 그것을 헤아릴 수가 없으니까 '우주'라고 합니다. 그 우주가 찰해라는 말입니다.

　그 우주 속에서 나 하나가 살고 있는 겁니다. 거기에서 내 조상을 내가 안 받들고 내 부모를 내가 안 받들면 누가 받들겠습니까. 선업은 곧 부모와 조상을 바르게 모시는 일이 됩니다. 그런데 부모와 조상을 모시지 않는 사람은 이 세상에서는 악인이라고 합니다. 자기 부모와 조상을 괄시하는 사람을 말합니다.

부처님께서는 성불하시고 6년간 종단을 꾸린다고 갖은 고생을 한 다음에 아버지 정반왕을 찾아갑니다. 그리고 석씨를 가진 아들은 다 스님으로 만들었고 자기 어머니도, 부인도, 아들도 스님으로 만들었습니다. 남은 이는 아버지뿐이었습니다. 그래서 딴 사람을 양아들로 앉혀 놓고 석가족은 거의 다 스님이 되었습니다.

그러고 나서 어머니가 계신 도리천에 올라갑니다. 그곳에서 도리천 사람들을 다 불러놓고 말씀하신 것이 〈지장본원경〉입니다. 〈지장본원경〉의 핵심은 '효'입니다. 부모님이나 조상님에 대한 예를 강조하고 있기 때문입니다. 물론 부처님 말씀에 효경도 있지만, 〈지장경〉으로 인해서 부모님이 돌아가시면 49재도 지내게 되는 것입니다.

〈지장경〉을 보면 지옥이라고 하는 말이 수없이 나옵니다. 부처님의 제자인 목련존자가 가만히 관찰해 보니 자기 어머니가 지옥에 있는 것입니다. 3년 만에 도를 통해 신통을 얻은 목련존자가 부처님께 '어머니를 모시고 오겠다'고 말씀을 드리자 그렇게 하라고 합니다.

하지만 지옥 앞에 가서 아무리 문을 열려고 해도 열리지 않았습니다. 목련존자의 신통으로도 열지 못한 것입니다. 부처님께 다시 가서 하소연을 합니다. 부처님께서는 쇠가 달린 지팡이를 주시면서, 거기에 가서 세번 쾅쾅 울려 보라고 하셨습니다. 지옥문이 쫙 열리는 겁니다. 그것을 빗대서 만든 것이 여러분이 잘 아시는 소종, 대종입니다. 그래서 종 불사를 하게 되면 무간지옥에 들어간 조상들을 구제시킬 수 있다고 하는 것입니다.

여러분, 수행자라면 조상님들이 전부 천도가 되게 돼있습니다. 그래서 우리가 수행을 하는 것입니다. 지장보살님이 부처님의 상대가 되어 우리 인간이 알아듣도록 해 놓은 것이 「지장경」입니다.

사람이 죽어서 다시 태어나게 되는데 그 중간에 있는 것을 중음신이라고 합니다. 그 기간이 49일입니다. 그런데 그 사이에 「지장경」을 일주일에 한번씩 7번만 읽어라고 책을 주면 '예' 해 놓고 갈 때는 그냥 덮어놓고 갑니다. 인간이 그렇게 잘나고 잘 배운 것 같지만 실제 하는 짓은 실천이 너무 부족합니다.

아무튼, 입으로는 염불을 하고 생각으로는

'어머니 뱃속에서 생겨나기 바로 직전 내가 무엇이냐' 그것을 생각해 보십시오. '어찌 이 몸을 받았는가', '이뭐꼬', '이것이 무엇이냐' 하고요, 숨 한번 들이 쉴 때 '이', 내 쉴때 '뭐꼬' 이렇게 하면 어떤 염불을 해도 의심이 커집니다.

그러다가 발뒤꿈치만 채여도 깨칠 수가 있고, 누구 말 한마디만 들어도 깨칠 수가 있습니다.

2
고苦를 여의는 길

고苦를 범어로는 duhkha, 파리어론 dukkha, 한자로는 두카豆佉 · 납카納佉 · 낙카諾佉 라 음역합니다. 고란 마음과 몸을 괴롭게 하여 편안치 않게 하는 상태를 말합니다. 고에는 3고三苦 4고四苦 8고八苦가 있습니다.

삼고란 춥고, 덥고, 배고프고 목마름등의 고에서 오는 고고苦苦와 그 자체는 즐거운 것이지만, 그 낙경樂境이 파괴되는 데서 오는 괴고와 일체제법이 무상하기 때문에 느께게 되는 행고行苦가 그것입니다.

4고四苦란 생生 · 노老 · 병病 · 사死를 말하는데 사람은 누구나 다 이 사고를 겪어야 하기 때문입니다. 8고八苦란 생노병사의 4고四苦에 다시 사랑하는 사람과 이별해야 하는 고통, 미운 사람과 만나게 되는 고통, 무엇을 구함에서 오는 고통, 그리고 이 육신을 가지고 있는 고통 등을 합한 것입니다.

어디 그뿐입니까? 사실은 헤아릴 수 없이 많은 괴로움이 있겠으나, 그 많은 고통에 계통을 세워 분류에 놓은 것에 불과합니다. 또한 여기서 고를 얘기함에 있어서, 원시불교 교리중의 사성제四聖諦를 간단히 살펴보지 않으면 안됩니다.

사성제라 함은 고성제·집성제·멸성제·도성제의 네가지인데 성聖이라 함은 거룩하다는 뜻이요, 제諦라 함은 거짓없는 진실한 가르침이라는 뜻이니 녹야원에서 다섯비구에게 부처님께서 행하신 최초의 설법이 바로 이것이었다고 전합니다.

처음의 고苦와 집集 2제二諦는 현실세계요, 뒤의 멸과 도道의 2제二諦는 이상세계이며, 현실세계의 결과가 고苦요, 그 원인이 집集인 것과 같이 이상세계의 결과가 멸이요 그 원인이 도道인 것입니다.

예로부터 위의 사제법을 세번 각각 다른 방법으로 설했다 하여, 삼전사제법륜이라고 합니다.

"이것은 고니라, 이것은 집이니라, 이것은 멸이니라. 이것은 도이니라"라고 사제의 네가지 모양을 보임으로써 이를 시전示轉이라 하고, "고는 마땅히 알지니라. 집은 마땅히 끊을 지니라. 멸은 마땅히 증할 지니라. 도道는 마땅히 닦을 지니라."

고 사제의 수행을 권함으로 이를 권전勸轉이라 합니다.

"고는 내가 이미 알았노라. 집은 내가 이미 끊었노라. 멸은 내가 이미 증했노라. 도는 내가 이미 닦았노라"

고 사제의 도리를 얻었음을 자증自證함으로써 깨닫게 함으로 이것을 증전證轉이라 합니다. 이렇게 세번 설함에 있어서 상근기는 최초의 시전示轉에서 깨닫게 되고, 중근기는 권전勸轉에서, 하근기는 증전證轉에서 각각 도를 깨닫는다고 합니다.

　이와같이 많은 고통과 복잡하게 들리는 사제四諦도 그 실은 마음의 소산임을 알수가 있습니다. 그러나 세상 사람들은 그 고통을 타인에게 책임을 전가하여 원망과 불편 불만을 털어 놓기 쉬운 것이니 이 세상의 이치를 몰라 조물주를 찾고, 계속해서 어설픈 생활을 영위하게 되는 것입니다. 그러나 알고보면 부끄러운 일이요 자기 자신을 반성하지 않을 수 없게 되는 것입니다.

　다시 말하면 과거의 업력業力이 현재의 자신의 실존이요, 이 현재를 이끌고 가는 것은 이 마음이란 뜻입니다. 그러므로 과거의 업에 있어서 선업의 힘이 컷느냐, 악업의 힘이 많았느냐에 따라서 현재 고苦의 경중이 결정되는 것이요, 그 고를 낙樂으로 인도하는 것도 결국은 우리의 마음이란 말입니다.

　때문에 자기의 현재를 관조해 보고 보다 나은 미래를 위해서 자신의 마음을 닦는 일에 최선을 다해야 할 것입니다.

　다시 말하거니와 고를 여의려면 첫째는 자기의 분수를 지켜가며 현실에 만족할 줄 알고 보다 나은 미래를 위해 마음을 닦는 공부를 부단히 계속하며, 책임있는 생활을 해야 될 것입니다.

　둘째로는 인생과 우주의 원리를 추구하며 자신의 나쁜 습관을 점진적으로 시정해가며 이 세상을 밝게 살아가며, 이웃에게도 그러한 생활을 권해야 될 것입니다.

천운 스님

셋째로 시간 생활을 함으로써 게으름을 벗어나서 타의 모범이 되는 지도자적이며 구도자적인 생활을 함으로서 이론만이 아닌 실천인이 되어야 할 것입니다.

이리하여 부처님의 가르침에 따라 마음공부를 부단히 계속하게 되면 투철한 지혜와 원만한 자비심이 구족되어 너도 나도 진실한 인격자가 되어 살기 좋은 극락정토가 가능할 것입니다. 이렇게 됨으로써 고를 여의게 되어 모든 중생이 고를 여의어 버린 길에서 환희의 미소를 지으며 밝은 생활을 영위할 수 있게 될 것입니다.

3
종교인의 자세

 사실상 우리 국민들은 서양 문명을 제대로 소화시키지 못한 상태에서 서양문명의 골수적인 부분은 받아들이지 않고 지엽적인 면만을 받아들여 그것이 서양문명의 전부인양 생각하고 그 자체가 문명의 발전인 것처럼 여기는 경우가 많은 것 같습니다.
 우리의 것은 모두가 구식이고 또한 발전에 장애물이 된다고 생각하며 서양문명으로 모든 것을 바꾸어야만 발전된 것이고 그게 곧 최고의 문명이라고 생각하고 있는 것입니다.
 그렇다면 우리의 정신 문명마저도 서구화 시켜야 함에도 그렇게 되지 못한 것이 우리의 현실입니다. 이런 이유는 몇천년간을 전해내려오는 전통성이나 정신문명은 하루아침에 바꿀 수는 없기 때문입니다.
 외래 문화를 받아들이는 올바른 자세는 그 문명을 받아들여 우리의 것으로 만든 다음, 그것도 우리의 정신적 바탕 위에서 세워져야 할 것입니다. 그런데 현재 우리들은 서구문명의 지엽적이고 표면적인 면만을 가지고 따라 잡으려 발버둥을 치고 있으니, 우리의 정신활동마저 침해당하고 있는 실정인 것입니다.

더구나 세대다운 세대를 부르짖는 젊은층은 과학 만능주의에 몰두되어 인간성마저 물질로 표현하려 하고 있으며 겉모습은 완전한 서양인을 흉내내고 있습니다. 사회풍조는 겉치레에 힘쓰게 되었고 인간의 내면적 생활은 신경을 쓰지 않게 되지 점차 동물적 양상을 나타내고 있는 실정인 것입니다.

이러한 시점에서 정신적 빈곤을 치료해주는 역할을 담당해야 하는게 종교인의 책임이 아닌가 합니다. 건전한 문명세대를 이룩하려면 종교를 뿌리와 줄기로 삼고, 도덕을 지엽으로 삼는다고 한다면, 근본적인 책임은 종교인이 져야 할 것이고 그 다음으로 정치인이 져야 할 것입니다.

이렇게 되면 종교인의 책임이 얼마나 무거운가를 짐작해 볼 수 있습니다. 그렇다면 우리 종교인들이 이런 책임의식을 과연 얼마만큼이나 느끼고 있을까요. 특히 일부 종교인들의 생활태도는 아무리 좋게 봐주려고 해도 석연치 않는 점이 너무 많은 것 같습니다.

종교인이라면 최소한 평신도 보다는 신앙적 태도가 돋보여져야 할 것입니다. 그렇다고 억지로 표정을 지을 필요는 없겠지만 하여간 신도들의 눈에 고고하게는 보여져야 할 것이라는 생각입니다.

다시 말해서 물질적 관계와 명예적 관계에 신경을 너무 써서는 안된다는 이야기입니다. 여기에다가 이해와 관용을 가짐과 동시에 일상생활에서는 회의와 반성, 그리고 자각과 참회로써 인생을 겸허한 자세로 임해야 할 것입니다.

이 정도의 태도도 갖추지 못한 종교인이 많다고 생각될 때 부끄러운 마음을 금할 길이 없습니다. 종교인들이여! 인간의 삶에 뿌리와 줄기를 잡아 연결해 주는 책임이 완전히 종교인에게 있습니다. 피부로 깊숙이 느꼈다면, 자신의 수행을 조금이라도 게을리 할 수 있겠습니까. 종교를 미끼삼아 허울을 쓸 수 있습니까? 물질과 명예에 신경 쓸 시간적 여유가 있겠습니까?

현실의 잘못됨을 바로 잡아주고 건져 주어야 할 의무가 종교인에게 있습니다. 그런데 자기 자신마저 건지지 못한다면 어떻게 남을 구할 수 있겠습니까? 쉬임없이 수행하고 베푸는 종교인들의 자세가 정말 아쉽습니다.

慧山 (1933~2005)

1963년 내소사에서 해안스님을 은사로 득도
1971년 서울 전등사에 전등선림 개원
1971년 전등선원 선원장
1974년 해인사 해인총림 선원장
1975년 조계사 주지
조계종총무원 사회부장 · 내소사 주지

가장 잘 사는 법

중국의 현사玄沙스님이 법문을 하려고 법상에 오른 적이 있습니다.

그때 마침 대들보위에 앉아 있던 제비가 '지지구 제지구' 하고 한참 지저겼습니다. 그 소리를 듣던 현사스님은 아무 말없이 앉아 있다가 그대로 법상에서 내려오고 말았습니다. 제비가 이미 법문을 다 해 마쳤는데 따로 법문 할 것이 없다는 것입니다. 이것은 고사古史의 한토막을 들어서 여러분에게 보인 것입니다. 불법의 오묘한 이치는 무엇이라고 말로 표현해서 되는 것도 아니오, 형상으로 나타낼 수도 없어서 여기에 이르러서는 부처님을 비롯하여 역대조사가 입을 열지 못했습니다. 그러나 말로 표현할 수 없고 문자로 나타낼 수 없는 것이 불법이냐 하면 꼭 그렇지도 않습니다.

　이 지극한 이치를 요달해 알고 보면 산하대지 두두물물頭頭物物이 모두 부처 아닌 것이 없고 제비 지저귀는 소리, 꾀꼬리 노래소리, 일체의 행주좌와行住座臥어묵동정語默動靜이 모두 불법 아닌 것이 없습니다. 다만 여기 이르기 위하여는 천경만론千經萬論을 모조리 섭렵한다고 해서 되는 것도 아니오, 우뢰와 같은 사자후를 토하고 비단같은 설법으로 돌이 머리를 끄덕일 만큼 법문이 장하다고 해서 불법을 잘 아는 것도 아닙니다.

　그러면 오늘 이 자리에 모인 대중은 어떤것이 불법의 참 면목面目이라고 이르겠습니까?

　　여기서 우물우물 사량분별을 내서는 아니됩니다.
　　말 떨어지기가 무섭게 쑥 내밀어야 합니다.
　　내놓을 것이 없으니 답답합니다.
　　내놓을 것이 없으니 주인이 되지 못합니다.
　　살아 있어도 산 것이 아니고 죽은 목숨입니다.
　　주인 노릇을 못하니 종놈입니다.

　　남의 종놈이 하루인들 마음편하게 다리 뻗고 쉬는 날이 있겠습니까? 해만 뜨면 동쪽으로 서쪽으로 급하게 달려야 하고 고개 한번 들지 못하고 허리 한번 펴지 못한체 굽신거려야 합니다.

여러분의 살림살이가 어떤가 한번 돌이켜 보십시요.

정말 주인다운 주인노릇을 잠시라도 해 본적이 있습니까? 말 떨어지기가 바쁘게 내 밑천을 쑥 내밀어서 선지식의 입을 봉해야 합니다. 여기서 알음알이를 지어가고 조사의 언구言句를 따라 가다가는 오히려 제 한 목숨도 건지지 못한체 영겁의 윤회에서 헤어나지 못하고 말것이니 여기에는 언설言說이 끊어지고 일체의 식정識情이 돈망頓忘해야 하는 것입니다. 그리하여 가고 또 가서 산도 다하고 물도 다한 그곳에서 새로이 활로를 뚫어야 삽니다. 불법은 스스로 깨쳐서 아는 것이지 남이 알려줄 수도 깨쳐줄 수도 없는 것입니다.

그러나 공부하는 학인들이 길을 모르고 스스로 요달하지 못하는 연고로 부처님께서는 부득이 하여 환과 같은 대자비를 이르켜 49년이라는 긴 세월을 두고 횡설수설 팔만사천의 장광설을 설했든 것입니다. 그 뿐입니까, 역대선사는 때로는 방망이를 쓰고 때로는 할喝을 쓰기도 하고 때로는 눈썹을 드날리고 때로는 눈을 깜박이는 등 가진 방편을 다하여 중생을 교화하였습니다.

불법은 실로 무유정법無有定法인 것입니다.

정한 법이 없는지라 길어야 할때에는 길게 설하고, 짧아야 할때는 짧게 설하고, 검어야 할때는 검게 설하고, 붉어야 할때는 붉게 설하고, 모나야 할때는 모나게 설하고, 둥글어야 할때에는 둥글게 설하고, 높아야 할때는 높게 설하고, 깊어야 할때는 깊게 설하고, 외도를 대하면 외도법을 설하고, 보살을 만나면 보살도를 설하고, 소승을 대해서는 소승법을, 대승을 대해서는 대승법을 설하는 등 하나도 일정한 법이 없이 때와 장소와 근기에 따라서 각각 설하게 되는 것이니 만약 길기만 하다면 짧게 쓸 수가 없고 짧기만 하다면 길게 쓸 수 없으며 모나기만 하다면 둥글게 쓸 수 없고 둥글기만 하면 모나게 쓸 수가 없고 검기만 하다면 붉게 쓸 수 없고 붉기만 하다면 검게 쓸 수가 없으니 이래가지고는 속박된채 자재하지 못하여 큰 해탈을 얻을 수가 없으니 어찌 천하의 대도大道라고 할 수 있겠습니까?

그러므로 〈금강경〉에 이르기를 정해 놓지 않은 법을 이름하여 「아뇩다라삼먁삼보리」라고 했습니다.

「아뇩다라삼먁삼보리」를 우리 뜻에 맞추어 번역한다면 가장 잘 사는 법입니다. 다시 바꾸어 말하면 가장 잘사는 법이란 일정하게 정해 놓은 법이 없다는 것입니다. 불법은 가장 잘 사는 법입니다.

어찌 그러하냐 하면 이 법은 부족함이 없고, 이 법은 걸림이 없고, 이 법은 나와 남이 없고, 이 법은 원수와 친한이가 따로 없으며, 이 법은 위上가 없고, 이 법은 천하에 짝할 자가 없고, 이 법은 써도 써도 다함이 없기 때문입니다.

이 법은 자재하여서 일체처에 주인이 되어 걸림없기가 마치 천마天馬가 허공을 날으는 것과 같습니다. 요즈음은 포교가 많이 되어서 신남신녀가 절에 가면 불공이나 기도도 잘 하지만 그 보다도 법문을 들으려고 하는 경향이 높아 졌습니다. 또 학생회·청년회·거사림회 등 불교단체가 많이 생겨서 불교활동이 매우 활발해져 가고 있습니다. 그리고 여러가지 법회를 열어 큰스님을 청해 법문을 들으려고 애쓰고 있습니다.

　그 목적은 한결같이 좋은 법문을 듣고 지혜를 얻어 번뇌를 제하고 고해에서 벗어나 행복한 생활을 하고자 함에 있다고 합니다. 매우 기쁜 현상이라 아니할 수 없습니다. 그러나 내가 보기에는 한가지 안타까운 것이 있습니다. 왜냐하면 불법을 들어서 알고 배워서 알려고 하는 이는 많으나 스스로 행하고 깨쳐서 알려고 하는 이가 적은 것입니다. 앞에서도 말했지만 불법은 들어서 알고 배워서 아는 것이 아닙니다.

　불법은 밖에서 구해서 되는 것이 아니라 이미 자기에게 갖추어져 있는 본래 구족한 불성을 찾아 체득하는데 묘미가 있는 것입니다. 우리가 법문을 들되 그 뜻을 알지 못하면 백년을 들어도 마치 쌀겨를 씹는 것에 불과할 뿐 자기의 생명을 유지하는 양식이 되지 못합니다. 그것은 마치 마른 우물에 물을 퍼다 담는것 같아서 그 우물은 날이 가물면 이내 말라버리고 마는 이치와 같습니다.

혜산 스님

그러니 마른 우물에 물을 담는 어리석은 사람이 되지 말고 참으로 생수를 찾아서 청정수가 넘치는 우물을 파야 합니다. 그래야 천년을 써도 만년을 써도 영원히 마르지 않는 넉넉한 살림이 되지 않겠습니까?

또 옛 선지식이 말하기를 흙덩이를 무는 개가 되지 말고 사람을 무는 사자가 되라고 했습니다. 개에게 흙덩이를 던지면 흙덩이를 쫓아가지만 사자에게 던지면 사자는 흙덩이는 아랑곳하지 않고 던지는 사람을 문다고 합니다. 이와같이 법문을 듣더라도 법문의 뜻을 쫓는 장부가 되어야지 말만 따라다니는 필부가 되어서는 안됩니다.

알고 보면 일체가 도道 아닌 것이 없지만 알지 못하면 칠흑같이 깜깜해서 흙덩이만 쫓아 다닙니다. 그래서 오늘은 여러분에게 생수가 철철 넘치는 우물을 파는 요령을 하나 일러주고자 합니다. 공부하는 학인에게 세가지 요긴한 것이 있습니다.

첫째는 대신심大信心이 있어야 하고, 둘째는 대분지大憤志가 있어야 하고, 셋째는 대의정大疑情이 있어야 합니다.

어떠한 것이 대신심입니까?

먼저 부처님의 가르침을 철석같이 믿어야 합니다. 앞에서도 말했지만 요즈음 불자들은 여러 스님네들의 법문을 두루 듣다 보면 형형색색입니다. 어떤이는 경전을 보는 것이 제일이라고 하는가 하면 어떤이는 참선을 해야 견성을 한다고 합니다. 어떤이는 업장이 두터운 중생은 참선을 해야 깨치지도 못하고 경전을 보아야 알지도 못하니 염불을 해야 극락세계에 간다고 합니다. 백이면 백, 천이면 천, 각기 다른 말을 하니 어떤 것을 믿고 의지해야 할지 종을 잡을 수가 없습니다.

그래서 신심이 없이 법문만 많이 듣다 보면 여우가 되어서 신심은 박약해지고 건혜(분별지혜)만 늘어서 스스로 부처가 다 되어 가지고 절에 가면 열반당 도깨비 노릇을 합니다. 이것은 병중에도 아주 큰 병입니다.

그러기에 부처님께서는 후세사람이 공부를 하려거든 반드시 불법의 심인心印을 체득한 선지식을 찾아서 공부하라고 간곡히 당부했습니다. 선지식은 배우는 사람을 대하면 근기를 알아서 알맞은 방편으로 선도합니다. 그러니 부처님의 가르침을 하늘같이 믿어야 합니다.

부처님께서는 준동함령 즉 모든 생물은 다 같이 불성을 가졌다고 했습니다. 누구나 정진하고 노력하면 성불하기가 세수하면서 코만지기 보다 쉽다고 했습니다.

새삼스럽게 성불하는 것도 아니고 이미 성불해 있는 자기의 자성청정한 본래면목을 되찾아 미혹에서 벗어나 광명의 새 천지를 발견하는 것입니다. 이 말을 믿어야 합니다.

여우같이 되어 가지고 정말 그럴까 하고 고개를 살래살래 흔든다면 이야말로 천불이 출세해도 제도 할 길이 없습니다. 그러므로 대신심이 있어야 합니다. 설사 부처님이 불구덩이에 처넣는다 해도 믿어야 합니다. 어린애기는 엄마가 때리면 더욱 달려들어서 엄마 품에 안깁니다. 엄마를 믿고 의지하는 마음이 있기 때문입니다.

그 놈은 장차 사람될 싹이 보입니다.

그러나 엄마가 한번 꾸짖고 때린다고 해서 도망쳐 달아나는 놈은 영원히 부랑아가 되고 맙니다. 부처님을 향하는 간절한 믿음이 굳고 굳어야 합니다. 동시에 부처님의 혜명을 이어 받은 선지식을 믿어야 합니다. 아주 철저히 믿어야 합니다.

달마대사가 소림굴에서 면벽을 하고 있을때 혜가대사가 찾아 갔습니다. 그러나 달마대사는 쉽게 허락하지 않았습니다. 혜가는 밤이 새고 눈이 허리에 차도록 물러서지 아니했습니다.

날이 밝자 달마는 뒤를 돌아 보았습니다. 모질게 추운 날씨에 동굴밖에는 혜가가 돌장승처럼서 있었습니다. 달마대사는 고함을 질렀습니다.

"네 정히 그렇다면 믿음을 보이라"고 했습니다.

혜가는 서슴없이 칼을 빼어 왼팔을 삭뚝 끊어서 바쳤습니다.

이런 신심이라야 합니다. 주지스님의 눈치나 보는 신심이 아닙니다. 법사의 구미를 맞추는 신심은 더욱 아닙니다. 죽기 아니면 살기로 대드는 신심이 있어야 합니다.

다음에는 자기를 믿어야 합니다.

나도 정진하고 노력하면 틀림없이 부처를 이룰 수 있다는, 자기자신에 대한 확고부동한 신념이 있어야 합니다. 부처님도 설산에서 육년고행끝에 대도를 성취했습니다.

대매大梅는 마조스님을 찾아가 즉심시불卽心是佛이라는 말 한마디에 불법을 알았고 영우靈祐는 복숭아 꽃 떨어지는 것을 보고 삼십년이나 찾던 칼을 얻었습니다.

그들도 밥을 먹고 살았고 춥고 더운줄을 알았으며 가죽밑에 피가 흐르기는 매 한가진데 그들이라고 해서 성불을 하고, 나라고 해서 성불하지 못할 이유가 없지 않습니까? 그러니 나도 하면 된다는 단단한 믿음이 있어야 합니다. 믿음은 만사를 이루는 근본이 됩니다. 처음부터 자신이 없는 일은 결과도 뻔합니다.

그리고 둘째는 대분지大憤志입니다.

크게 분한 마음을 일으켜야 한다는 말입니다. 참으로 공부에 뜻이 있는 사람은 남이 시키지 않아도 저절로 분심이 납니다. 공부는 그만두고 세상일에도 힘이 달려서 남에게 창피를 당하면 분한 생각이 납니다. 하물며 대장부로 태어나서 한번 멋지게 살아보지 못하고 평생을 종노릇을 하는 일을 생각하면 어찌 분하지 않겠습니까?

종노릇을 하다니, 내가 왜 종노릇을 하는고 반문 할런지 모릅니다. 그러나 여러분 중에 속아 살지 않고 종노릇 하지 않고 사는 사람이 과연 몇사람이나 됩니까?

보면 보는데 속고, 들으면 듣는데 속고, 냄새를 맡으면 냄새 맡는데 속고, 맛을 보면 맛에 속고, 추우면 추워서 떨고, 더우면 더워서 못견디고, 슬프면 슬픔에 울고, 기쁘면 기뻐서 날뛰는 등 육근육식六根六識에 속지 않고 매달리지 않는 사람이 몇이나 되는가 말입니다.

더우면 더워서 걱정, 추우면 추워서 걱정, 많으면 많아서 걱정, 적으면 모자라서 걱정, 배고프면 배고파서 걱정, 배부르면 배불러서 걱정, 알면 알아서 걱정, 모르면 몰라서 걱정, 젊으면 젊어서 걱정, 늙은면 늙어서 걱정, 하나도 걱정 아닌 것이 없고 병아닌 것이 없으니 이래 가지고서야 어찌 제가 제 인생을 살아 간다고 자부할 수 있겠습니까? 이러니 한번 크게 분한 생각을 내서 삼계에 초출超出하는 출격장부가 되어 보겠다는 각오가 없어서는 아니 되겠습니다.

셋째로는 대의정大疑情이니 이것은 크게 의심을 품으라는 말입니다.

공부하는 학인이 조주스님에게

"개도 불성이 있습니까?" 하고 물었습니다.

조주는 그에게

"무(無없다)"라고 답했습니다.

도대체가 말이 않되는 소리입니다. 하지만 이 소리가 말이 않되는 소리가 아니고 참으로 되는 소리니 어쩌하겠습니까?

언하言下에 깨치면 생사대사를 마칩니다. 속아 살지 않는다는 말입니다. 종노릇을 하지 않고 주인 노릇을 한다는 말입니다. 그러나 그 말이 무슨 뜻인지 모르니 가슴이 답답하고 머리가 아프고 앞이 캄캄합니다. 그리고는 취생몽사하다가 어느 귀신이 잡아가는 줄도 모르게 인생을 마치고 마는 것입니다.

어째서 없다고 했을까요?

이때 조심해야 할것이 있습니다.

양귀비가 소옥아! 소옥아! 하고 부르는 뜻이 어디 있는지는 알아야 하는 것 같이 주군의 말을 따라가지 말고 말뜻을 쫓아야 합니다.

부처님께서는 준동함령인 모든 생물에 이르기까지 모두 불성이 있다고 했는데 영리한 강아지가 불성이 없다니 그게 무슨 뜻입니까?

이것을 화두話頭라고 합니다.

의심이 깊고 깊어야 합니다.

의심을 하되 순일純一하게 해야 합니다.

이생각 저생각 하면서 하는 것이 아니라, 의심 덩어리가 뭉치고 뭉쳐 점점 커져서 경계도 잊고 나도 잊어버리고 천지가 온통 의심 덩어리 하나로 가득 차야 합니다.

물을 보아도 이 생각, 산을 보아도 이 생각, 밥을 먹어도 이 생각, 걸음을 걸어도 이 생각, 잠을 잘때 까지라도 오직 이 의심 하나만으로 가득 차야합니다.

고인의 말에 "한번 찬 기운이 뼈속에 사무치지 않고서야 어찌 코를 찌르는 매화의 향기를 토하랴" 했습니다.

눈치보아 가면서 하는 의심이 아닙니다. 말길을 따라서 하는 의심도 아닙니다. 선도 잊고 악도 잊고 생도 잊고 사도 잊어 버린 그런 일사불란한 정진이 아니고서야 어찌 생사를 초탈하는 대업을 성취하겠습니까?

화두를 들되 마치 머리에 불끄듯이 해야 합니다. 머리에 불이 붙어 있는자가 어찌 추호라도 딴 생각을 할 수 있겠습니까? 그러니 법문을 많이 듣기만 해서 좋은 것도 아닙니다.

책을 많이 본다고 해서 빨리 성불하는 것도 아닙니다.

요즈음 불교신자들을 대해보면 법문도 많이 듣고 책을 많이 읽어서 아는 것이 생겨 가지고 여러가지를 질문해 옵니다. 알려고 애쓰는 것은 좋은 일입니다. 그러나 실천이 따르지 않는 이론은 세치학설三寸學說에 불과합니다. 세치학설이란 눈으로 보고 귀로 듣고 말로해서 아는 학설입니다. 눈과 귀가 한치고 귀와 입이 한치고 입과 눈의 거리가 한치어서 합하여 세치가 되니 세치학설이라고 합니다. 세치학설로는 성불하지 못합니다.

그것은 마치 배고픈 자가 음식을 먹지는 않고 요리 이야기만 하는 것과 다름이 없습니다. 배가 정말로 고프거든 잔소리 말고 우선 밥을 먹어야 합니다. 먹고 나서 이야기 하면 밥맛을 배우지 않아도 똑바로 말할 수 있습니다. 먹어보지 않고 하는 말은 시원치 않습니다.

그 먹어보지 않은 알음알이를 건혜乾慧 로 분별지혜라고 합니다. 분별지혜 가지고는 생사를 초월하지 못합니다. 생사를 해탈하는 문제는 돈 가지고는 않됩니다. 권세로도 않됩니다. 재주 가지고도 않됩니다. 저승에서 오는 염라대왕의 사자는 돈이나 권세나 재주따위는 문제시 하지 않습니다. 생사없는 법을 요달了達해야 합니다.

부처님께서 고구정녕하게 설하신 것이 생사없는 법을 설했습니다. 다시 말하면 그 목적지를 향하는 노정기(안내서)를 설해 놓은 것입니다. 가고 아니 가고는 각자의 마음입니다. 부처님이 대신 갈 수도 없는 일입니다. 부모의 죽음을 자식이 대신할 수 없고 자식의 죽엄을 부모가 대신 할 수도 없는 것과 같은 이치입니다.

마음으로 읽는 고승법어(Ⅱ)

2007년 6월 20일 인쇄
2007년 7월 5일 발행
2015년 3월 10일 3쇄

편   자 / 金吉祥
펴낸이 / 金正佶
펴낸곳 / 弘法院
기   획 / 金大圓
교   정 / 金摩耶, 金慈仁
주   소 / 서울시 종로구 견지동 55-2
전   화 / (02)734-7614
             (02)739-8745
팩   스 / (02)735-2344
등록번호 / 제1-450호 1968년 5월 20일

정 가 / 25,000원

* 잘못 만들어진 책은 바꿔드립니다.